»Spielmannsepik«

MICHAEL CURSCHMANN

»Spielmannsepik«

WEGE UND ERGEBNISSE

DER FORSCHUNG VON 1907–1965

Mit Ergänzungen und Nachträgen

bis 1967

(Überlieferung und mündliche Kompositionsform)

MCMLXVIII

J. B. METZLERSCHE VERLAGSBUCHHANDLUNG

STUTTGART

Erweiterter Sonderdruck aus
Deutsche Vierteljahrsschrift für Literaturwissenschaft
und Geistesgeschichte
Jahrgang 40 (1966) Heft 3 und 4

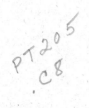

J.B.Metzlersche Verlagsbuchhandlung und Carl Ernst Poeschel Verlag GmbH in
Stuttgart 1968, Druck: H. Laupp jr, Tübingen
Printed in Germany

INHALT

VORWORT

Wenn ich jetzt das 1966 in der DVjs. erschienene Forschungsreferat zum Thema »Spielmannsepik« in erweiterter Form gesondert vorlege, so tue ich das nicht, ohne mir einiger grundsätzlicher Mängel bewußt zu sein.

Es fehlt nicht nur an früheren Berichten oder Darstellungen, die das Thema in ähnlich umfassender Weise behandelt hätten, – es gibt auch nur wenige Einzelfragen, die bereits fortlaufend und konsequent beachtet worden wären. So gleichen die Wege der Forschung zumeist verschlungenen und unverbundenen Pfaden, die sich immer wieder im Dickicht der Tatsachen und Meinungen verlieren oder bei einer bequemen Ruhebank im Schatten althergebrachter Terminologie ein Ende finden. Der Wegweiser sind wenige, und selten betritt man eine Lichtung, von der aus ein Überblick möglich und eine der Hauptstraßen der Mittelalterforschung sichtbar wird. Der Versuch, dieses Bild nachzuzeichnen und zugleich aufzuhellen, mußte im Rahmen eines Zeitschriftenbeitrags mit zeitweilig großer Knappheit der Darstellung und gelegentlicher Unübersichtlichkeit erkauft werden. Das nunmehr beigegebene Register wird die Benützung hoffentlich erleichtern.

Ein Zweites erscheint mir schwerwiegender: Um die Fülle des vielfach noch nicht aufgearbeiteten Materials und der noch offenstehenden Fragen und die Vielfalt der verstreut geäußerten Meinungen überhaupt erfassen und darstellen zu können, habe ich eine Gliederung wählen müssen, die im Grunde nicht meiner Vorstellung davon entspricht, wie in Zukunft das Thema behandelt werden sollte. Auch das Festhalten an Begriffen wie »Spielmann«, »Spielmannsepik« und »spielmännische Epik« sowie die Beschränkung auf sechs in dieser Weise klassifizierte Denkmäler stellt einen leidigen Kompromiß dar. Es soll damit keineswegs literarhistorischem Schubladendenken und dem Schematismus der Handbücher das Wort geredet werden, und ich kann nur hoffen, daß im einzelnen deutlich gemacht ist, inwieweit es sich dabei um eine Beschränkung handelt, aus der weitere Forschungen sich werden befreien müssen. Einige Neuerscheinungen der letzten Jahre geben Veranlassung, zu diesem Punkt in einem Nachtrag noch ein paar Worte zu sagen. Verleger und Herausgeber sind meinen Erweiterungswünschen mit dankenswerter Großzügigkeit entgegengekommen.

Änderungen im Haupttext betreffen nur Druckfehler und kleinere Nachlässigkeiten (irreführend war nur »persisch« statt »serbisch« auf S. 25, Anm. 126, ein Fehler, den ich deshalb noch eigens erwähne). Die Titel der hauptsächlich behandelten Werke sind durchweg wie folgt abgekürzt: 'Herzog Ernst' = Er; 'Dukus Horant' = Hor; 'Orendel' = Or; 'Münchener Oswald' = Osw; 'Wiener Oswald' = W. Osw; 'König Rother' = Ro; 'Salman und Morolf' = Salm. Über weitere Abkürzungen unterrichtet die Anm. 1.

Der Anhang enthält in etwas anderer, um der Lesbarkeit willen gewählter Anordnung Ergänzungen zur älteren Literatur und Nachträge, die bis zum Frühjahr 1967, gelegentlich etwas weiter führen. Für Hinweise, die z. T. noch bei der Korrektur der ursprünglichen Fassung, z. T. erst jetzt berücksichtigt werden konnten, danke ich den Herren Ch. Gellinek (New Haven), W. Haug (Regensburg), A. Karnein (Oregon), H. Mayer (Toronto) und W. Röll (Hamburg). Frl. cand. phil. Heidi von der Thüsen danke ich für ihre wertvolle Mithilfe bei der Ausarbeitung des Registers. Mein besonderer Dank gilt der Universität Princeton, die in diesem wie in anderen Fällen durch großzügige Entbindung von Lehrverpflichtungen meine Arbeit wesentlich gefördert hat.

I. Begriff und Sache in der allgemeinen Literaturgeschichtsschreibung

Im Verlauf der letzten 60 Jahre, die der folgende Bericht behandeln soll[1]), hat die Forschung auf diesem sachlich wie methodisch ebenso fruchtbaren wie problematischen Gebiet einen Standpunkt erreicht[2]), von dem aus wir mit dem gewählten Titel in gewisser Weise offene Türen einrennen. Daß der Begriff »Spielmannsepik« die gemeinte Sache zumindest nicht genau trifft, ist im großen und ganzen anerkannt. Zugleich besteht aber gerade jetzt die Gefahr, daß man es bei den Gänsefüßchen bewenden läßt bzw. sie stillschweigend wieder beseitigt (vgl. W. J. Schröder, S. 9), ohne das Problem wirklich durchzudenken und damit erst der gemeinten Sache gerecht zu werden. Vorschub leisten dem auf diesem im einzelnen immer nur sporadisch beackerten Feld leider ausgerechnet unzureichend informierende oder methodisch veraltete Handbuchdarstellungen, wie die von W. Krogmann verfaßten Artikel des Verfasserlexikons über 'Oswald' (Osw), 'Orendel' (Or) und

[1]) Ausgangspunkt ist G. Baeseckes Ausgabe des 'Münchener Oswald'. Im übrigen wird es nicht möglich sein, die zeitliche und sachliche Begrenzung immer scharf im Auge zu behalten; für das eine ist die Forschung noch zu sehr dem 19. Jahrhundert verhaftet, für das andere ist das Gebiet nicht klar genug umrissen und umreißbar. So war – nicht nur im Hinblick auf das Heldenepos und die allgemeine Epenforschung – öfters die »Spielmannsepik« nicht direkt oder nur am Rande berührende Literatur heranzuziehen. Einiges ist mir sicher entgangen, ich glaube aber, nichts Wichtiges. Daß manches von »außenstehender Seite« nebenbei Bemerkte zu quantitativ unverhältnismäßiger Prominenz gelangt, ist ein Reflex der Forschungslage, nicht Ergebnis willkürlicher Auswahl. Dem Bericht folgt nicht, wie üblich, eine Liste maschinenschriftlicher Dissertationen; sie sind in der Darstellung mit berücksichtigt. Der Umfang des in der relativ langen Besprechungszeit angefallenen Materials zwingt zu äußerster Knappheit der Darstellung. Trotzdem muß die Abhandlung ihrer Länge wegen noch in Kap. I–II und Kap. III–V getrennt erscheinen. Gelegentliche Vorausverweise vom 1. auf den 2. Teil beziehen sich, wenn nicht auf Anmerkungen, auf Kapitelzahlen. Zur Abkürzung von Zeitschriften u. ä. verwende ich die in W. Stammlers 'Deutsche Philologie im Aufriß' angegebenen Siglen; die Literaturgeschichten Ehrismanns, de Boors und einiger anderer sind im allgemeinen nur mit Namen des Verfassers zitiert. Abschluß des Manuskripts: November 1965.

[2]) Vom Standpunkt der Spielmannsfrage aus geben ausführlichere Überblicke in neuerer Zeit P. Wareman, Spielmannsdichtung. Versuch einer Begriffsbestimmung, Diss. Amsterdam 1951, S. 11 ff. (Rezz.: J. K. Bostock, Erasmus 5 [1952], Sp. 630; C. Minis, Leuvense Bijdragen 42, Bijblad [1952], S. 63 f.); J. Bahr, Der »Spielmann« in der Literaturwissenschaft des 19. Jahrhunderts, ZfdPh 73 (1954), S. 174–196; W. Salmen, Der fahrende Musiker im europäischen Mittelalter, Kassel 1960, S. 12 ff. (Rez.: K. H. Bertau, Études Germaniques 19 [1964], S. 43–46); vgl. auch W. J. Schröder, Spielmannsepik, Stuttgart 1962, S. 1 ff.

(hier zum großen Teil zeitbedingt) 'König Rother' (Ro)[3] – informativ und umsichtig dagegen H.-Fr. Rosenfeld über 'Herzog Ernst' (Er) und 'Salman und Morolf' (Salm)[4] – und das sachlich weitgehend vom Verfasserlexikon oder älterer Forschung abhängige Büchlein W. J. Schröders.

Dem bewußt bescheidenen Anspruch, das gegenwärtige Wissen zu vermitteln, dem Sachlichen zu dienen und an die Texte heranzuführen (S. V), genügt der Metzler-Band nur im dritten Punkt; Bibliographie und sachliche Hinweise sind dagegen unsystematisch und veraltet. So fehlt für den ohnehin immer am meisten vernachlässigten Or die einzige interpretierende Untersuchung des ganzen Zeitraums (Tonnelat; auch von Steinger übergangen) sowie ein neuer Beitrag zur Quellenfrage (Singer), für den Er die wichtige Dissertation von Ringhandt, für den Osw die einzige größere Arbeit seit Keim, die Dissertation Schreibers, für den Salm die stilistische Analyse von Matz (die alte Arbeit von T. Zielinsky ist zum Stilproblem allgemein genannt, aber nicht die neue Dissertation von Zimmermann)[5]. Gravierender noch, daß beim Osw (wie von Krogmann) die Existenz der Wiener Handschrift und beim Salm das Wiederauftauchen der Eschenburgschen übersehen ist. Daß Osw *Mk* ein ganz kurzes Fragment ist, wird genausowenig wie bei Krogmann klar. Zu Er G sind nur die beiden Bartsch bekannten Drucke genannt; die neue (mit angeführte) Ausgabe von King stützt sich aber doch schon auf wesentlich mehr. Hinweise auf den internationalen Rahmen, auf spielmännische Formen in nichtspielmännischer Dichtung u. ä. im Plan des Verfassers; man hätte aber doch wohl nur so das Thema – auch im Sinne der Realiengrundlage – in den Rahmen stellen können, in dem seine Diskussion sich mehr und mehr bewegt hat. Sehr viel umfassender informiert die Bibliographie der neuen Literaturgeschichte von E. Erb[6], deren Brauchbarkeit durch viele Druckfehler und Ungenauigkeiten sowie v. a. durch den weitgehenden Mangel an Organisation allerdings nicht unwesentlich beeinträchtigt wird.

Die Haltung des Laissez-faire hat allerdings in der Forschung zur deutschen »Spielmannsepik« eine lange Tradition, – scheint sie doch dem Stil dieser Dichtungen geradezu angemessen. »Nach den Ergebnissen der Forschung scheint es überhaupt nicht möglich zu sein, die Gattung an bestimmter zeitlicher Stelle in einen allgemeinen Entwicklungsablauf der Literatur einzuordnen« (Schröder, S. 15). Liegt es wirklich an der Sache selbst, daß uns das »Spielmannsepos« längst nicht in dem Maß an Plastizität gewonnen hat wie etwa die Epik der Geistlichen[7], das Heldenepos oder selbst der frühhöfische Roman?

Hier wird man zunächst feststellen müssen, daß nichts die Erforschung dieser Gruppe von Epen so behindert hat wie ihr Name. Über dessen Vorgeschichte hat B. Spittler in einer kenntnisreichen, bis Uhland führenden Untersuchung gehan-

---

[3]) Bd. 5, Berlin 1955, Sp. 791–795 (Or), Sp. 814–817 (Osw); Bd. 2, Berlin u. Leipzig 1936, Sp. 847–861 (Ro; Nachtrag von K. Hannemann in Bd. 5, Sp. 533 f.).

[4]) Bd. 4, Berlin 1953, Sp. 4–21 (Salm); Bd. 5, Sp. 386–406 (Er).

[5]) Bezeichnend sind unter diesen Umständen auch Versehen wie der Name Moncheberg (die von Wareman gegebene falsche Form) statt: Mönckeberg, oder Titel wie H. Fromm, Der Rotherdichter als Erzähler, statt: Die Erzählkunst des 'Rother'-Epikers, und G. Bönsel, Die historischen Voraussetzungen des Herzog Ernst (wie fälschlich bei Rosenfeld), statt: Studien zur Vorgeschichte etc. Die Diss. von Hilde Vogt und Anne-Marie Kray (S. 21) haben auch mit »Einzelproblemen« nur am Rand zu tun, Salmen ist andererseits zum Spielmannsproblem übergangen, das Buch von Fuss (nicht »Fuchs«, es heißt auch D. und nicht I. Kralik) gehört nicht unter den eben genannten Obertitel, sondern unter »Abhandlungen«. Die Diss. von Thoss ist in München angenommen, nicht in Münster; da sie als maschinenschriftliche Arbeit (dies ist übrigens durchwegs nicht angegeben) nur dort zu bekommen sein wird, ist das nicht unwesentlich. Die Liste ließe sich beliebig verlängern.

[6]) Geschichte der deutschen Literatur von den Anfängen bis zur Gegenwart. Von den Anfängen bis 1160, I, 1, Berlin 1963, S. 364 ff., 2, 1964, S. 694 ff. zum Spielmannstum, S. 813 ff. »Spielmannsepik«, S. 1039 f. Nachträge.

[7]) Hier trotz einem ähnlich umstrittenen literarhistorischen Begriff (zusammenfassend jetzt C. Soeteman, Deutsche geistliche Dichtung des 11. und 12. Jahrhunderts, Stuttgart 1963, S. 1 ff.).

delt[8]). Eine mit »meisterlichen Literaturfabeln« im 13. Jahrhundert beginnende Entwicklung des »literarischen Trägerbegriffs« tritt im 19. Jahrhundert mit K. Lachmann in ein neues Stadium; durch ihn wird der undifferenzierte Sänger-Begriff der Spätromantik präzisiert: »der Sänger und Spielmann wird aus seinem romantischen Trägeramt zum reinen Einzeldichter konstituiert« (S. 153). Ursprünglich eine Untergruppe der einer höfischen »Kunstpoesie« gegenübergestellten »Natur-« und dann »Volkspoesie« (hier setzt Bahr an: S. 175 ff.), findet das »Spielmannsepos«, indem es auf den so aus der Anonymität heraustretenden *spilman* zurückgeführt wird, zugleich seinen Platz zwischen der Epik der Geistlichen und dem höfischen Roman. Weiter ist die Konkretisierung des Bildes nie fortgeschritten. Trotz zahlreicher detaillierter Darstellungen über *mimus, skop, clericus vagans* und *spilman* (vgl. Bahr, S. 194) blieb es beim Begriff, der in P. Pipers Anthologie 'Die Spielmannsdichtung' (2 Bde, Berlin und Stuttgart [1887]) dann sowohl eine Gruppe der »reinen Spielmannsdichtung«, Ro, Or, Osw, Er, Salm und 'Reinhart Fuchs'[9]) und Verwandtes, als auch »Spielmannsdichtungen geistlichen und ritterlichen Ursprungs« deckte. Darin wird man nicht nur mit H. Naumann und seiner Schülerin Sabine Reinicke[10]) einen Nachhall romantischen Denkens sehen müssen, das die Begriffe *spilman* und Spielmann unkritisch verbindet, sondern auch eine Folge des unbedingten Klassifizierungsbedürfnisses, das z. T. noch in den Worten H. Schneiders zum Ausdruck kommt: »schließlich braucht die Literaturgeschichte den Spielmann, mag sie ihn nennen, wie sie will, notwendig als dritten dichterischen Stand neben dem Klerus und dem Ritter«[11]). Dieser literaturhistorische Schematismus hatte schon im 19. Jahrhundert die Brücke zwischen der Dichtung der Geistlichen und der Ritter schlagen helfen (vgl. Bahr, S. 191); er hat in neuerer Zeit der Disziplin den berechtigten Zorn des Historikers (Fr. Heer[12])) zugezogen, aber auch den zünftigen Germanisten (W. Stammler) erregt, dem die Spielleute nur als »die willkommenen Lückenbüßer einer altmodischen Literaturgeschichtsschreibung« erschienen[13]). Diesem Abstraktionsbedürfnis, nicht nur der romanti-

---

[8]) Problemgeschichtliches zur Vorstellung vom dichtenden Spielmann. Ein Beitrag zur Wesensbestimmung literarischer Aneignung deutscher Vorzeit und des Mittelalters. Diss. Königsberg 1928.

[9]) Dieser Kanon noch bei H. Naumann, Spielmannsdichtung, in: Reallexikon der deutschen Literaturgeschichte 3, Berlin 1928/29, S. 253–269, und in G. v. Wilperts Sachwörterbuch der Literatur, Stuttgart 1964⁴, S. 659 ff. (im Stilbegriff veraltet). Vgl. u. unter IVe. Der Reallexikon-Artikel ist im übrigen nach freundlicher Mitteilung des Verfassers für die im Erscheinen begriffene zweite Aufl. von J. Bahr völlig neu gefaßt. Auf die von Piper gedruckten Textstücke stützt sich ein für argentinische Studenten bestimmtes Buch von H. F. G. Albrecht (La epica juglaresca Alemana del siglo XII, Tucuman 1963), in dem nach einer allgemeinen Einleitung spanische Prosaübersetzungen neben die mittelhochdeutschen Texte gestellt sind.

[10]) S. Reinicke, Untersuchungen über die Träger der sogenannten Spielmannsepen in Deutschland. Diss. Masch. Frankfurt 1924; H. Naumann, Versuch einer Einschränkung des romantischen Begriffs Spielmannsdichtung, DVjschr 2 (1924), S. 777–794.

[11]) Ursprung und Alter der deutschen Volksballade, in: Vom Werden des deutschen Geistes. Festgabe G. Ehrismann, Berlin u. Leipzig 1925, S. 112–124; jetzt in: Kleinere Schriften, Berlin 1962, S. 96–106, S. 97. Vgl. A. Heusler in der Rez. von Schneiders Germanische Heldensage 1 (Berlin u. Leipzig 1928) im AfdA 48 (1929), S. 160–170 (dann in: Kleine Schriften, Berlin 1943, S. 175–186, S. 182): »man wäre versucht zu sagen: gäbe es keine Zeugnisse für den dichtenden Spielmann, man müßte ihn erfinden!« Anders H. Schneider in Geschichte der deutschen Dichtung 1, Bonn 1949 (s. u.)!

[12]) Aufgang Europas, Wien-Zürich 1949, S. 12, 167; ders., Die Tragödie des Heiligen Reiches, 1952, S. 106 ff.; Kommentarbd. Stuttgart 1953, S. 51 ff.

[13]) Die Anfänge weltlicher Dichtung in deutscher Sprache, ZfdPh 70 (1947), S. 10–32, in: Kleine Schriften zur Literaturgeschichte des Mittelalters, Berlin 1953, S. 3–25, S. 22. In ähnlichem Sinn Fr. Martini, Das Problem der literarischen Schichten im Mittelalter,

schen Tradition, ist es schließlich auch zuzuschreiben, daß bis auf Naumann, der die Neubesinnung einleitete, »die Frage nach den Verfassern der Dichtungen« eigentlich »niemals gestellt« (Bahr, ebd.) und auch das im 19. Jahrhundert noch beachtete, durch die Überlieferungslage vor allem für Salm, Or und Osw aufgeworfene Datierungsproblem trotz mehrfacher Mahnungen [14]) immer wieder verdeckt wurde. Nach Fr. Vogt (unten Anm. 20) hat es erst H. de Boor (s. unten) mit genügender Schärfe wieder hervorgehoben. Mit besonderem Bezug auf die »Spielmannsepen« hat im übrigen H. Schneider in charakteristischer Weise in seiner späten 'Geschichte der deutschen Dichtung' (S. 67) seine frühere Ansicht berichtigt bzw. präzisiert: die Zuschreibung dieser Werke an den Spielmann sei »eine gänzlich willkürliche Unterstellung« und »verworrenen Vorstellungen entwachsen«.

In der Zwischenzeit hatte sich aus dem Bereich des »Spielmännischen« der Kanon Ro, Er, Osw, Salm, Or herauskristallisiert (nach ihm richtet sich auch W. J. Schröder) [15]), aus dem dann wiederum der Stilbegriff abgeleitet wurde, als »Bezeichnung für diejenige Geisteshaltung und diejenige kompositionelle Form, welche von den mhd. epischen Denkmälern am reinsten aufweisen Salman-Morolf, Orendel, Oswald, König Rother« [16]). Dieser Kanon ist aber in sich durchaus uneinheitlich. Die hier gegebene Aufzählung entspricht der Ehrismanns [17]), dessen Abtrennung des Er sich weitgehend auf die »höfische« Fassung B bezieht. Unter anderem Gesichtspunkt ist der Er bei H. Schneider gesondert aufgeführt: als »realistischer« Kreuzfahrerroman mit 'Graf Rudolf' gegenüber der »Spielmannsdichtung«, das Ganze unter »v o r höfischer Roman« (von mir gesperrt) [18]). Öfter ist mit der Be-

---

Geistige Arbeit 4, Nr. 3 (1937), S. 7f., und zuletzt H. Eggers, Deutsche Sprachgeschichte 2, Hamburg 1965, S. 98.

[14]) V. a. durch J. de Vries (s. u. IIIa) und E. Schröder in der Rez. von dessen Ro-Ausgabe (u. Anm. 129).

[15]) W. Golther, Die deutsche Dichtung im Mittelalter. 800–1500, Stuttgart 1922², S. 118 ff.: »Spielmannsepen«; ebenso G. Zink, Des origines au XVIe siècle (768–1493), in: Histoire de la littérature Allemande (ed. F. Mossé), Paris 1959, S. 13 ff., S. 60 ff., und C. Grünanger, Storia della letteratura Tedesca medioevale, Milano 1960², S. 109 ff. Wie L. Wolff (Das deutsche Schrifttum bis zum Ausgang des Mittelalters 1, Göttingen 1951²; nicht mehr erschienen), behandelt A. Fuchs (Les débuts de la littérature Allemande du VIIIe au XIIe siècles, Paris 1952) die *production des jongleurs* (S. 158) nicht mehr. Der Ro markiert ihm geradezu das Ende der Geistlichendichtung (S. 1). H. Bach (Middelalderens Tyske litteratur, København 1948, S. 95 ff.) setzt sich mit dem Spielmannsbegriff auseinander, bejaht die Existenz des Spielmanns, behandelt dann aber nur kurz den Ro. M. Kohnen (História da literatura Germânica 1, Rio de Janeiro 1960³, S. 139–141) bespricht daneben auch den Er, beide als Spielmannswerke.

[16]) Ingeborg Schröbler, Wikingische und spielmännische Elemente im zweiten Teile des Gudrunliedes, Halle 1934, S. 53 (Rezz.: K. Helm, Ltbl 57 [1936], Sp. 235f.; Fr. Norman, MLR 30 [1935], S. 403–406; H. Sparnaay, Museum 42 [1935], Sp. 183f.; Th. Steche, ZfdPh 63 [1938], S. 403f.; H. Schneider, AfdA 54 [1935], S. 44–47). Ebenso Maria Jacoba Hartsen, Die Bausteine des Gudrunepos, Diss. Bonn, Amsterdam 1941 (2. Aufl. Das Gudrunepos, 1942), S. 140, und Bahr, S. 195f.

[17]) Geschichte der deutschen Literatur bis zum Ausgang des Mittelalters II, 1, München 1922 (Nachdruck 1954, alle Bände nochmals 1959), S. 284 ff.: »Das Spielmannsepos« (wenn nicht anders angegeben, beziehen sich Seitenangaben in Zukunft auf diesen Band; auf Ehrismanns ausführliche Angaben zur älteren Literatur sei hier ein für alle Mal verwiesen). Der Er folgt unmittelbar darauf, aber im nächsten Band unter »Die frühhöfischen Epen« (II, 2, 1, München 1927 [Nachdr. 1954], S. 39 ff.). Ähnlich gliedern H. Spanke (Deutsche und französische Dichtung des Mittelalters, Stuttgart u. Berlin 1943, S. 59 ff.) und C. Enders (Dichtung und Geistesgeschichte um den Rhein, Ratingen 1957, S. 71 ff.; diese sympathische Neubearbeitung von W. Lindens nationalsozialistisch orientiertem Buch verzichtet hier weitgehend auf einen eigenen Gesichtspunkt, wodurch dann auch die terminologische Verwirrung besonders groß ist).

[18]) Heldendichtung, Geistlichendichtung, Ritterdichtung, Heidelberg 1943², S. 241 ff.

4

zeichnung »vorhöfisch« oder »frühhöfisch« eine andere Aufteilung – auf spielmännisch »im eigentlichen Sinne« (Or, Osw, Salm)[19] und mehr höfisch (Ro, Er) –
verbunden[20]. Wo Geistliche als Verfasser angenommen werden, wie bei J. Schwie-
tering, erscheint diese Aufteilung in der Form »volkstümliche Legende« – »welt-
liche Erzählung«[21]) oder, wie bei de Boor, in einer Zusammenfassung der ersteren
Gruppe als »Legendenromane«[22]) wieder; wo in anderer Reaktion auf Naumanns
Kritik der Begriff ausschließlich stilgeschichtlich oder »halb stilgeschichtlich«
(Halbach) verstanden wird, schlägt sie sich im völligen Verschwinden der ersteren
Gruppe selbst aus dem Rahmen des »(halb- und voll-literarischen) 'Spielmanns'-
Epos« nieder[23]).

Wo so der stilistische Aspekt vorwiegend oder ausschließlich betont wurde, ver-
lor der soziologische zunehmend an Bedeutung[24]), und auf dieser Basis scheint
sich seit der Arbeit Waremans ein Konsensus anzubahnen, der aber nicht dazu ange-
tan ist, die fünf Epen endgültig aus ihrer literaturgeschichtlichen Isolierung zu befreien.

Früher wurde dieser Gruppe, wie gesagt, gern der 'Reinhart Fuchs' zugesellt,
neuerdings ist es der 'Dukus Horant' (Hor), den man hier anschließen möchte[25]);

Diesen weiteren Rahmen steckt auch L. Denecke, Ritterdichter und Heidengötter (1150–
1220), Leipzig 1930, S. 52 ff., und jetzt K. Langosch, Die deutsche Literatur des lateinischen Mittelalters in ihrer geschichtlichen Entwicklung, Berlin 1964, S. 194.

[19]) H. Kuhn, Die Klassik des Rittertums in der Stauferzeit, in: Geschichte der deutschen Literatur von den Anfängen bis zum Ende des Spätmittelalters (1490), ed. O. Bur-
ger, Stuttgart 1962, S. 99–177, S. 103; vgl. ders., Frühmittelhochdeutsche Literatur,
Reallexikon 1, Berlin 1958², S. 494–507, S. 500.

[20]) Bei Fr. Vogt trifft das mit seiner Auffassung von der Datierung zusammen; er be-
handelt im 1. (und einzig erschienenen) Bd. der 3. Aufl. seiner Geschichte der mittelhoch-
deutschen Literatur (Berlin u. Leipzig 1922) Er und Ro vor dem frühhöfischen Epos
(S. 97 ff.), die anderen wären wohl, wie in der 2. Aufl. (Grundriß II, 1, Straßburg 1901 ff.,
S. 161–362) beim »Volksepos« als etwas später und stark spätmittelalterlich überarbeitet
(S. 229 ff.) dargestellt worden (ähnlich in Fr. Vogt-M. Koch, Geschichte der deutschen
Literatur 1, Leipzig 1934⁵: S. 86 ff. Ro und Er, S. 147 ff. »Spielmannsdichtung und National-
epos«, – hier mit starker Annäherung an Baeseckes u. unter IIIa bezeichnetes Konzept).
J. Nadler geht, der Anlage seines Werkes entsprechend, geographisch vor (Literaturge-
schichte der deutschen Stämme und Landschaften 1, Regensburg 1929³): Ro und Er bair.
(S. 60 f.), die anderen durch »rheinische Spielleute« (S. 58).

[21]) Die deutsche Dichtung des Mittelalters, Potsdam o. J. (Nachdr. Darmstadt 1957),
S. 107 ff.

[22]) De Boor (ihm folgt P. Wapnewski, Deutsche Literatur des Mittelalters. Ein Abriß,
Göttingen 1960, S. 44 f.) geht nicht so weit wie Vogt und behandelt den herkömmlichen
Kanon als »Die sogenannten 'Spielmannsepen'« im 1. Bd. (Die deutsche Literatur von
Karl dem Großen bis zum Beginn der höfischen Dichtung, München 1962⁵, S. 250 ff., mit
einleitender, ablehnender Diskussion des Spielmanns; hieraus R. Newald-B. Ristow,
Sachwörterbuch der deutschen Philologie, Lahr 1954, S. 72), weist allerdings im 3. Bd. für
Osw und Or nochmals auf das Datierungsproblem hin (München 1962, S. 534). H. Rupp,
Die Literatur bis zum Beginn der höfischen Dichtung (in: Deutsche Literaturgeschichte
in Grundzügen, ed. B. Boesch, Bern u. München 1961², S. 33–57), S. 55 ff., gibt den vollen
Kanon, betont aber die Schiefheit des Begriffs und die teilweise unsichere Datierung und
übergeht dann Osw, Or und Salm ganz; etwas weniger problembewußt war noch die
Darstellung von W. Burkhard in der 1. Aufl. (1946).

[23]) K. H. Halbach, Epik des Mittelalters, in: Deutsche Philologie im Aufriß, ed.
W. Stammler, Bd. 2, Berlin 1960², Sp. 397–684, Sp. 535 ff. (Zitate Sp. 536 bzw. 528).

[24]) Vgl. Wareman, S. 118, 128; Salmen, S. 8. Besonders hervorgehoben ist dies bei Th.
C. v. Stockum – J. v. Dam, Geschichte der deutschen Literatur 1, Groningen-Djakarta
1952², wo im übrigen Ro/Er (S. 81 f.) und Osw/Or/Salm (S. 83 f.) getrennt behandelt sind.

[25]) So M. O'C. Walshe, der in pragmatischer Verwendung der Bezeichnung »vorhöfisch«
die »Spielmannsepen« mit Hor und 'Reinhart Fuchs' unter dem »non-committal name of

für den 'Karl und Elegast' ist gelegentlich mit ähnlichem Recht ein Gleiches gefordert worden[26]. Wir müssen uns hier schon aus Raumgründen nach der üblichsten Gruppierung richten, allein der Hor soll aus methodischen Erwägungen heraus zusätzlich kurz zur Sprache kommen. Überwiegend gehören die Gründe, die für eine Erweiterung der Gruppe sprechen, in den Bereich der Stilistik, in dem ohnehin die Grenzen weiter gezogen werden müssen. Wir kommen hier doch immer mehr zu der Einsicht, daß vielleicht in Pipers Anthologie unter falscher Flagge ein richtiger Grundgedanke vorgetragen worden ist.

Den dauerhaftesten Gewinn verdankt die Forschung zur »Spielmannsepik« allgemein wohl den H. Schneiders Ansätze[27]) in anderer Richtung weiterführenden Bemühungen von Th. Frings[28]), (weitgehend unter erneuter Berufung auf den Spielmann als Träger) die Gruppe in den europäischen Rahmen und das weitere Literaturgeschehen einzuordnen. Hieran anschließend sind die späteren Ergebnisse der Forschung zum serbokroatischen Heldenlied und der auf ihnen aufbauenden Diskussion zur mündlich tradierten, formelhaften europäischen Literatur in unserem Bericht kurz berührt. Ausblicke wie dieser tun der Forschung zur »Spielmannsepik« bitter not. Die in den letzten Jahren zu bemerkende neue Aktivität der Forschung läßt noch keine einheitliche Tendenz erkennen. Die jüngste literarhistorische Zusammenfassung von E. Erb mit 55 eng bedruckten Seiten über Spielmann und den »spielmännischen Versroman im 12. Jahrhundert« (S. 753 ff., 1006 ff.: Ro und Er als vorhöfisch, Osw und Or als »spielmännische Legendenepen«, Salm gesondert zusammen mit dem Spruchgedicht) ersetzt diesen Mangel durch straffe Disziplin in politisch aggressivem dialektischen Materialismus. Auf diesen Gesichtspunkt wie auf erläuternde Zitate wird viel Platz verwandt, nicht zuletzt deshalb fällt die gelegentlich in ausführlichen Anmerkungen vorgetragene Auseinandersetzung mit der Forschung unsystematisch aus und stehen da, wo der Verfasser Eigenes sagt, wie in der kenntnisreichen Diskussion des Spielmännischen, Altes und Neues recht unverbunden nebeneinander. Die v.a. bei Schwietering und de Boor angebahnte Interpretation der einzelnen Epen unter dem implicite auch von Erb vertretenen Gesichtspunkt einheitlicher Entstehung wird nicht weitergeführt. Aber, ganz abgesehen von der einseitigen Tendenz dieser Darstellung, es fehlt uns eben immer noch an Kriterien literarischer Interpretation, nicht zuletzt deshalb, weil es auch an ausreichender Besinnung auf die Grundlagen der Diskussion fehlt, die über der Spielmannsfrage und allem, was damit zusammenhängt, weitgehend aus dem Gesichtskreis entschwunden sind. Wir beginnen mit diesem Teil der Aufgabe.

---

pre-courtly epics« vereinigt (Medieval German Literature, Cambridge [Mass.] 1962, S. 63 ff.).

[26]) Von E. Schröder in der Rez. von J. Quints Ausgabe (Der mitteldeutsche Karl und Elegast, Bonn 1927; vgl. auch dort S. 87*), AfdA 46 (1927), S. 148–153, S. 150. Inhaltlich ist die Ähnlichkeit mit Salm auffallend (die groteske Komik mag mit der geographischen Herkunft zusammenhängen; s. u. S. 20), das Überlieferungsproblem liegt ähnlich wie bei diesem und Or und Osw.

[27]) Zu den bereits genannten: Die Gedichte und die Sage von Wolfdietrich, München 1913; Das mittelhochdeutsche Heldenepos, ZfdA 58 (1921), S. 97–139, jetzt in: Kleinere Schriften, a.a.O., S. 18–51; Deutsche und französische Heldenepik, ZfdPh 51 (1926), S. 200–243, jetzt Kleinere Schriften, S. 52–95.

[28]) (Mit M. Braun), Heldenlied, PBB 59 (1935), S. 289–313, und Brautwerbung 1, LSB 96, 2, 1947; Europäische Heldendichtung, Neophilologus 24 (1938/39), S. 1–29; Die Entstehung der deutschen Spielmannsepen, ZfdGw 2 (1939/40), S. 306–321; Herbort, LSB 95, 5, 1943. Vorausging M. Braun, Die serbokroatische Volksepik, Euphorion 34 (1933), S. 340–356.

II. Überlieferung und Stoff

a) 'Münchener Oswald'

Die Bemühungen des 19. Jahrhunderts um die »Spielmannsepik« gipfelten in
G. Baeseckes Ausgabe des 'Münchener Oswald'[29]), die zugleich Grundlage und
Ausgangspunkt aller weiteren Beschäftigung mit dem Gegenstand wurde. Baesecke durfte sich der »allerphilologischste(n) Aufgabe« (S.V) mit mehr Hoffnung
auf Erfolg unterziehen als etwa die Herausgeber des Salm und Or. Zwar ist auch
der Osw erst aus dem 15. Jahrhundert überliefert, aber dann doch mit vier Vers-
handschriften, von denen dem Herausgeber drei bekannt waren[30]). Die Existenz
der vierten, W (Wien, Österreichische Nationalbibliothek 12540), einer bairischen
Schwester der schwäbischen Schaffhauser Handschrift S, machte 1931 H.Men-
hardt bekannt[31]). Mk (cgm 5377, fol. 21ᵛ), eine grobeWiedergabe derVerse 668 bis
682[32]), befindet sich schon auf dem Weg zur Prosaauflösung, die durch eine der
Versfassung sehr nahe- (s) und zwei weiter abstehende, ihrerseits eng zusammen-
gehörige Handschriften (u und b) vertreten ist. Nach b und s ist jetzt auch – besser
als diese beiden – in genauem Textabdruck und mit den Lesarten von b die Handschrift u von A.Vizkelety ediert und ihrer Herkunft nach festgelegt (sie stammt aus
München)[33]). Hier haben wir den spätmittelalterlichen Charakter der Überlieferung

[29]) Der Münchener Oswald. Text und Abhandlung, Breslau 1907. Rezz.: W.Wilmanns,
GGA 171 (1909), 1, S. 108–127; G.Ehrismann, AfdA 32 (1908), S. 174–193, und 33 (1909),
S. 123 (hierauf Baesecke, Zur Kritik des Münchener Oswald, ZfdA 53 [1912], S. 384–395);
R.Bürger, Braunschweigisches Magazin 15 (1909), S. 10, und LZbl 59 (1908), Sp. 1476;
A.E.Schönbach, Allgem. Ltbl 18 (1909), Sp. 16.
[30]) Seine knappen, öfter ungenauen Beschreibungen sind z.T. von mir ergänzt: Der
Münchener Oswald und die deutsche spielmännische Epik, München 1964, S. 196ff.,
und (demnächst erscheinend): Ein neuer Fund zur Überlieferung des 'Nackten Kaiser' von
Herrand vonWildonie, ZfdPh 86 (1967) (Beschreibung von s; zu u s.u. Anm. 33). Eine
Neuausgabe für die ATB bereite ich vor. Die Bibliographie meines Buches orientiert über
ältere Ausgaben dieser wie anderer Fassungen des Oswald-Stoffes. Rezz.: M.Batts, German Quarterly 38 (1965), S.356–359; W.Röll, Germanistik 6 (1965), S.595 f.; W.J.Schrö-
der, DLZ 86 (1965), Sp. 890–893; E.Ploß, DtAfErfdMa 21 (1965), S.342; P.Wareman,
Neophilologus 50 (1966), S. 178.
[31]) BSB 1931, S. LXXV. Jetzt ders., Verzeichnis der altdeutschen literarischen Handschriften der Österreichischen Nationalbibliothek 3, Berlin 1961, S. 1249. Die Signatur
der Schaffhauser Hs. ist nicht A 10 (Krogmann nach Baeseckes alter Angabe), sondern
Gen. 10.
[32]) Wie grob, das wird aus Baeseckes ungenauen Angaben im Apparat gar nicht deutlich: habt euch 673, mir ain (nicht niwan) 674 (dafür 675 richtig betrogen, wo Baesecke getrogen
angibt). Ehemalige Existenz zweier weiterer Hss. läßt sich nach einer alten Mitteilung von
K.Bartsch (Germania 5 [1860]) und einer neueren von B. v.Pukánszky (Geschichte
des deutschen Schrifttums in Ungarn 1, Münster 1931, S. 57) vermuten. Über den von dem
letzteren erwähnten Text ist bekannt, daß er gereimt war.
[33]) Der Budapester Oswald, PBB (Halle) 86 (1964), S. 107–188. Beschreibung und Bestimmung der Handschrift dort und in: Zur Orthographie und Lautlehre des 'Budapester
Oswald', Acta Linguistica 9 (1959), S. 375–383, sowie Az Országos Széchényi-Könyvtár
31 – es számú német kódexe, Magyar Könyvszemle 1958, 2, S. 158–160. Zu b vgl. H.Dege-
ring, Kurzes Verzeichnis der germanischen Handschriften der Preußischen Staatsbiblio-
thek 3, Leipzig 1932, S. 97.

vor Augen, der uns in Baeseckes Ausgabe der Versfassung entgeht. Baesecke fertigte, gestützt auf die älteste und altertümlichste Handschrift *M*, einen Text, in dem die Überlieferung auf normalmittelhochdeutschen Laut- und (teilweise) Formenstand gebracht ist, ohne daß ihre mit dieser Klassizität unvereinbaren sonstigen Unebenheiten ausgeglichen oder getilgt wären. Auch von Baeseckes, einen Großteil des Gedichtes als später zugesetzt eliminierender Entwicklungstheorie (s. unten) ist der Text selbst unberührt geblieben. Er stellt, als Kompromiß dem Herausgeber wohl bewußt[34]), die von seinem Standpunkt aus wohl einzig mögliche Lösung der durch die Überlieferung gegebenen Situation dar. Als solche ist sie in der sorgfältigen Textherstellung auch weiterhin gültig, wenn auch sonst manches versehen ist. Unbesehen wird Edzardis falsche Lokalisierung von *s* übernommen (S. 173)[35]). Unwichtig ist die Wiedergabe von *discus* durch »Tisch« (S. 262), sinnstörend aber, vor allem weil hier auch eine Beziehung zum Salm aufgezeigt werden soll, die Verlesung von *stain* in B (s. unten) zu *stam* (S. 182) und Ähnliches (vgl. oben Anm. 32 und unten Anm. 38). Die Tendenz Baeseckes, über schnellen Abstraktionen den Gegenstand selber aus den Augen zu verlieren, wirkt sich v. a. in seiner Darstellung der Handschriftenverhältnisse und der Entwicklungsgeschichte des Textes aus, wo sie von einer mechanisch nach scheinbaren inhaltlichen Widersprüchen und Unstimmigkeiten zergliedernden Interpretationstechnik ergänzt wird. Baesecke verteilt so – unter Zuhilfenahme auch von Laut- und Wortformen der existierenden Handschriften wie ihrer erschlossenen Vorgänger – den Text Vers für Vers auf 7 Stufen: ein Original der 70er Jahre des 12. Jahrhunderts (S. 378) und 6 erweiternde Umgestaltungen (Tabelle S. 349ff.), deren letzte durch den um 1300 angesetzten Archetypus der Überlieferung +*MS* vertreten wäre. Möglich wird diese Theorie nur durch die Annahme, daß alle Nachträge – insgesamt 2080 Verse – im Lauf der Zeit an den Rändern oder auf freien Blättern ein und derselben Handschrift des 12. Jahrhunderts vorgenommen wurden. Abgesehen von der praktischen Unmöglichkeit dieses Verfahrens, Baeseckes immer scharfsinnige Argumentation führt im einzelnen zu so vielen Widersprüchen, daß sie seither nie mehr ernsthaft diskutiert worden ist[36]), aber der methodische Grundsatz hat sich hartnäckig gehalten.

Im Gegensatz zu Ehrismann (S. 174; vgl. Literaturgesch., S. 329 u. 332, Anm. 2) hielt Wilmanns (S. 123 f.) auch Baeseckes Beweisführung nicht für schlüssig, mit

---

[34]) S. XIIIf. und 2. Im Rahmen seiner Fehde mit Wallner und Schröder bezog sich Baesecke später wohl hierauf mit der Bemerkung »wie einst, da ich jugendlicherweise mit Hilfe des Weinhold über drei Jahrhunderte hinweg in ein phantasievolles Mhd. rückübersetzte und auch damit wenig Dank erntete« (Zur 'Reinhart-Fuchs'-Kritik. Gegen A. Wallner und E. Schröder, ZfdPh 52 [1927], S. 22–30, S. 29). Schon Wilmanns (S. 124) bemängelte, daß außer acht geblieben sei, wie spät, gestört und dialektgebunden die Überlieferung ist.

[35]) Sie wie auch Edzardis Datierung einer hypothetischen Vorlage auf ca. 1400 sind als Fehler in K. B. Lindgrens Untersuchungen mit eingegangen: Die Apokope des MHD. – e in seinen verschiedenen Funktionen, Helsinki 1953, S. 88f., 156f.; Die Ausbreitung der Nhd. Diphthongierung bis 1500, Helsinki 1961, S. 37. Die Herkunft aus Reutin ist an versteckter Stelle schon richtig erkannt von P. Mau, Gydo und Thyrus, Diss. Jena, Weida 1909, S. 20f.; ich habe zuletzt in dem genannten Herrand-Aufsatz darüber gehandelt.

[36]) Eine gerechte Kritik gibt Ehrismanns Rez. S. 174ff. In diesem Zusammenhang spielt auch die von Baesecke (wie Schönbach, Golther u. a.) positiv beantwortete Frage eine Rolle, ob das Original in Strophen abgefaßt war: vgl. hierzu u. unter IIIb. Die Datierung von Baeseckes +*MS₂* auf wenig nach 1180 (Baesecke, S. 375) verbietet sich übrigens auch durch die allen Hss. mit Ausnahme von *u/b* gemeinsame Erwähnung der Nothelfer in 3502f., die nach den neuen Ergebnissen der Nothelferforschung kaum vor 1300 möglich war (s. u.).

der er aus sprachlichen Gründen das dergestalt erschlossene Original im Rhein-land, in der Gegend von Aachen lokalisierte (S. 201 ff.)[37]. Das vor allem in *I* ver-wirrende orthographische Durcheinander der Handschriften läßt derart minutiöse Schlüsse auf Orthographie und Lautstand einer hypothetischen und 200 Jahre älteren Handschrift keineswegs zu. Abgesehen davon geht Baesecke mehrfach von falschen Prämissen aus, die in diesem Sinn Vizkelety zusammengefaßt hat (S. 129 f.)[38].

Wie man auch im einzelnen zu Baeseckes Ergebnissen stehen mag, deutlich wird, daß alles, was an inhaltlichen und sprachlichen Rekonstruktionsversuchen über den bairischen Archetypus der Überlieferung (S. 201) zurückführen soll, vom Philologischen aus gesehen, hypothetisch bleiben muß und den Überlieferungs-verhältnissen nicht gerecht wird. Und weiterhin: Baeseckes Ausgabe ist im Guten wie im Schlechten bedeutsam und grundlegend, einmal weil die Überlieferungs-situation für Salm und Or ähnlich liegt, zum anderen weil Baeseckes eindrucks-volle Gesamtleistung methodisch wie sachlich weiterhin die Beschäftigung nicht nur mit dem Osw, sondern der »Spielmannsepik« überhaupt entscheidend mitbe-stimmt hat (siehe unten IIIa).

Das Thema des heiligen Königs und Kämpfers Christi (s. unten) hat das Spät-mittelalter stark beschäftigt, und Produkte dieser Beschäftigung sind drei weitere Fassungen: 'Wiener Oswald' (W. Osw)[39], eine unedierte schwäbische Prosa (B) des späten 15. Jahrhunderts[40] und die Prosa des sogenannten 'Wenzelpassionals' (zn). Die Kurzfassung der Legende im 'Märtyrerbuch' kann hier ausgeklammert werden; interessant sind die Fragmente eines offenbar längeren Heidenkampfepos des 14. Jahrhunderts mit Oswald als christlichem Führer, auf die ich kurz hinge-wiesen habe[41]. Alle diese Fassungen interessieren hier nur insoweit, als ihr Zusam-menhang mit dem Osw Licht auf dessen Entstehung und Absicht wirft. Obwohl von K. Helm gerade auch die textgeschichtliche Problematik hervorgehoben

---

[37]) Für die Datierung auf 1170 gilt das oben zu Osw, Or und Salm zusammenfassend Bemerkte.

[38]) (Was er zur Bekräftigung als K. Helms Ansicht zitiert, stammt allerdings aus der Rez. Keims zum W. Osw [u. Anm. 39], die sich ausführlich mit Baeseckes sprachlichen Kriterien auseinandersetzt). Ich füge hinzu: das Pronomen *unser* in seinen verschiedenen Formen ist in den Handschriften nicht in der von Baesecke als *vnsz* transkribierten »frän-kische(n) Kurzform« *unse* gegeben (S. 205), sondern es handelt sich bei dem langen, von einem Haken durchstrichenen Schluß-s um eine allerdings nur in lateinischen Handschrif-ten sehr häufige Kürzel für *-ser;* für die Lesart *góz* 120 (vgl. S. 206) geht die Schwester-handschrift von *S, W,* mit *MI* gegen *S* zusammen, es ist also kein Reim *groz:bot* anzu-nehmen.

[39]) Ed. G. Baesecke, Heidelberg 1912, nach den Hss. *W* und *O*. Rezz. H. W. Keim, AfdA 36 (1913), S. 240–251; K. Helm, Ltbl 36 (1915), Sp. 258–261 (auch über Keims Diss.; s. u. Anm. 58); W. v. Unwerth, DLZ 34 (1913), Sp. 1513–1516. Eine dritte Über-lieferung *(D)* wurde von K. Helm in einer Dessauer Sammelhandschrift der 2. Hälfte des 15. Jahrhunderts entdeckt und kollationiert (K. Helm, Beiträge zu Überlieferung und Kritik des Wiener Oswald, PBB 40 [1915], S. 1–47) und führte zu einer Neuausgabe durch Ger-trud Fuchs (Der Wiener Oswald, Breslau 1920), deren Notwendigkeit H. W. Keim in seiner Rezension bestritt (AfdA 41 [1922], S. 82 f.); A. Hübner (AfnSpr 142 [1921], S. 302 f.) und (ohne Begründung) E. Schröder (Abwehr, AfdA 46 [1927], S. 121 f.) sahen das Problem dagegen keineswegs als gelöst an.

[40]) Vgl. Baesecke, Oswald, S. 182 f.; Mau (S. 40 ff.) hat die Hs. kurz beschrieben (vgl. Degering, a. a. O. 2, 1926, S. 85) und für 'Gydo und Thyrus' die Rückwendung zum Höfi-schen im Rahmen der spätmittelalterlichen Prosa konstatiert (vgl. J. v. Dam, Verfasser-lexikon 2, Sp. 131 f.). Vergleichbares gilt auch für die Prosa Osw B (Verf., S. 212), die noch der Auswertung harrt.

[41]) S. 2, Anm. 1. Die irrige Meinung V. E. Moureks (PSB 1891, S. 275–282), es handele sich bei den beiden von ihm publizierten Fragmenten um Überlieferung des »Spielmanns-epos«, lebt bei Ehrismann im Schlußband (München 1935 [1955], S. 390) noch fort.

wird (Beiträge, S. 1 f.), konnte im Fall des eindeutiger zu lokalisierenden und datierenden W. Osw (Schlesien, ca. 1325) [42]) ein Kompromißtext auf sichereren Grundlagen aufgebaut werden. Er ruht auf der schlesischen Handschrift W [43]), deren nicht schlesische und altertümliche Formen beibehalten und verallgemeinert sind (ebd.). G. Fuchs neigt dann in ihrer Ausgabe mit Gewinn in Einzelheiten noch mehr W zu. Textkritisch ist der W. Osw für den Osw nicht verwertbar, aber zur Überprüfung einer Interpretation kann er im Hinblick auf die gemeinsame Vorgeschichte mit Vorsicht herangezogen werden. Diese entspricht allerdings kaum Baeseckes Vorstellung von einer gemeinsamen rheinischen Grundfassung $+MW$ [44]), aus der die schlesische Variante über Zisterzienseransiedlungen abgewandert sei (bezweifelt in Keims Rez., S. 251); der W. Osw ist – (mit Baesecke) auf mündlichem Weg – ganz aus dem Osw abgeleitet und zwar zu dem Zeitpunkt und an dem Ort, wo dieser Text zuerst greifbar wird, nach 1300 in Regensburg (s. unten). Der Neubearbeiter ist, was zuerst E. Günther vermutet hat, mit einiger Wahrscheinlichkeit der Tschammer Heinrich von Schildberg gewesen [45]), der – wir tun einen Blick in die spätmittelalterliche Manufaktur – nun aber den Fischer Ise aus dem Or und eine ganze Reihe vorher anderweit festgelegter Motive einbaute [46]).

Baesecke hat auch den Zusammenhang zwischen Osw und 'Wenzelpassional' im einzelnen klarer zu sehen geglaubt (S. 238 ff. bzw. S. LXXVIII ff.) als uns das heute möglich scheint. Sicher ist nur, daß mit dieser Fassung die Tradition zu ihrem Ausgangspunkt zurückgebogen wird, Bedas 'Historia ecclesiastica gentis Anglorum' [47]), mit dem kriegerischen Märtyrertum, der Freigebigkeit, dem vorbildlichen Königtum. Ich habe versucht, von diesem Ausgangspunkt aus den Stoff an Hand der Kultgeschichte ins deutsche 12. Jahrhundert und weiter zu verfolgen (S. 169 ff.). Nach entsprechenden Versuchen der älteren Forschung hatte J. Dünninger methodisch neu angesetzt und dabei darauf hingewiesen, daß der seit dem Ende des 7. Jahrhunderts sich vom Erzbistum Trier aus in zwei Richtungen, süd-

---

[42]) Baesecke, S. LXIV ff., LXXXVIII ff.; Verf., S. 213 ff. Stammlers Bemerkung zum Motiv vom Ring im Fischbauch beruht wohl auf einem Mißverständnis: »schon um 1200 im Wiener 'Oswald'« (Spätlese des Mittelalters 1. Weltliches Schrifttum, ed. W. Stammler, Berlin 1963, S. 84). Vgl. aber u. S. 13.

[43]) Über W und O vgl. Baesecke, S. XIII ff.; über W zusätzlich H. Menhardt, a. a. O. 2, 1961, S. 753 ff., und über D G. Fuchs, S. XIII ff. (steht mit der aus Schlesien stammenden Herzogin Offka von Sachsen in Verbindung und dürfte demnach in der 1. Hälfte des 15. Jh.s in oder um Dessau entstanden sein).

[44]) Münchener Oswald, S. 238 ff., Wiener Oswald, S. LXXVIII ff., XCIX, CV ff.

[45]) Der Rabe des hl. Oswald und die Kirche zu Krummendorf, Kreis Strehlen, in: Schlesische Heimat (Breslau 1936), S. 186–191; Verf., S. 217 ff. Dort auch S. 213 ff. (mit Literatur) Kritik von Baeseckes Bild der schlesischen Literatur nach 1300 (Wiener Oswald, S. LXXXIX ff.; in kurzer Form in: Der Wiener Oswald als Beispiel der sprachlichen und literarischen Kolonisation des Ostens, Verh. d. 51. Vers. dt. Philol. u. Schulmänner, Leipzig 1912, S. 103 f. Baesecke folgend: F. Toenniges, Der Wiener Oswald. Das Gedicht eines Heinrichauer Mönchs um 1348, in: Frankenstein-Münsterberger Heimatblatt 1, 7/8 [Lengerich 1954], S. 6 f.).

[46]) Baesecke, S. LXXXV ff. Zu einer freien Änderung gegenüber Osw vgl. W. Krogmann, Beiträge zur altsächsischen Sprache und Dichtung, Ndd Jb 79 (1956), S. 1 ff., Nr. 5: Die Taube auf der Achsel, S. 35–39.

[47]) Neudr. der Ausgabe Ch. Plummers, Oxford 1961, Bd. 1, II, 5, 20, III, 1–3, 6 f., 9–13. Über diese älteste Tradition handeln mit indirektem Bezug auf die spätere Entwicklung: A. Dempf, Beda und die Entstehung der Artussage, ZfdGeistesgesch. 1 (1935), S. 304–310; B. J. Whiting, The Earliest Recorded English Wellerism, PhilQ 15 (1936), S. 310 f.; Fr. Klaeber, King Oswald's Death in Old English Alliterative Verse, PhilQ 16 (1937), S. 214; ders., (ed.) Beowulf, London 1950³, S. CXXII; C. Erdmann, Die Entstehung des Kreuzzugsgedankens, Stuttgart 1935 (Nachdr. 1955), S. 218 f.

östlich und rheinaufwärts, schnell ausbreitende Kult[48]) in Regensburg ein süd-
deutsches Zentrum hat, in dem er mit dem um 1300 einsetzenden Nothelferkult
zusammentrifft[49]). Zuvor schon hatte, Dünninger unbekannt, E. P. Baker in zwei
Arbeiten den Grund für die weitere Beschäftigung mit dieser Frage gelegt[50]), wobei durch seine Nachweise besonders das Kloster Weingarten mit seinen welfischen
Gründern und Förderern und deren Beziehungen zu England in den Mittelpunkt
rückt. Über die Welfen ist von hier aus die Brücke nach Regensburg geschlagen,
insbesondere da der Kult sich hier auch vor 1300 schon in deutlichen Spuren nachweisen läßt. In diesem Punkt ist Dünninger zu ergänzen, der Entstehung des Osw
um 1350 in Regensburg erweisen möchte. Seiner widersprüchlichen Argumentation kann auch Vizkelety nicht folgen, der seiner Ausgabe von *u* die bisher aus-
führlichste Liste bildkünstlerischer Darstellungen des Heiligen vorausschickt
(S. 131 ff.). Da aber die Auswertung sehr knapp ausfällt, schriftliche Quellen kaum
und Patrozinien gar nicht zugezogen und einige der wichtigsten bildkünstlerischen
und literarischen Hinweise auf die Existenz der Dichtung unbekannt geblieben
sind, ergibt sich kein klares Bild der Kult entwicklung, und damit wird auch die
Frage der Datierung des Osw unnötig erschwert. Die Kultgeschichte, so wie ich
sie sehe, zeigt bestimmte Akzentverschiebungen, die hier wie bei der Interpretation helfen können: Missionsmärtyrer im frühen Mittelalter, Heiliger des Hoch-
adels und in seiner historischen Rolle noch verstanden im 12. Jahrhundert, wird
Oswald im Spätmittelalter zum Volksheiligen, Nothelfer, Heiratsvermittler,
Wetterherr, ohne daß der ritterliche Aspekt jemals ganz verlorengeht. Angehörige
des mittleren Adels, Bürgerliche und dominikanische Nonnen sorgen für die handschriftliche Verbreitung des »Spielmannsepos« (ausschließlich im süddeutschen
Raum und dort bis hinunter nach Bozen); in heidenkampfbewußter ritterlicher
Atmosphäre entsteht eine Reprise, der W. Osw, die spätmittelalterliche Volks-
frömmigkeit ruft zn hervor, und durch diese Fassung wird nun der Rabe endgültig
zum Hauptsymbol des Heiligen. Bereits am Ende des 12. Jahrhunderts aber sehen
wir ihn vielleicht schon am Freiburger Münster dargestellt, und um 1300 bereits
findet sich die deutsche »spielmännische« Form der Oswald-Legende, die in England keinerlei ältere Tradition hat, vermittelt durch lateinische Exempla gerade
dort als Predigtexempel[51]).

---

[48]) Die Literatur hierzu findet sich in meiner Abhandlung und bei Vizkelety (S. 131 ff.).
Ich führe im folgenden nur die in den engeren Zusammenhang gehörenden Arbeiten auf.
Nachzutragen ist A. Dörrer, Die Kümmernis als bräutliches Seitenstück zu Oswald, Spanische Forschungen der Görresgesellschaft I, 20 (Münster 1962), S. 139–213, eine, was die
Oswaldtradition betrifft, unter unklaren Begriffen leidende Untersuchung. Die S. 181 erwähnten Hss. sind nicht etwa, wie nach der Formulierung vermutet werden könnte, Hss.
des »Spielmannsepos«, sondern die schon von Zingerle benützten Hss. des 'Wenzelpassionals'.
[49]) J. Dünninger, St. Oswald und Regensburg. Zur Datierung des Münchener Oswald,
in: Gedächtnisschrift für A. Hämel, Würzburg 1953, S. 17–26, S. 25; Verf., S. 193 ff., mit
weiterer Erörterung des Nothelferkults, in Zusammenhang auch mit der hsl. Überlieferung.
[50]) St. Oswald and his Church at Zug, Archaeologia 93 (1949), S. 103–123; The Cult of
St. Oswald in Northern Italy, Archaeologia 94 (1951), S. 167–194.
[51]) (Verf., S. 36 ff.). An zwei Stellen hat man in 'Minnesangs Frühling' Reflexe einer
frühen Oswalddichtung entdecken wollen. H. Naumann (Spielmannsdichtung, S. 256)
und daraufhin nachdrücklich auch O. Schumann (Die Textgruppen des Kodex Buranus,
HistVjschr 29 [1934/35], S. 286–301, S. 299 ff.) sahen in 3, 7 ff. eine Strophe des von
Baesecke angesetzten Originals in Morolfstrophen; A. Wallner (Kürnbergs Falkenlied,
ZfdA 50 [1908]) wollte 8, 33 ff. auf Osw zurückführen. C. v. Kraus' Einwände
sind in beiden Fällen wohlbegründet (Des Minnesangs Frühling. Untersuchungen, Leipzig 1939, S. 5 f. bzw. S. 26), im zweiten Fall um so mehr, als hier ein sehr viel weiter ge-

Keinerlei Anhaltspunkte bietet die Geschichte des Stoffes für die auch in der Berichtszeit gelegentlich noch vorgetragene mythologische Interpretation[52]) und ebenso wenig läßt sie an nachträgliche Verschmelzung einer weltlicheren Vorform mit geistlichen Motiven denken, wie dies Baesecke (S. 381) wollte.

Der Name Sewart (1568) für Oswalds Vater, der in u/b zu einem kleinen Vorspann geführt hat[53]), wird aus dem heldenepischen Bereich stammen: 'Biterolf und Dietleib' 6491 (ein Riese in der Herbortsage), 'Alpharts Tod' 200, 438 ff. (von Wolfhart erschlagener alter Krieger).

Auch die Brautfahrt kommt natürlich nur im Ansatz aus Oswalds Legende. Als direkte (Teil-)Quelle möchte E. Schreiber[54]) eine hypothetische deutsche Form der Hildedichtung ansetzen, die den von Snorri beschriebenen Schluß der Geschichte enthalten habe und später in zn nochmals benutzt worden sei (!)[55]). Ganz abgesehen davon, daß der Schluß des 'Hjadningavíg' »nicht an die Vorstufen der deutschen Dichtung [Kudrun] heran [führt]«[56]), ist auch im Osw die Konstellation insofern ganz anders, als das Auferwecken der Gegner einen Beweis durch Wunder darstellt, und damit auch der Kampf nicht erneuert wird. Man könnte also allenfalls eine motivliche Verwandtschaft feststellen, aber die führt zweifellos über die Legende, wie denn auch in Reinbots 'Georg' (5109 ff.) Dacian von Georg genau den gleichen Beweis verlangt[57]). Ähnlich unbedacht und ungesichert ist auch die weitere, wie mehrfach vermerkt, auf Vorlesungen D. v. Kraliks zurückgehende Aufteilung des Osw auf zwei ursprünglich ganz verschiedene Brautwerbungsgeschichten, die genannte Hildedichtung und eine »Brautwerbungsburleske« (2,

---

spannter motivlicher Rahmen mit zu berücksichtigen ist (Th. Frings, *und was im sîn gevidere / alrôt guldîn*, PBB 54 [1930], S. 144–155; vgl. u. S. 14). Dies gilt auch für die von Charlotte Blauärmel im Sinn einer direkten Beziehung gedeutete Parallele zwischen dem 'Raben im Osw und dem Papageien in den 'Portimunt'-Fragmenten (Die Fragen der Portimunt-Fragmente, Berlin 1937, S. 72 ff. Zustimmend E. Hartl, Tybalt, Verfasserlexikon 4, Sp. 544–548, Sp. 545). Ihrer Meinung nach war das Tybalt-Epos »die höfische Form des Oswald« (S. 78). Vgl. u. Anm. 66.

[52]) E. Jung, Germanische Götter und Helden in christlicher Zeit, München 1922 (1939²), S. 115 ff.; G. Spanuth, Germanische Mythologie, Frankfurt 1926, S. 29 f.; Johanna Arntzen, Der mythische St. Oswald, in: Die ostbairischen Grenzmarken 16 (Passau 1927), S. 340–342; Fr. Losch, Die Brautwerbungssage der deutschen Spielmannsdichtung. 1. König Oswald, München 1928; G. Hüsing, Zur Oswalt-Sage, in: Bausteine zur Geschichte, Völkerkunde und Mythenkunde 2 (Wien 1932), S. 43–48; Dörrer, S. 182 ff. Vgl. auch J. Schlosser, Heidnische Elemente in der christlichen Kunst des Altertums, in: Praeludien. Vorträge und Aufsätze, Berlin 1927, S. 9–43, S. 35; zuletzt Erb, S. 1012 f., Anm. 1.

[53]) Baesecke (S. 195 ff.) hat erwiesen, daß er aus dem Haupttext nach Art des Or, der 'Kudrun' und des 'Tristrant' nachträglich entwickelt ist, – ein interessantes Beispiel für eindeutig sekundäre Doppelung der Handlung, die man aber besser als ornamentalen Auswuchs bezeichnet.

[54]) Untersuchungen zur mhd. Spielmannsdichtung König Oswald. Diss. Masch. Wien 1943 (2 Bde). Eine vielfach nur umständlich referierende, nur z. T. kriegsbedingt, höchst ungenaue und unförmige Arbeit mit unzähligen Wiederholungen und Überschneidungen. Dabei fehlt zur Bewältigung der ca. 500 Seiten nicht nur ein Register, sondern auch ein Inhaltsverzeichnis.

[55]) 2, S. 174 ff. Im allgemeinen bezieht sich dieser von A. E. Berger, dann Panzer und Boer (u. Anm. 246) geäußerte Gedanke auf die graue Vorzeit der Hildedichtung. Vgl. auch W. Jungandreas, Die Gudrunsage in den Ober- und Niederlanden. Eine Vorgeschichte des Epos, Göttingen 1948, S. 145 f., mit Berufung auf Baeseckes ältere Schematisierung der Brautwerbungstypen (s. u. unter IIIa).

[56]) Fr. Neumann, Kudrun (u. Anm. 238), Sp. 973. Dies ist schon von Baesecke (S. 276 ff.) durchdiskutiert.

[57]) H. Schneider sah hier wie in anderen Zügen direkte Beziehung zu 'Georg' und 'Wolfdietrich' (Wolfdietrich, S. 226 f., S. 307). S. u. Anm. 149.

S. 147ff., 174ff.; s. unten Anm. 252), die von einem geistlichen »Buchepiker«, dem »Kompilator« (sein Anteil ist 2, S. 103ff. spezifiziert), zusammengestückt und ausgeweitet worden seien. Die Nahtstellen glaubt Schreiber aus inhaltlichen »Widersprüchen« (2, S. 85ff.) noch deutlich zu erkennen. Mit anderen Worten, Baesecke bleibt »ein methodischer Lehrmeister« (1, S. 115).

Während Ehrismann sich in seiner Rezension hauptsächlich auf eine Zurückweisung von dessen Interpolationstheorie beschränkte, boten Wilmanns und nach ihm H. W. Keim [58]) die Entwicklungsgeschichte betreffende Gegenthesen, die v. a. bei Keim aber ebenfalls methodisch ganz in Baeseckes Fahrwasser bleiben. Keim sieht dabei die Entwicklung umgekehrt verlaufen: deutsche Legende (nach Art des 'Alexius', mit dem sich übrigens die Osw-Überlieferung mehrfach berührt) – Spielmann-Bearbeiter – dann vier Interpolatoren.

Gegen die deutsche Legende wandte Helm (o. Anm. 39) nicht ohne Grund ein, sie hätte sich wohl enger an die lateinische Tradition (Bedas) gehalten. De Boor scheint es allerdings jetzt wieder »durchaus denkbar, in W mit seiner dem Stil der lateinischen Vita näherstehenden, sachlich geebneten Darstellung das Ältere« zu sehen (S. 267; K. Wehrhan 2, Nr. 320 [unten Anm. 176], gibt die Geschichte nach dem W. Osw wieder).

Anders als Keim glaubt, läßt sich Baeseckes Methode nicht dadurch stabilisieren und begrenzen, daß man zwischen großen und kleinen »Diskrepanzen« unterscheidet, von denen erstere »verdächtig« sind, letztere »zunächst als im Werk des einen Dichters liegend betrachtet werden müssen« (S. 33). Weder die Quellen- noch die Gattungsfrage ist so richtig und im richtigen Zusammenhang gestellt. Für die Gattung belegt u. a. – z. T. entgegen der Absicht des Verfassers – eine Arbeit von K. Schmeing, in der Osw und 'Kudrun' motivlich mit der Dympnalegende verglichen sind [59]), daß Legende und Brautwerbung gerade in diesem Bereich oft überhaupt nicht klar zu trennen sind. Die Verfolgung einzelner Motive führt aber selbst innerhalb jeder der beiden allgemeinen Quellensphären (legendarisch-christlich / fabulös-orientalisch; s. unten) auf die verschiedensten, z. T. recht weit auseinander liegenden Möglichkeiten. Das legendarische Keuschheitsmotiv, das der Osw im Prinzip mit dem Ro, in der Ausgestaltung [60]) eher mit dem Or teilt, hat zugleich in Intention wie Durchführung Wurzeln nicht nur in apokryphen Evangelien, sondern auch in zeitgenössischer asketischer Praxis [61]).

Wo das stoffgeschichtliche Moment für solche Einzelzüge überbetont wurde, ergaben sich oft die widersprüchlichsten Annahmen. Immerhin rechnen wir für die Oswald beigegebenen helfenden Tiere [62]), den Hirsch und den Raben, nicht mehr mit Christus und Engel (legendarische Vorgeschichte) oder Odin und Odinsrabe (mythologische Interpretation). Die Ablenkungslist gehört zum Schema (unten Anm. 149). Erst in zweiter Linie wird interessant, daß der Hirsch in der Feensage wie in

---

[58]) Das Spielmannsepos vom heiligen Oswald. Diss. Bonn, Düsseldorf 1912.

[59]) Flucht- und Werbungssagen in der Legende, Münster 1911. Tabelle S. 15ff. Schmeing möchte solche Legenden als Ableger der Brautfahrtstradition sehen (S. 13); vgl. L. Peeters, Kudrun und die Legendendichtung, Leuvense Bijdragen 50 (1961), S. 59–85, wo dieses Gebiet weiter behandelt ist. Zum Inzestmotiv vergleichend: J. Bolte-G. Polívka, Anmerkungen zu den Kinder- und Hausmärchen der Brüder Grimm 1, 1913, S. 300 und dort Anm. 5.

[60]) Zum trennenden Schwert ausführliche Bibliographie bei Mac E. Leach, (ed.) Amis and Amiloun, London 1937, S. XLV, Anm. 8, zum Keuschheitsbad bei A. Dickson, Valentine and Orson, New York 1929, S. 91f.

[61]) Hierüber L. Gougaud, Dévotions et pratiques ascétiques du moyen âge, Paris 1925, S. 163ff.

[62]) O. Batereau, Die Tiere in der mittelhochdeutschen Literatur, Diss. Borna-Leipzig 1909, gibt nur Beschreibungen.

der Legende als lockendes Wesen auftritt[63]), ein Quellenbereich, den der Osw dann mit der Tristandichtung teilen würde[64]), und daß der Rabe als Rabe in der germanischen Mythologie wie auch als Attribut in der Legende und als sprechender Botenvogel in den verschiedensten Erzählungstypen, von den 'Mabinogion' bis zu höfischen Werbungen zu Hause ist. In seiner Eigenschaft als zauberischer Helfer gehört er dabei wieder zum Brautwerbungsschema (Alberich, Oberon, Morolf), wie er denn auch ganz »vom Erlebnisstandpunkt des Menschen ... erdacht« ist (de Boor, S. 267).

Der Osw ist geradezu ein Paradebeispiel für sekundäre Verwendung anderswo vorgeformter Motive und Schemata (und verdient besonders unter diesem Gesichtspunkt Erörterung). Die Frage nach deren Vorgeschichte und damit: möglichem Bedeutungsradius, hat nur in ständigem Hinblick auf den Gesamtaufbau des rezipierenden Werkes Sinn. So verstanden wird sie allerdings zur unerläßlichen Grundlage der Interpretation. Ich habe dies an einer Reihe von Beispielen zu demonstrieren versucht (S. 10ff., mit entsprechender Literatur), um eine dieser Kompositionsweise angemessene Interpretationsmethode zu entwickeln, aber auch im Hinblick auf die Quellenfrage in umfassenderem Sinn (S. 79ff. zum 'Ortnit')[65]).

G. Baeseckes Überlegungen zur Gestalt des weitgereisten Pilgers (Vor- und Frühgeschichte [u. Anm. 88], S. 384ff.) bieten ein gutes Beispiel für die Aufdeckung einer möglicherweise relevanten Vorgeschichte (über den aktuellen Wert kann immer nur von Fall zu Fall entschieden werden): Tragemunt in W. Osw und Or, Traugemunt im volksliedhaften Rätselspruch[66]) führen als Namen mit der Etymologie aus arabisch *targoman, dragoman* (= Dolmetscher) »nur bis an die Kreuzzüge« zurück (S. 385). Waremunt heißt der Pilger im Osw. Baesecke geht auf die Beziehung nicht ein, aber hier wird doch wohl noch deutlicher, inwieweit hinter der Pilger- (nicht »Spielmann«, wie Baesecke bemerkt) Figur der germanische »Weitfahrt« mit seinem gnostisch verhüllten Vielwissen steht (S. 385f.), hinter dem Baesecke (mit Wilmanns) dann weiterhin eine indogermanische Urform erkennt (S. 386f.).

b) 'Orendel'

Am spätesten (1477 bzw. zweimal 1512 im Druck) und am schlechtesten von allen »Spielmannsepen« ist der Or überliefert. Dazu kommt, daß gegenüber der um Bewahrung der spätmittelalterlichen Überlieferung trotz starker Normalisierung durchaus bemühten Ausgabe A. E. Bergers[67]) H. Steingers Textgemisch einen

---

[63]) C. Pschmadt, Die Sage von der verfolgten Hinde, Diss. Greifswald 1911 (bes. S. 64): der Weg führt von der antiken Hindenfeesage über die Eustachiuslegende (ein Hinweis auch bei G. Hüsing, Zur Hinde mit den Fußspangen, Mitra 1 [1914], Sp. 318–325, Sp. 325, Anm. 3).

[64]) Vgl. R. Gruenter, Der *vremede hirz*, ZfdA 86 (1955/56), S. 231–237, bes. S. 236. Ähnlich ist der Osw in der Entführung des Raben durch die *merminne* in einem Feenmotiv mit der niederen Artusepik verbunden (Belege bei L. Baecker [u. Anm. 65], S. 65f.; vgl. H. Kuhn, Wolfdietrich, Verfasserlexikon 4, Sp. 1046–1049, Sp. 1048).

[65]) Nachzutragen ist eine methodisch einsichtsvolle Abhandlung zum 'Wolfdietrich': Linde Baecker, Die Sage von Wolfdietrich und das Gedicht Wolfdietrich A, ZfdA 92 (1963), S. 31–82 (zu weiterer Literatur s. u. Anm. 230), die, meiner Deutung fast entgegengesetzt, die Existenz einer alten, selbständigen Ortnitsage bestreitet (S. 73, 78) und auf den Osw als mögliche Teilquelle einer Ortnit-Kompilation hinweisen zu wollen scheint.

[66]) Edit Perjus (Traugemunds Lied, Verfasserlexikon 4, Sp. 491f.) sieht mit Recht keine Möglichkeit, direkte Beziehungen zwischen dem Lied (14. Jh.) und den Epen zu erweisen, von denen Ch. Blauärmel (o. Anm. 51) den Osw (W. Osw) über die Rabenfigur und eine, ihr zufolge, mißverstehende Latinisierung von Tragemunt zu Portimunt mit den unter diesem Namen bekannten Fragmenten in Verbindung bringen wollte (Portimunt ist aber dort Ortsname!). Leider ist Perjus, die schon bei Ehrismann verzeichnete Literatur (Schlußbd., S. 352ff.) nennt, sowohl Blauärmels als auch Baeseckes Beitrag entgangen.

[67]) Orendel. Ein deutsches Spielmannsgedicht, Bonn 1888.

eindeutigen Rückschritt bedeutet[68]): er normalisierte auf eine Dialektvorlage des 14. Jahrhunderts, den Archetypus ^+A, hin, die aber als solche auch nicht mehr rein, u. U. sogar bewußt in überlokaler Sprachform gehalten gewesen sei, versuchte dazu aber alle als älter erwiesenen Formen (volle Endsilbenvokale) zu bewahren, so daß in einigen Fällen O erstrebt ist. Nachdem auch der Apparat lückenhaft und ungenau belegt[69]), fehlt uns hier mehr noch als im Fall des Osw ein Bild von dem, was wir wirklich haben. Zu diesem Bild, das eine weitere literarhistorische Erörterung erst ermöglichen würde (so v. a. Springer, a. a. O., und Teuber, S. 8 f.), gehörte vor allem der sowohl von L. Denecke als auch von O. Springer seit langem versprochene Abdruck von P[70]), der endlich die Klärung des Verhältnisses dieser Prosa zur Handschrift H und zu dem Druck D bringen würde. Es wäre dabei zunächst festzustellen, inwieweit die Prosaauflösung eine Bearbeitung des Druckers, Hans Otmar, darstellt[71]); dessen Nachwort und der den Titel von D aufnehmende und zugleich erweiternde Titel deuten schon auf ein solches Verfahren hin, wenn auch D nicht die direkte Quelle war. Nur Berger hat bisher entsprechende Vergleiche angestellt (S. XII ff.; er führt S. 183 ff. auch das Nachwort an). Hier würden wahrscheinlich besser als irgendwo anders bestimmte Merkmale spätmittelalterlicher (Neu-)Gestaltung herauszupräparieren sein (vgl. oben Anm. 53 und unten Anm. 96).

Vorarbeiten für eine weitere Auseinandersetzung mit dem Text hat dann E. Teuber geleistet, durchwegs gründlich und unter Einbeziehung vor allem auch spätmittelalterlicher Vergleichstexte. Dabei sieht er sein Ziel nicht in der Herstellung eines Textes, sondern in der Klärung der Datierungsfrage. Den besonders in der älteren Forschung mehrfach geäußerten und von de Boor erneut vorgebrachten Zweifeln an einer frühen Entstehung des ganzen setzt Teuber als Ergebnis (S. 221 ff.) entgegen: dem Wortgebrauch nach nicht später als 1300, der Reimtechnik nach 2. Hälfte 12. Jahrhundert[72]), dem Stil nach an dessen Ende. Der Archetypus ist vorsichtig 1250–1300 datiert (S. 223, Anm. 1). Das ist im einzelnen diskutierbar; nur sieben Wortbelege weisen z. B. ausschließlich auf die Zeit um 1200 (S. 49 f.). Daß wir es nicht mit einem primär spätmittelalterlichen Produkt zu tun

---

[68]) Orendel, Halle 1935. Rezz.: O. Springer, JEGP 36 (1937), S. 565–569; O. Behaghel Ltbl 58 (1937), Sp. 19f.; E. Tonnelat, Revue critique 69 (1935), S. 112; H. Sparnaay, Museum 43 (1936), Sp. 267f.; A. Brandl, AfnSpr 169 (1936), S. 283; Fr. Norman, MLR 31 (1936), S. 458f.; H. Niewöhner, AfdA 55 (1936), S. 213f. Steingers Editionsgrundsätze S. XXXff., Stemma S. VII. Für die Beschreibung der Hss. und der Drucke ist weiterhin Bergers Edition heranzuziehen, ohne die auch wegen der (allerdings vielfach verfehlten) sprachlichen und literarhistorischen Erörterung nicht auszukommen ist (O. Springer, S. 569). Sie bildet im Guten wie im Schlechten zusammen mit Fr. Vogts Rez. (ZfdPh 22 [1890], S. 468–491) Ausgangspunkt und Grundlage der neueren Forschung. Berger erwähnt S. X zwei weitere, damals schon verschollene Hss. (s. u. Anm. 99).
[69]) E. Teuber, Zur Datierungsfrage des mittelhochdeutschen Orendelepos, Diss. Masch. Göttingen 1954, im Forschungsbericht (S. 1 ff.), bes. S. 7 ff. Teuber geht auf Sprach- (S. 19 ff.), Form- (S. 72 ff.) und Stilgeschichtliches (S. 182 ff.) ein. In der Untersuchung insbesondere der Reime (S. 85 ff.) kann er dabei auf der Grundlage der Systeme K. Wesles (Frühmittelhochdeutsche Reimstudien, Jena 1925) und U. Pretzels (u. Anm. 114) aufbauen.
[70]) O. Springer teilt mir mündlich mit, daß er die Sache in Kürze ernsthaft in Angriff nehmen will.
[71]) L. Denecke, Verfasserlexikon 3, Sp. 670.
[72]) Nach E. Schröder (Reimstudien III, GGN, Fachgruppe 4, N. F. I, 6 [1935]), deutet das Fehlen des Trivialreims sol:wol auf Entstehung vor 1170 (S. 107), wie überhaupt Schröders Untersuchungen zu solchen Fragen ihn meist auf frühe Ansetzung der »Spielmannsepen« und 'Brandan' und 'Karl und Elegast' geführt haben; vgl. u. Anm. 112, 138, 140.

haben, wird aber jedenfalls klar. Ebenso klar wird allerdings zugleich, daß in dieser Weise keine Vorstellung vom genauen Wortlaut oder Inhalt des Originals zu gewinnen ist, wenn der Verfasser auch »an einen grundlegenden Gestaltwandel, wie de Boor ihn vermutet«, nicht glaubt (S. 223). Steingers, in Baeseckes Fußstapfen gehende Bemühungen um eine zeitliche Aufgliederung des Textes (S. XVI ff.) erscheinen also auch von hier aus nicht sehr sinnvoll.

Zuletzt hat sich nun auch H. de Boor, der in diesem Zusammenhang seine Ansicht von der spätmittelalterlichen Überarbeitung, ja vielleicht sogar Entstehung des Or wiederholt, weiterführend um den Text bemüht[73]). Sein Abdruck der Verse 1–833, folgt im einzelnen mehr Steinger als Berger, bringt aber gegenüber früheren Konjekturen (zu V. 70 ff. schon Teuber, S. 26 und 103), Glättungen und (vor allem von Steinger stammenden) Kürzungen überlanger Zeilen öfter die Überlieferung und deren Unebenheiten stärker zur Geltung.

Einige Beispiele mögen die komplizierte Lage der Textkritik beleuchten und andeuten, was getan worden ist und geleistet werden kann und was auch dieser Versuch der Neuorientierung noch nicht leistet. V. 24 (in Steingers Zählung; de Boor weicht gelegentlich ab) lautet in *H: Selber die kunigin sant Marie,* in *D : Die edele k. s. Marey (M.* fehlt bei Steinger). Berger schreibt: *die küniginne s. Marie,* Steinger (bei dem dieser wie der vorhergehende Vers als sekundär ausgeklammert ist): *die kunigin s. M.* De Boor gibt den Text als: *selber die kunigin s. M.* Er entspricht damit im Hinblick auf die folgende Zeile dem Stil dieser Dichtung: *min frouwe sant Marie in selber span* (Berger streicht hier das *sant* und Steinger klammert *selber* ein). Das Reimwort *genat* im Vers 27 erscheint in *H* in der Form *genegt* (was bei Steinger wiederum nicht verzeichnet ist), und daraus erklärt sich wohl der folgende Vers 28 – *Vnd sol weren allewegent* – in *H* als der Assonanz mit der späteren, oberdeutschen Form wegen gemachter Zusatz. Hier braucht also gar nicht konjiziert zu werden, um so mehr als sich auch so kein Reimklang einstellt (de Boor: *genat:zit*), sondern man folge *D: Das (selbige) edel minnigkliche wat. H* hat dann entgegen der Meinung aller drei Herausgeber die richtige Versfolge 29/28 (es beginnt ein neuer Satz) und fährt entsprechend richtig mit *wan er wart* fort. In dieser Weise könnte in noch engerer Anlehnung an die Überlieferung gearbeitet werden[74]). De Boors Neuverteilung der Verse 37 f. (vgl. 144!) oder die Ergänzung nach *P* in 569 f. (vgl. 621 f.) erscheinen dem gegenüber etwas willkürlich (vgl. auch 575 f. oder 790 f., ein Verspaar, das wegen seiner inhaltlichen Inkonsequenz von de Boor ganz herausgenommen ist)[75]). Dies nur, um im Sinne de Boors (1, S. XXV f.) aufzuzeigen, wie weit wir noch von einer ganz nie erreichbaren verläßlichen Textgrundlage entfernt sind. Für einen positiveren Beitrag fehlt hier der Raum.

---

[73]) Die deutsche Literatur. Texte und Zeugnisse. Mittelalter 1, München 1965, S. 330–350; vgl. 2, S. 1861 f.

[74]) Hier ist wohl *D* noch stärker zu beachten. In 163 ff. hat z. B. *H* sicher nicht das Richtige; die Handschrift repräsentiert eine Überlieferung, die mehr als *D* zu flicken und zu bessern sucht, wenn sie auch öfter Altes besser bewahrt. Man vgl. 174, 231, 271. Wie 231, 271 und vor allem *P* zeigen, hat in 174 *D* recht, und entsprechend ist 231 zu beurteilen. Den in diesem Zusammenhang verräterischen Reim *here:mere* überliefert dann allerdings in 246 f. auch *H* nicht. Die Handschrift scheint demnach in den obigen Fällen lediglich eine bereits in der *H* und *D* vorausgehenden Überlieferung begonnene Tendenz fortzusetzen (433 gehört zweifellos einer gemeinsamen Vorstufe an). Hier weiter zu bessern, wie dies Steinger und (vorsichtiger) de Boor tun (vgl. dagegen Berger 429 f.), scheint angesichts der Überlieferungslage nicht geraten. Umgekehrt bewahrt doch offensichtlich in 213 *D* das von Berger und Steinger rekonstruierte *wan* (oder *wenne*): *Auszwendig wenn (Vsz genomen H)*. In solchen Fällen sollte man den Archetyp vorsichtig zur Geltung zu bringen suchen; de Boor folgt hier der Handschrift *H*, die er allerdings auch mehrfach mit Gewinn heranzieht; man vgl. 371 f., 431, 637 und v. a. 54, wo einsichtsvoll *H* mit *dru und drissic jar* Bergers und Steingers *dru und zwenzic* vorgezogen ist (s. u. S. 18). Steinger wie de Boor hätten in 191 f., wo *H* eine Lücke hat, *D* (mit Wesle, S. 71, Anm. 1) ruhig bessern sollen: *frie:Marie* statt *werde:M.*

[75]) Akzeptieren sollte man von seinen Konjekturen und Besserungen anderseits v. a. 492, 548 (mit Hilfe von *P*), 734 (?), 788.

Zweifellos hat E. Schröder gut daran getan, darauf hinzuweisen, daß die mittelalterliche Überlieferung das Werk nicht 'Orendel' nennt, sondern *Der Grawe Roc*[76]) (vgl. Or 20). Daß nicht Orendel der Held ist, sondern der ungenähte Rock Christi, war von Ehrismann schon betont (S. 340f.) und von E. Tonnelat zur Grundlage einer Interpretation gemacht worden[77]). Hier ist allerdings in zweifacher Hinsicht einzuschränken: die besonders schon im Titel die Reliquie hervorhebenden Drucke reflektieren damit zunächst vor allem den Anlaß ihrer Entstehung, die Wiederentdeckung des Rockes im Jahre 1512; und in der Heldenbuchzeit der Heldendichtung gilt in der Prosavorrede der Straßburger Handschrift doch immerhin gerade *Kúnig Erendelle von Triere* als *der erste heilt, der ie geborn wartt*[78]). Es wird letzten Endes also zu fragen sein, wie es kommt, daß trotz des eindeutig lokal-legendarischen Anlasses Orendel, der *grawe roc,* auch über sein heiliges Gewand hinaus so große Bedeutung erlangt.

Das hinter der wiederum rein süddeutschen Überlieferung noch zu erkennende mitteldeutsche Original wird seit langem wegen seines starken Interesses an Trier und der dort aufbewahrten Reliquie mit lokalen Propagandainteressen in Verbindung gebracht. Soweit wir sehen, bestanden diese zweimal: 1512, als aber die Dichtung schon geraume Zeit existiert hatte und lediglich neu aufgelegt wurde, und im 12. Jahrhundert nach der Begründung der Legende durch Erzbischof Bruno (1124). Wer Teile der Handlung als direkte Spiegelung der Einnahme Jerusalems durch Saladin (1187) und der vorausgehenden Ereignisse ansieht (Ehrismann, Krogmann; s. unter IIIc), gewinnt einen terminus post quem; die *depositio* der Reliquie im Hauptaltar des Doms 1196 gibt, vorausgesetzt es besteht überhaupt eine direkte Beziehung, vielleicht einen terminus ante quem, in keinem Fall ohne weiteres das Datum der Abfassung[79]). Das Werk könnte in den Rahmen der seit dem Tode Brunos denkbaren Vorbereitungen auf diesen Akt gehören, würde in seinen grotesken Elementen sich zum Salm und den anglonormannischen Epen[80]) stellen und hätte letzten Endes als ein Produkt der besonders unter Erzbischof Hillin (1152–1169) energisch geförderten Ansprüche Triers zu gelten, »der erste Bischofs-

---

[76]) Aus den Anfängen des deutschen Buchtitels, GGN, Fachgruppe 4, N.F. II, 1 (1937), S. 12.

[77]) Le roi Orendel et la tunique sans couture du Christ, in: Mélanges Ch. Andler, Straßburg 1924, S. 351–370.

[78]) Heldenbuch (ed. Fr. H. v. d. Hagen) 1, Leipzig 1855, S. CXI (auch bei Berger, S. LXXVIII. Vgl. H. Schneider-W. Mohr, Heldendichtung, in: Reallexikon 1, Berlin 1958², S. 631–646, S. 642; der Artikel steht in umgearbeiteter Form jetzt auch in: Zur germanisch-deutschen Heldensage, ed. K. Hauck, Darmstadt 1961, S. 1–30). Dieser Hinweis wird leider in der neueren Literatur beharrlich unterschlagen. Selbst der Herausgeber, Steinger, bringt nur im Apparat zu 224 ein Zitat aus der ihm folgenden Inhaltsangabe. Diese erzählt interessanterweise den zweiten Teil nicht. Ist das nun »ein Gedächtnismangel« (Berger, S. LXXIX), weitere Betonung des Heldischen oder Reflex einer kürzeren Fassung?

[79]) Die wenigen bekannten und germanistisch interessanten Fakten jetzt bei Ehrismann, S. 341f., und Krogmann, Sp. 791f. Die Literatur zur Geschichte des (in Wirklichkeit roten) Rocks verzeichnet RGG 5, 1961³, Sp. 1133. Nachzutragen: G. Zschäbitz, Der heilige Rock von Trier, Leipzig u. Jena 1959 (mir nicht zugänglich). Leider ist ganz unsicher, wie lange nach 1196 die Existenz des Rocks dann noch bekannt war. Über eine Datierung vor 1196 vgl. auch o. Anm. 72.

[80]) S. u. S. 20. Th. Frings und E. Linke verweisen im Zusammenhang ihrer Versuche, die Vorgeschichte des 'Morant und Galie' auf St. Denis und die *Chanson de geste* zu beziehen, auf die vergleichbare Bindung des Or an Trier (Rätselraten um den 'Karlmeinet', in: Mediaeval German Studies, Presented to Frederick Norman, London 1965, S. 219–230, S. 228); Brandl hat auf Parallelen zum me. 'Havelok' aufmerksam gemacht (Rez. Steinger). S. unter IIIa.

sitz jenseits der Alpen zu sein«[81]). Hierzu würde auch die Ausschlachtung der schon lange vorher belegten Verbindung der Helenalegende mit Trier passen. Helena, die in der Popularisierung dieser pseudohistorischen Tradition wieder zurücktritt (Or 26; vgl. Tonnelat, S. 368) bzw. in Bride neuerscheint, hätte die Gestalt des heldischen Helfers mit sich gebracht. Die sorgfältig durchgearbeitete Sagen- und Mythenthese, die sich im 19. Jahrhundert an dessen Namen knüpfte, wird heute allgemein als unfundiert abgelehnt[82]); wohl aber mag der Name aus gerade in geistlicher Literatur vorhandenem Wissen bewußt herangezogen (nicht nur zufällig »aufgegriffen«, wie Krogmann, Sp. 794, meint) und in dem Sinn gebraucht sein, in dem das angelsächsische *earendel* als Appellativum für Christus erscheint[83]). S. Singer allerdings[84]) hat ihn zuletzt als Bezeichnung für Luzifer als den Herren der Luftmächte verstanden und die alte Mythenthese durch eine, wie er selber sieht (S. 866), kaum konkretere These der Entstehung aus einer »osteuropäisch beeinflußten Heilsgeschichte« ersetzt. Wichtig bleibt dabei die Betonung der Kleid-Leib-Natur des Rocks[85]), der an Orendel für 30 Pfennige verkauft wird. Auch Ise soll aber dabei Jesus sein[86])! Wie dem auch sei, die Form, in der der heldische Helfer hier auftritt, stammt, wie u. a. auch Singer früher erweisen konnte, aus dem Bereich der spätantiken Romanliteratur, im Zusammenhang vertreten durch den Apollonius-Roman, der auch in Frankreich rezipiert wird[87]). In den Komplex deutsch-französischer Motivgemeinschaft (s. unten) kann man vielleicht auch das Reckentum der Bride einordnen; wenn man Baesecke folgt, allerdings nur im Sinn einer Urverwandtschaft, denn für ihn gehört die Heldenjungfrau eng mit der Frühgeschichte des 'Nibelungenliedes' zusammen[88]). Die Verschmelzung ur-

---

[81]) S. Hilpisch, Erzbischof Hillin von Trier 1152-1169, ArchfmrhKirchgesch 7 (1955), S. 9–21, S. 10.

[82]) Vgl. zu dieser Frage jetzt de Boor, S. 269. Die ältere Literatur bei Ehrismann, S. 339, Anm. 1. Dazu seien immerhin noch genannt: R. Wirtz, Orendel und der hl. Rock, in: R. Wirtz, Das Moselland, Trier o. J. (1926), S. 46–49; O. Glaser, Der deutsche Ulixes. Ein Beitrag zur deutschen Heldensage, Wörter und Sachen 14 (1932), S. 106–108 (Or und Er nur am Rand); M. Ninck, Eine vergessene Heldensage, Völkische Kultur 4 (1936), S. 114–119. Ausführlich werden Müllenhoffs und Beers Thesen jetzt von Erb (S. 1014ff.) wiederholt.

[83]) R. Much, Orendel, Wörter und Sachen 4 (1912), S. 170–173: germanisch *auza-wandilaz* = Lichtstrahl (S. 172). F. Holthausen, Altenglisches etymologisches Wörterbuch, Heidelberg 1934, S. 85 (mit Literatur): *éarendel* = Tagesanbruch, Strahl, Morgenstern. Vgl. F. Kampers, Gnostisches im 'Parzival' und in verwandten Dichtungen, Mitt. d. schles. Ges. f. Vk. 21 (1919), S. 1–62, S. 23; Fr. Kluge–W. Götze–W. Mitzka, Etymologisches Wörterbuch der deutschen Sprache, Berlin 1960[18], S. 526 (Ostern).

[84]) Dogma und Dichtung des Mittelalters, PMLA 62 (1947), S. 861–872, S. 864ff.

[85]) Über das Motiv und mögliche Verbindungen zu 'Wolfdietrich' und 'Huon de Bordeaux' jetzt eine Diskussion bei Baecker, S. 42f.

[86]) Die Doppelnatur dieses Fischers und »Herzogs« hat die Forschung mehrfach im Hinblick auf seine Herkunft aus dem Mythos beschäftigt (für F. Kampers, Das Lichtland der Seelen und der heilige Gral, Köln 1916, S. 38ff., repräsentiert er Salomon). Man könnte die Frage nochmals im Anschluß an A. H. Krappes Bemerkungen zum Gralskönig durchdenken (The Fisher King, MLR 39 [1944], S. 18–23 und 280).

[87]) Vgl. Ehrismann, S. 340, Anm. 1 (mit Motivvergleich). Das Verhältnis zur französischen Bearbeitung 'Jourdain de Blaivies' ist nach wie vor nicht geklärt, genauso wenig wie überhaupt das Fortleben des spätantiken Romans in der mittelalterlichen Epik. Die so betitelte Diss. von Annemarie Schwander (Masch. Frankfurt 1944; Untertitel: Untersuchungen zu Gottfrieds 'Tristan') leidet unter Mangel an Kenntnis sowohl des spätantiken Romans wie der Forschungslage. Zum Or, der stellvertretend für die »Spielmannsepen« S. 27–30 behandelt wird, ist ohne Begründung Beeinflussung durch die 'Kaiserchronik' (Faustinian) festgestellt. Die Berührung mit diesem Typ der Abenteuerfahrt führt über das Schema des spätantiken Romans.

[88]) Vor- und Frühgeschichte des deutschen Schrifttums 1, Halle 1940, S. 240f.

sprünglich so verschiedener Komplexe erklärt Ehrismann (nach Panzer) aus dem im Hintergrund stehenden 'Goldener'-Märchentyp (S. 340, mit Literatur), der bei plötzlich erwachendem geistlichen Interesse an einer altheimischen Sage[89]) vermittelt hätte, und Schneider, indem er spielmännische Umformung des Apollonius-Romans zu einem Lied annimmt, das erst später unter den Händen eines geistlichen Epikers seine jetzige Form und die Beziehung auf Trier erhalten habe (Literaturgeschichte, S. 247f.).

Das sind Probleme ähnlich im Prinzip den beim Osw, in der Sache eher den beim Ro auftauchenden, nur daß beim Or alles, einschließlich der Doppelrolle Orendels als *grawer roc* und Brautwerber eindeutiger sekundär zu sein scheint. Der Osw klingt am Schluß deutlich an[90]) (der Or wird umgekehrt, wie bereits bemerkt, im W. Osw als bekannt vorausgesetzt). Zum Er stellt sich die Schilderung der Reisewege im ersten Teil[91]), zum Ro die *wusten babilonie* und ihre Zerstörung, vielleicht sogar ein direktes Zitat[92]); nach A. Lütjens hat eine komplette Schwert-Zwerg-Sage Eingang in das Werk gefunden (vgl. 1638ff./2476ff.)[93]). Früher hat man auch für den Or auf diesem Weg Datierungsfragen und Abhängigkeitsverhältnisse klären wollen; heute sind wir vorsichtiger, geneigt, das Formelhaft-Typische zu betonen. Den Eindruck von extremer Formelhaftigkeit und Unselbständigkeit sollte man deshalb nicht bagatellisieren; seine Bedeutung liegt vielleicht nur auf einer anderen Ebene.

c) 'Salman und Morolf'

Etwas günstiger als beim Or ist die Überlieferungslage beim Salm. Fr. Vogts kürzlich nachgedruckte Ausgabe[94]) basiert auf einer in südlichem Rheinfränkisch wohl noch vor 1419 geschriebenen, ehemals Weingartner Handschrift (*S*)[95]), einem inzwischen in Faksimile erschienenen elsässischen Druck von 1499 (*d*)[96]) und der damals nur durch v. d. Hagens ältere Ausgabe hindurch rekonstruierbaren Handschrift *E* (Frankfurt, Stadt- und Universitätsbibliothek Ms. germ. 4° 13; rhfr. 1479). Ein Abdruck dieser lange verschollenen[97]), von Hans Dirmstein geschriebenen und

---

[89]) Vgl. Steinger, S. XXVIf., und A. Heusler, Orendel, in: Reallexikon der germanischen Altertumskunde 3, Straßburg 1915f., S. 372f.

[90]) Baesecke, Oswald, S. 366f.; Keim, Rez. von Baeseckes Wiener Oswald, S. 250; vgl. o. S. 13.

[91]) Das ist seit langem bemerkt, doch, wie mir scheint, erst von G. Bönsel im richtigen Zusammenhang gesehen (s. u. S. 40 f.).

[92]) W. Röll (Studien zu Text und Überlieferung des sogenannten Jüngeren Titurel, Heidelberg 1964, S. 111, Anm. 47) weist auf Or 2934–2949/Ro 3625–3634 hin, eine Parallele, die durch die jeweilige Verwendung der Zahl 22 (statt, wie üblich, 72) auffällt. Ist aber nicht auch 22 formelhaft (vgl. Röll, S. 110)?

[93]) Der Zwerg in der deutschen Heldendichtung des Mittelalters, Breslau 1911, S. 28ff.

[94]) Salman und Morolf, Halle 1880. Nachdruck Halle 1954 (angezeigt von H. W. J. Kroes, Neophilologus 39 [1955], S. 317f.). Die leider nicht mitgedruckten, in Einleitung und Anmerkungen enthaltenen Ausführungen zu Hss., Datierung und Sage, sind, ähnlich wie die Baeseckes zum Osw, für die folgende Beschäftigung mit dem Gegenstand grundlegend geworden.

[95]) K. Löffler, Die Handschriften des Klosters Weingarten, Leipzig 1912, S. 142.

[96]) Koenig Salomon und Marcolphus, Straßburg o. J. (1930), mit 48 Holzschnitten, die gesondert auch bei P. Heitz, Straßburger Holzschnitte zu Dietrich von Bern – Herzog Ernst – Der Hürnen Seyfried – Marcolphus (Drucke und Holzschnitte des 16. Jahrhunderts 15, Straßburg 1922) erschienen (zu denen des Volksbuchs s. Biagioni [u. Anm. 105], S. 10f.). Ähnlich wie beim Or lassen sich Spuren einer spätmittelalterlichen Bearbeitung erkennen, die sich besonders in einem längeren, bei Vogt (S. 207ff.) abgedruckten Schluß äußert.

[97]) H.-Fr. Rosenfeld (a. a. O., Sp. 7) notiert ihr Wiederauftauchen im Antiquariatshandel. Sie befindet sich seit 1937 in Frankfurt (vgl. den Nachtrag zu H. Dirmstein im 5. Bd. des

gemalten[98]) Handschrift wäre beinahe ebenso erwünscht wie ein Abdruck der Or-Prosa *P*. Seit v. d. Hagen hat sie niemand mehr benützt, auch W. Hartmann bei seiner Ausgabe des Spruchgedichts (s. unten) nicht. Inzwischen hat dazu E. Schmidt Fragmente einer *S* nahestehenden Dresdener Handschrift *(D)* von der Mitte des 15. Jahrhunderts kollationiert[99]). Wie *E* in die Schreibfabrik Dirmsteins, so gehört *S* wohl in die Diebold Laubers. Es ist der Adel, der sich diese Handschriften anfertigen läßt: der Straßburger Bischof Ruprecht von Pfalz-Simmern (1439–1478) bestellt in einem Brief an Lauber neben 'Der Heiligen Leben', einem 'Parzival', dem 'Wilhelm von Orlens' und den 'Sieben weisen Meistern' auch einen *morolff gemolt;* auch die Darmstädter Handschrift des Spruchgedichts *(D;* s. unten Anm. 108) findet man in den Händen eines Edelmanns, Johann von Glauburg. Soweit die spätmittelalterlichen Verhältnisse frühere reflektieren können, bietet die verdienstvolle Untersuchung W. Fechters zur Zusammensetzung des Publikums damit wichtige Hinweise[100]), die sich für den Osw vielfach ergänzen lassen (vgl. oben S. 11).

Wie beim Osw durch die Erwähnung der 14 Nothelfer, so wird beim Salm durch die Bebilderung der Handschriften und Drucke[101]) ein gemeinsamer Archetypus der Überlieferung fixiert[102]), den Vogt um 1300 entstanden sein ließ und den sein vorwiegend auf *S* gestützter Text wenigstens annähernd wiedergeben soll (S. CLVIIff.). Ähnlich vorsichtig verhält sich Vogt in der Frage des Dialekts. Anders als Ehrismann (S. 313) meint, legt er sich weder für den Archetypus noch für das Original innerhalb des fränkischen Sprachbereichs fest. Rosenfeld (Sp. 10) meint entsprechend: »Nieder- oder Mittelrhein«. Die Sprache ist aber mehr noch als beim Or aufs Oberdeutsche hin ausgeglichen, wenn auch die Überlieferung diese beiden Epen näher zusammenrückt. Beziehungen des Salm (wie des Ro) zum Trierer Raum erschienen Fr. Panzer »bis zu einem gewissen Grad wahrscheinlich«[103]) auf Grund der von ihm beobachteten Ähnlichkeit zwischen einigen von Morolfs Streichen und Anekdoten, die über Bischof Albero von Trier († 1152) schon bei dessen Lebzeiten und vermutlich auch weiterhin erzählt wurden. Die von Panzer herangezogenen Parallelen in anglo-normannischen Epen warnen jedoch zumindest davor, den Kreis geographisch zu eng zu beschreiben. Überdies ist Morolf eine Figur, die ständig solche Geschichten an sich zog, sei es als hilfreicher Bruder, sei es als bauernschlauer Dialogpartner Salomons.

Verfasserlexikons, Sp. 155) und ist beschrieben von H. Schiel, Die Frankfurter Dirmsteinhandschriften, Frankfurt o. J. (1937), S. 14f. (vgl. auch W. Stammler, Bebilderte Epenhandschriften, in: Wort und Bild, Berlin 1962, S. 136–160, S. 141 = Epenillustration, in: Reallexikon der deutschen Kunstgeschichte 5, Stuttgart 1962, Sp. 810ff., Sp. 820).

[98]) W. K. Zülch hielt irrtümlich den Schreiber auch für den Verfasser, was Dirmstein einen Platz im Verfasserlexikon verschaffte (W. K. Zülch, Verfasserlexikon 1, Sp. 439f., mit Literatur; vgl. E. Schröder, Rez. Hartmann (u. Anm. 106), S. 224, und Schiel, S. 10ff.

[99]) Zu Salman und Morolf, PBB 30 (1905), S. 571f. Wie im Fall des Or ist eine Hs. (von 1476) in Straßburg verbrannt und wird eine weitere von Diebold Lauber im cpg. 314 erwähnt (hierüber grundlegend R. Kautzsch, Diepolt Lauber und seine Werkstatt in Hagenau, ZblfBlw 12 [1895], S. 1–32, 57–113).

[100]) Das Publikum der mittelhochdeutschen Dichtung, Frankfurt 1935, S. 103f., 39, 93, 60.

[101]) Vgl. o. Anm. 96f. Auch *D* hatte, wie Schmidt zeigt, Bilder. Verzeichnis der Bilder von *E* bei Schiel (S. 17), von *S* bei Vogt (S. II).

[102]) Vogt, S. XIXf.; hierzu auch E. Schröder, Zu Salomon und Morolf, ZfdA 70 (1933), S. 196 über Str. 176.

[103]) Erzbischof Albero von Trier und die deutschen Spielmannsepen, in: Germanistische Abhandlungen, H. Paul zum 17. März 1902 dargebracht, Straßburg 1902, S. 303–332; hierüber weiter Rosenfeld, Sp. 9.

Was für die Verbreitung des Oswaldstoffes das Interesse an dem heiligen König, das ist für die des Salm vorwiegend die Popularität Morolfs in seiner Eigenschaft als grotesk-komischer, entlarvender Widerpart Salomons. Sie stellt die Grundlage einer für uns mit einer lateinischen Prosa des 12. Jahrhunderts beginnenden, vielleicht in Frankreich in die Welt gesetzten Tradition von Dialogen dar[104], die im Spätmittelalter in Volksbuch und Fastnachtsspiel ausmündet[105]) und zu dieser Zeit teilweise auch wohl das »Spielmannsepos« mitträgt. So folgt das Spruchgedicht 'Salomon und Markolf'[106]) z.B. in der Handschrift *E* dem Epos, mit der Überschrift *vnd vahet an der ander moroff* (Schiel, S. 15; Rosenfeld, Sp. 15). In noch engerer Beziehung zum Salm steht das in Spruchteil und Schwankteil zerfallende, in Reimpaarversen abgefaßte Spruchgedicht durch seinen »Epilog«, der sich in anderer Form auch in der lateinischen Fassung, allerdings nur deren Handschrift *S* aus dem 3. Viertel des 15. Jahrhunderts findet[107]). Er entspricht in Umrissen dem Inhalt des Epos in dessen erstem Teil. Seit Vogt glaubt man daher nicht mehr, daß er das ganze Epos verkürzt wiedergibt. Benary, der zuerst auch *S* zum Vergleich heranziehen konnte, schloß sich Vogt an: der Epilog vertritt eine einfachere Form (Vorstufe) des Epos (S. XXVIII). Ehrismann (S. 317) und Erb (S. 791) urteilen entsprechend, und Hartmann ergänzt: der Epilog ist »der treuere Vertreter« des Ursprünglichen (S. XLII). Genauere Feststellungen werden durch den Umstand

[104]) Salomon et Marcolfus, ed. W. Benary. Heidelberg 1914. Auch hier ist die Überlieferung spät. Zur Datierung s. Benary, S. VIII; P. Lehmann (Die Parodie im Mittelalter, Stuttgart 1963², S. 172ff.) sieht es auf Grund eines Benary wie Cosquin unbekannten Zeugnisses des Guido von Bazoches († 1203) als sicher an, daß »die Erzählungen von Salomon et Marcolfus bereits gegen 1200 mindestens zum Teil denselben Inhalt wie um 1400 gehabt haben, wenn auch Form und Umfang im Laufe der Zeit verändert sein mögen« (S. 173). Ich möchte hinzufügen: daß sie damals in Frankreich auch schon schriftlich, mit dem Dialogteil vereint und gereimt vorlagen (alles für die Genese des deutschen Spruchgedichts u. U. nicht unwesentlich), bezeugt ein lat. Gedicht des 12. Jh.s, auf das E. Faral aufmerksam gemacht hat: Pour l'histoire de 'Berte au grand pied' et de 'Marcoul et Salomon', Romania 40 (1911), S. 93-96. E. Cosquins Widerspruch (Le conte du chat et de la chandelle, ebd., S. 371-430, 481-531, S. 385 f., Anm. 2) überzeugt nach dem Hinweis Lehmanns noch weniger als damals. Dieser Meinung scheint auch R. J. Menner zu sein: (ed.) The Poetical Dialogues of Solomon and Saturn, New York-London 1941, S. 21 ff. (wichtige Einl.). Daß die Hss.-Tradition nach Deutschland, das Sprichwortgut wie die Latinität des Denkmals dagegen nach Frankreich weisen, sucht S. Singer durch die Annahme zu erklären, daß es im 9. Jahrhundert von einem französischen Mönch in Deutschland verfaßt wurde: Sprichwörter des Mittelalters 1, Bern 1944, S. 34.
[105]) Hierüber E. Catholy, Das Fastnachtspiel des Spätmittelalters, Tübingen 1961, S. 20ff. Übersichtlich erörtert die verschiedenen Fassungen Rosenfeld, Sp. 13ff. Man vgl. auch E. Brodführer, Gregor Hayden, Verfasserlexikon 2, Sp. 231f. (Nachtrag von L. Denecke in Bd. 5, Sp. 338; auch Ehrismann im Schlußbd., S. 483f.); G. L. Biagioni, Marcolf und Bertoldo und ihre Beziehungen. Ein Beitrag zur germanischen und romanischen Marcolf-Literatur, Diss. Köln 1930: Vergleich zwischen dt. und ital. Volksbuch. Über die Drucke und Ausgaben der verschiedenen Fassungen des Volksbuchs informiert auch Rosenfeld, Sp. 20.
[106]) Ed. W. Hartmann, Halle 1934 (der Abhandlungsteil ist vorher auch gesondert erschienen als: Salomon und Markolf, Das Spruchgedicht [Teildr.]. Diss. Marburg 1934). Rezz.: E. Schröder, GGA 197 (1935), Nr. 6, S. 221-227; A. Senn, JEGP 36 (1937), S. 131f.; H. Niewöhner, AfdA 54 (1935), S. 112-115; O. Behaghel, Ltbl 56 (1935), Sp. 459-461; H.-Fr. Rosenfeld, AfnSpr 168 (1935), S. 280f.; J. H. Scholte, Museum 43 (1936), Sp. 233f.; H. Suolahti, NeuphMitt 38 (1937), S. 189-193. Zum Text geben im einzelnen Beiträge v. a. Behaghel, Schröder und Senn und dann grundlegend H. Suolahti, Das Spruchgedicht von Salomon und Markolf, Helsinki 1946. Hartmanns Arbeit ist dabei im großen und ganzen als gründlich und umsichtig anerkannt.
[107]) Übers. mit wertvollen Anmerkungen bei A. Wesselski, Märchen des Mittelalters, Berlin 1925, S. 24-26 bzw. 197ff.

erschwert, daß auch die Überlieferung des deutschen Spruchgedichts erst im 15. Jahrhundert beginnt[108]) und philologisch nicht weiter als bis auf einen rhein-fränkischen Archetypus des späten 14. Jahrhunderts[109]) zurückzuführen ist. Dieser hat nach Suolahti als »Überarbeitung eines älteren Originals«[110]) aus dem (nördl.?) Moselfränkisch zu gelten, das allerdings weder von ihm (S. 97) noch von Hart-mann (S. XXXVIf.) wesentlich früher angesetzt wird. Daß diese Datierung im einzelnen philologisch durchaus anfechtbar ist, tun u.a. Behaghels (S. 460) und Rosenfelds (S. 281) Rezensionen zu Hartmanns Ausgabe dar. Weiter wird die ganze Frage kompliziert durch die Natur des Stoffes, der in lockerer Form schrift-lich, aber auch vor allem mündlich tradiert und nur gelegentlich und immer wieder neu straffer zusammengefaßt worden sein kann. Hierauf macht Niewöhner mit Recht aufmerksam[111]). Dazu kommt, daß sich Vogts Datierung des Epos auf ca. 1190, die Ehrismanns wie Rosenfelds Angaben zugrunde liegt, auf die Erwäh-nung von Akers (Akka) in 598, 1 und 624, 2 stützt, die aber durch die geo- und topographische Unbekümmertheit des Verfassers als Kriterium entwertet wird, sowie auf Metrik und Reim, die angesichts der späten Überlieferung wie im Or und Osw natürlich nur mit größter Vorsicht allein heranzuziehen sind[112]).

Genaueres sagt vielleicht die charakteristische Strophenform mit dem Terzinen-schluß aus. H. Schneider führt sie mit als Beweis für die Existenz eines älteren, vor dem Ro entstandenen (s. unten) Liedes an, an dessen Strophenform der Epiker »kleben«geblieben sei (Literaturgesch., S. 247). A. Heusler glaubt dagegen nicht, daß, ganz allgemein gesprochen, »der Heldenepiker ... kurzerhand die Strophen seiner Liedquellen übernahm«; hier schalte sich zunächst der Lyriker ein (Heuslers Be-urteilung des Kürnbergers), und der Salm-Verfasser habe denn auch eine »lyrische Form ... der spielmännischen Kleinlyrik« nachgeahmt[113]). H. Thomas faßt den Zusammenhang jetzt genauer: es ist »mit einer liedartigen Vorform zu rechnen. Doch hat man angesichts der gnomischen Dialoge des jüngeren Spruchgedichts ... die Nähe der Spruchdichtung im Auge zu behalten«[114]). Diese Situation des Über-gangs mündlicher vagantischer Spruchtradition in Schriftlichkeit legt eine relativ frühe Datierung nahe und kann zugleich nicht unwesentlich zur Interpretation beitragen. Fragen der Chronologie, die z.T. noch der Untersuchung harren, sind hier mit solchen der Gattung und der literarischen Intention eng zusammengebun-den. Wichtig scheint es, den Zusammenhang des Epos mit der Spruch- und

---

[108]) Über die 4 Hss. und einen kurzen Auszug Hartmann, S. IIIff. Die Signatur der Darmstädter Hs. ist jetzt 724, nicht rep. 14.

[109]) Hartmann, S. VI bzw. XXXVIf.; zur Heimatfrage ebd., S. XXXIf., dazu Schröder in seiner Rez. (S. 225f.) und detailliert und ausführlich Suolahti, S. 56f.

[110]) S. 47. Die Hss.-Gruppe *EBDH* = Hartmanns *z* (Stemma bei Hartmann, S. XXI); Hartmann dagegen glaubt, durch *S* darüber hinaus auf *O* zu kommen. Die Auswertung von *E* steht, wie oben bemerkt, im einzelnen noch aus.

[111]) (S. 113; s. auch o. S. 20). Dabei ist der französische Aspekt (s.o. Anm. 104f., u. S. 24) noch längst nicht hinreichend gewürdigt.

[112]) Erwägenswert wieder E. Schröders Hinweis auf das Fehlen des Trivialreims *sol:wol* (s.o. Anm. 72; zum Salm S. 106), allerdings nur in dem Sinn, in dem Teuber (a.a.O.) solche Daten für den Or auswertet. Ähnliches gilt für die sich auf das Wort *fleischman* (704, 3) stützende Annahme Schröders (o. Anm. 102), das Original müsse aus Ostfranken stammen.

[113]) Deutsche Versgeschichte 2, Berlin 1956², S. 243 (vgl. 275ff.). Die Betrachtung der Baugesetze dieser Form ermöglicht es, mit Vorsicht spätere Einschübe (Affer/Isolt) auszu-lösen (Rosenfeld, Sp. 10). Zu Langzeile und Sangbarkeit s. unter IIIb.

[114]) In: U. Pretzel, Deutsche Verskunst. Mit einem Beitrag über altdeutsche Strophik von Helmuth Thomas (†) (in: Deutsche Philologie im Aufriß 3, Berlin 1962², Sp. 2357–2546, Sp. 2438ff.), Sp. 2454f.

Schwankdichtung nicht aus den Augen zu verlieren bzw. unter u. U. sekundären Gesichtspunkten, wie der Identität von Markolf/Morolf als »Spötter« (Ehrismann, S. 316, Anm. 1) und Schalk, zu betrachten.

Allerdings würde eine Aufhellung der Herkunft dieses Namens die Beurteilung der Frühgeschichte wohl erleichtern. Die akzeptierte Herleitung aus hebräischem *Marcolis* für lateinisch *Mercurius* ist im Hinblick auf die deutschen Bezeichnungen für den Häher nach E. Christmanns Urteil doch recht zweifelhaft. Erika Schönbrunn-Kölb hat dem ganzen Komplex jetzt eine eingehende Studie gewidmet [115]). Ihr Ergebnis ist eine »Synthese beider Theorien«: Markolf ist germanischer Personenname, der »als treffende Bezeichnung auf den Eichelhäher übertragen« wurde; dann fielen Marcolis und Markolf unabhängig davon in der Spruchdichtung zusammen, später wurde die Typenähnlichkeit des Spötters Markolf mit dem Häher empfunden, und es ergaben sich so weitere, nun der Dichtung entnommene Benennungen für den Häher (Bunnemärtel z. B.) (S. 170f.). Entgangen ist der Verfasserin eine These W. Kaspers' [116]), germanisch *Markuz sei ein Beiname Wotans gewesen, und dadurch sei als Widerpart Salomons die »herabgesunkene Gestalt« (S. 84) des allwissenden Zauberers, der »germanisch-heidnische Marcolf-Wodan«, in der »germanisch-christlichen Dichtung« an Stelle des »klassisch-heidnische(n) Mercur« der »jüdischen Sage« getreten (S. 85).

Die Umbiegung der ernsthaften dialogischen Auseinandersetzung Salomons mit dem Dämonen ins Komisch-Satirische hat im einzelnen wohl mit dem Einfluß einer Äsop-Tradition zu tun (Rosenfeld, S. 13f., Ehrismann, S. 326). Darüber hinaus aber gehört die Entlarvung der Weisheiten Salomons als leere Formen, die gerade schon im deutschen Spruchgedicht, nicht erst im Fastnachtspiel angestrebt ist (Catholy, S. 24, Anm 4 [117])), in einen entsprechenden weiteren thematischen Rahmen, – plötzlicher Sturz der Mächtigen der Welt [118]). Auch die ebenfalls schon biblische Betörung Salomons durch Weiberlist ist dort zu Hause, die dem Epos zugrunde liegt und das Bild des Weisen Salomon im Mittelalter weitgehend färbt [119]).

Ausgangspunkt der deutschen epischen Gestaltung könnte die Spruchtradition sein; wie das zu denken ist, zeigt der Epilog der lateinischen Prosa, auf den Rosenfeld mit Recht nachdrücklich hinweist (Sp. 6). Unbefangen wird man zunächst nicht an ein älteres Lied, sondern einen Auswuchs des später an den Spruchteil angetretenen Schwankteils denken. Die Aufnahme des zentraleuropäischen Stranges

---

[115]) E. Christmann, Der Häher in den pfälzischen Mundarten, ZfVk N. F. 2 (1930), S. 217–224, S. 221, und 'Reinhard' der Fuchs und 'Gerhard' der Gänserich – wie kamen Tiere zu solchen Menschennamen?, HessBll 41 (1950), S. 100–117, S. 102 ff.: der Name bezieht sich auf die Späh- und Wachtätigkeit des Vogels und geht sekundär in die Literatur ein. Erika Schönbrunn-Kölb, Markolf in den mittelalterlichen Salomondichtungen und in deutscher Wortgeographie, ZfMu 25 (1957), S. 92–174, schickt eine ausführliche Diskussion älterer Forschung und ein Referat über die europäischen Bezüge von Epos und Spruchdichtung der eigentlichen Untersuchung voraus.
[116]) Germanische Götternamen, ZfdA 83 (1951/52), S. 79–91, S. 83–87.
[117]) Gegen Ehrismann, S. 325. Neutraler charakterisiert S. Singer das Verhältnis: Sprichwortstudien, Schweizer ArchfVk 37 (1939/40), S. 129–150, S. 138.
[118]) So erscheint die Nachtwachenepisode auch im Zusammenhang mit Theoderichs Höllenfahrt. Sie ist hier behandelt von W. Haug, Theoderichs Ende und ein tibetisches Märchen, in: Märchen, Mythos, Dichtung. Festschrift zum 90. Geburtstag Friedrich von der Leyens, München 1963, S. 83–115, S. 95 ff.; vgl. u. Anm. 126.
[119]) Hierüber K. Burdach (-A. Bernt), Der Ackermann aus Böhmen 1, Berlin 1917, S. 262, mit Literatur. Dies hängt mit dem Motiv von Salomons Götzendienst zusammen, das die lat. Fassung gleich zu Anfang anführt und das dt. Epos in der Taufe erst Salmes und dann später Affers pointiert ins Gegenteil verkehrt. Im einzelnen betrachtet Burdach die in Jerusalem vom Früh- bis ins Hochmittelalter den Pilgern gezeigten Ring und (Salb-) Horn Salomonis als Ausgangspunkt der ganzen Sage (vgl. Der Ursprung der Salomosage, in: Vorspiel I, 1, Halle 1925, S. 159f.; wiederholt in: Der Gral, Stuttgart 1938, S. 111f.).

einer über Byzanz vermittelten Fassung der Geschichte Salomons und seiner heidnischen Gemahlin kann zuerst in diesem Rahmen erfolgt sein. Der entscheidende Schritt darüber hinaus und auf die Handlung des Epos hin, der vielleicht dann doch eine verwandte epische Tradition als Quelle voraussetzt, ist, daß Morolf als B r u d e r Salomons erscheint; die Verwirrung beginnt dann bei der Frage nach genauen Quellen, die noch im 19. Jahrhundert von Vogt und Wesselofsky nach Osten und Westen hin ausgedehnt worden ist[120]). S. Bugge faßte dann einige Ergebnisse dahingehend zusammen[121]), daß von Byzanz aus drei getrennte Überlieferungen weiterführen: eine slavische, eine deutsche, besser als zentraleuropäisch zu bezeichnende (vgl. Rosenfeld, Sp. 6 f.), und eine iberisch-arabische[122]), die in Frankreich die letztere beeinflußt habe.

Der Stoff verbindet Orient und Okzident, überspannt ganz Europa in manigfachen Variationen, und der Salm wurde deshalb für Th. Frings zum Paradebeispiel einer spielmännisch gewachsenen, gebauten und tradierten Dichtung. Frings konnte dabei im einzelnen auch Beziehungen zur im 16. Jahrhundert entstandenen Byline 'Soloman und Vasilij Okulovič'[123]) verwerten (S. 54 ff., wo auch die frühere Forschung zusammengefaßt ist). Vor der Byline liegen seiner Ansicht nach Fassungen, die sich »schon in Byzanz getrennt haben« (S. 59), die Entführung durch Por und die durch den dämonischen Bruder Salomons, Kitovras. Sie sind, ebenfalls schon byzantinisch, verschmolzen in einer weiteren Geschichte, die Por als Entführer und dazu einen Bruder-Helfer kennt (S. 59 f.). »Die alte byzantinische Nebenform hat dann in Deutschland im Salman und Morolf eine besondere Entwicklung erlebt« (S. 60). Weiter scheinen mir Frings' Folgerungen nicht beweisbar[124]). Wir können mit einer westeuropäischen, durch französische Anspielungen belegten Erzählung der angegebenen Art rechnen. Ob schon mit dem Namen Markolf, muß unsicher bleiben. Nach Frings (S. 59 f.) hätte die Abwandlung, die sich, wie er richtig sieht, »in engster Berührung mit den Wechselreden der Spruchdichtung« vollzog (S. 60), schon »auf einer byzantinischen Überlieferungsstufe« (S. 59) stattgefunden. Das geht nur dann glatt auf, wenn man den lateinischen wie den deutschen Epilog als aus dem Salm entstanden ansieht. Eher müssen zwei Entwicklungsstränge angenommen werden: die Entführungsgeschichte geht in den Schwankteil der Spruchdichtung (dort ist seit Notker Marcolfus belegt) ein und

---

[120]) Zu den Reflexen der Entführungsgeschichte mit dem (listigen) Scheintod der Gemahlin (Chrestien, Cligés 5281 ff.) weiterhin G. Paris, Mélanges de littérature Française du moyen âge, Paris 1912, S. 299 ff., bes. S. 313 ff.; weitere Literatur zum Motiv an sich gibt Wesselski, S. 198. Zum 'Huon de Bordeaux' (Hornmotiv, Schachspiel) vgl. Scheludko (u. Anm. 202), S. 378, 391. Das Horn soll, nach F. R. Schröder, auf diesem Weg (als Harfe) in die nordische Bosasage gelangt sein: Motivwanderungen im Mittelalter, GRM 16 (1928), S. 7-13.

[121]) Kong David og Solfager, Danske Studier 1908, S. 1-34, bes. S. 11. Einfluß des deutschen Epos auf die skandinavische Balladentradition (16./17. Jahrhundert) wird abgelehnt.

[122]) Über die abseits stehende iberische vgl. auch F. Kampers, Turm und Tisch der Madonna, Mitt. d. schles. Ges. f. Vk. 19 (1917), S. 73-139, S. 131 ff., und ders., Das Lichtland (o. Anm. 86), S. 38.

[123]) Übersetzung: Brautwerbung, S. 112 ff., und (mit Kommentar) bei R. Trautmann, Die Volksdichtung der Großrussen 1. Das Heldenlied (Die Byline), Heidelberg 1935, S. 246 ff.

[124]) Besonders, was die Rekonstruktion der alten Fassung des Entführungsteils betrifft. Der Beweis, daß der Vorspann mit Salomon als Entführer Salmes im Zusammenhang alt ist, ist schon Wesselofsky, auf den sich Frings beruft, nicht gelungen. Es handelt sich um eine ganz andere Tradition, die in Europa durch die iberische vertreten ist. Die verwirrende Fülle der Möglichkeiten, die Frings' Abhandlung ausbreitet, will er selber ja auch nicht in allzu starre Formen gepreßt sehen (vgl. bes. S. 66).

wird hier zu einem weiteren Beweis der Überlegenheit Markolfs über Salomon. Einfluß in umgekehrter Richtung wurde dann erst möglich, nachdem in der Entführungsgeschichte die Figur des Helfers ausgebildet war, zunächst in Erinnerung an die (dämonische) Bruderrolle des Kitovras und dann im spezifisch deutschen Strang verstärkt durch Anknüpfung an verwandte Schemata nach Art der Rasosage. Insofern hat Ehrismann wohl recht (S. 316). Erst eine voll ausgebildete Helfer- und Bruderrolle konnte diesen Wechsel herbeiführen, der dadurch nahegelegt wird, daß Marcolfus de facto als Beistand auftritt, während er der Idee nach komischer Widerpart ist.

Grundlage für den zweiten Teil des Ro ist allenfalls eine vormorolfsche Fassung gewesen. Seit Wilmanns glaubt man hier an direkten Einfluß des Salm, doch hat Frings abgewinkt, der wiederum an einen Ableger der russischen Kitovras-Fassung denken möchte (S. 64ff.)[125]. Schon seine Schülerin Ingeborg Schröbler hatte im Zusammenhang mit differenzierterer Handhabung der Baeseckeschen Schematisierungsmethode die relativ freie Verfügbarkeit der Einzelteile betont (S. 55ff.). Wie Frings (u. S. 33) sieht aber auch sie in der Verdoppelung der Handlung ein direktes Vorbild für die gedoppelten Epen und spricht aus diesem Grund dem zweiten Teil direkte Einflußmöglichkeit zu (S. 74f.).

Ganz getrennt waren die Traditionen des Spruchgedichts und der Rückentführung mit Hilfe eines dämonischen Helfers allerdings wohl nie; es liegt ihnen ja auch der gemeinsame Zug des dämonischen Doppelgängers zugrunde (vgl. S. Bugge, S. 15). Im Rahmenthema »Sturz des Mächtigen« fungiert die Doppelrolle als entscheidendes Handlungsmoment[126], und der Verfasser des Salm nützt diese Doppelrolle ganz bewußt, wie er auch ganz überlegt mit dem dazugehörigen Ringmotiv spielt. Hier wird die Interpretation anzusetzen haben.

d) 'König Rother'

Am relativ günstigsten sieht die Überlieferungslage im Fall des Ro aus, mit der Handschrift H vom Ende des 12. Jahrhunderts; und hier ist mit dem genauen Abdruck von H durch Th. Frings und J. Kuhnt (1922)[127] auch schon seit langem die Voraussetzung für eine kritische Ausgabe geschaffen, die G. Kramer hoffentlich bald vorlegen wird[128]. (Die ebenfalls 1922 erschienene Ausgabe von J. de Vries[129]),

---

[125] Ähnlich schon de Vries, Rother (u. Anm. 129), S. CIV. Schneider folgte (Wolfdietrich, S. 220) implicite noch Wilmanns, nahm dann aber Einfluß über ein »Lied« an (s. o. S. 22). Die Annahme einer Vorstufe als möglicher Quelle hat sich durchgesetzt (Ehrismann, S. 298, de Boor, S. 254). Mir scheint, daß hier immer noch zu punktuell gedacht wird. Daß der Salm-Verfasser wiederum die 'Kudrun' zumindest gekannt hat, deutet zuletzt wieder H. Rosenfeld an (Die Kudrun: Nordseedichtung oder Donaudichtung?, ZfdPh 81 [1962], S. 289–314, S. 307). Man hatte sich an sich darauf geeinigt, daß Horants Sangeskunst (Salm 155, 3) wohl auch schon damals »geradezu sprichwörtlich« gewesen sei (A. Lange-Seidel [u. Anm. 378], S. 191; vgl. Ehrismann, S. 324, Anm. 2). Rosenfelds neue Theorie des Namens (Hoch-rant) setzt Entstehung zumindest dieser Strophe des Salm nach 1233 voraus.

[126] Aschmedai nimmt die Gestalt Salomons an; in christlichen Versionen ('Der König im Bade' etc.) tritt ein Engel an die Stelle des Herrschers (vgl. Verf., Zur literarhistorischen Stellung Herrands von Wildonie, DVjschr 40 [1966], S. 56–79, S. 59ff.); der Zusammenhang mit diesem Thema kommt auch in dem Titel des serbischen Märchens, das die Entführungsgeschichte zum Inhalt hat, zum Ausdruck: »Während das eine in den Kot sinkt, erhebt sich das andere« (vgl. Frings, S. 59, Anm. 1).

[127] König Rother, Bonn u. Leipzig 1922; Nachdr. Halle 1954 und 1961 (W. Flämig), ohne die Einleitung, aber mit Namensverzeichnis und späterer Literatur; angezeigt von C. Minis, Leuvense Bijdragen 45, Bijblad (1955), S. 9f.

[128] Seine Vorarbeiten bestehen in: Voruntersuchungen zu einer kritischen Ausgabe des König Rother. Diss. Masch. Leipzig 1957; Die textkritische Bedeutung der Reime in der Heidelberger Handschrift des König Rother, PBB (Halle) 79 (Sonderband 1957), S. 111–130; Zum König Rother (Über dulden und lobesam, lustsam), PBB (Halle) 79 (1957),

die im Gegensatz zu dem reinen Forschungsreferat bei Frings-Kuhnt [S. 195 ff.] eine ausführliche literarhistorische Untersuchung [s. Anm. 132] enthält, gibt einen leicht bereinigten, stellenweise gebesserten und mit neuzeitlicher Interpunktion versehenen Text, ohne daß damit ein kritischer Text erreicht oder angestrebt wäre.) Zu *H* treten einige Fragmente aus derselben und späterer Zeit, die in beiden älteren Ausgaben abgedruckt sind[130]).

Neuzeitlichem Qualitätsgefühl leichter zugänglich, hat der Ro von jeher viel mehr Beachtung gefunden als die anderen »Spielmannsepen«[131]). Daß die ausführliche Beschreibung von *H* durch Frings und Kuhnt (S. 14*–48*), die dem Herausgeber freilich das nochmalige Studium der Handschrift nicht ersparen kann (Schröders Rez., S. 61), trotzdem nicht zu einer breiteren Diskussion geführt hat, ist bedauerlich; denn Schwierigkeiten bereitet im Fall des Ro vor allem das krause Orthographie- und Dialektgemisch dieser Handschrift. Zu bestimmen, inwieweit es dem letzten Schreiber zuzurechnen ist, war G. Kramers erste Aufgabe. Ausgehend von Schröders Rezension geht er dem Text unter zwei fruchtbaren methodischen Gesichtspunkten zu Leibe (PBB 82, S. 4f.): 1. nachdem der Versuch, nach sprachlichen Schichten dialektgeographisch aufzugliedern, zu unüberwindbaren Schwierigkeiten führt, die doch letztlich nur wieder durch eine entsprechende Interpretation des Inhalts (scheinbar) überwunden werden können[132]), sind die mundart-

---

S. 186–203; Zum König Rother. Das Verhältnis des Schreibers der Heidelberger Hs. (H) zu seiner Vorlage, PBB (Halle) 82 (1960), S. 1–82, und PBB (Halle) 84 (1962), S. 120–172 (wird fortgesetzt).

[129]) Rother, Heidelberg 1922. Rezz.: R. Priebsch, MLR 20 (1925), S. 360–364; H. Suolahti, NeuphMitt 27 (1926), S. 31–36. Rezz. zu beiden: G. Baesecke, ZfdMdaa 18 (1923), S. 139–141; E. Schröder, AfdA 43 (1924), S. 58–63.

[130]) Bei Frings-Kuhnt jeweils unter dem Text von *H,* so daß sie durch den Nachdruck heute wieder zugänglich sind. *M* ist außerdem abgedruckt bei (ed.) Fr. Wilhelm - R. Newald, Poetische Fragmente des 11. und 12. Jahrhunderts, Heidelberg 1928, S. 4f. (besorgt von Wilhelm). Ein Vergleich der drei Wiedergaben zeigt u.a., daß selbst dieses Verfahren oft mehr Unklarheit als Klarheit schafft; so in 4072: Frings-Kuhnt schreiben *der ie dehein chu,* de Vries liest *der ie chuni ...,* Wilhelm *der ie chune.*

[131]) Ein Gradmesser hierfür ist das Erscheinen in Übersetzungen wie in Teilabdrucken auch während der Berichtszeit: als Velhagen und Klasings Lesebogen Nr. 240, übers. von G. Legerlotz, Bielefeld 1940; Übers. in nhd. rhythmisierte Prosa von G. Kramer (König Rother, Berlin 1961; Rez. von H. Fischer, Germanistik 4 [1963], S. 70), in englische vierhebige Reimpaare von R. Lichtenstein (King Rother, Chapel Hill 1962; gerechte Zurückweisung durch St. Kaplowitt, Germanistik 5 [1964], S. 263). E. Tegethoffs Märchen, Schwänke und Fabeln, München 1925, enthält S. 184ff. eine nhd. Prosaübersetzung der (gekürzten) Partie 1909–2942 (nach Rückerts älterer Ausgabe); Vers 1917–2522 druckt (nach Frings-Kuhnt, mit gelegentlichen Eingriffen in den Text) zusammen mit einer Prosaübersetzung H. de Boor (o. Anm. 73) Bd. 2, S. 1046ff.; einige Zeilen mit Übers. auch bei H. Eggers (o. Anm. 13), S. 224f. Einen akzentlosen Forschungsbericht über alle den Ro betreffenden Probleme, v.a. auch die Spielmannsfrage, gibt Anna Elisabeth Schuster, König Rother im Lichte der modernen Forschung, Diss. Masch. Wien 1945. Zur Überlieferung speziell informiert Kramer, PBB 82, S. 1ff. Ich kann mich in dem letzteren Punkt stark beschränken, genauso wie für die Literatur bis 1922, über die Frings-Kuhnt gründlichst referieren.

[132]) Hier ist v.a. de Vries' stark an Baesecke gemahnende Schichtentheorie zu nennen (Het Epos van Koning Rother, Tijdschr 39 [1920], S. 1–74; dann in der Einl. zur Edition, S. XVIIIff. [»Die Sprache von H«], LIIff. [»Die Geschichte des Gedichtes«]), die zumindest im dialektologischen Teil schon damals dem Verfasser »eine gewisse Unbefriedigtheit« hinterließ (S. XXX) und unlängst in einer launigen Rez. (u. Anm. 154) ganz zurückgenommen wurde. Die aus der Schule von E. Sievers hervorgegangenen rhythmischmelodischen Untersuchungen F. Pogatschers (Zur Entstehungsgeschichte des mittelhochdeutschen Gedichtes vom König Rother, Halle 1913; ausführlich referiert bei Frings-Kuhnt, S. 202ff.) stehen und fallen – ganz abgesehen von der Haltbarkeit der angewandten Kriterien – mit der Annahme ursprünglicher Strophigkeit (vgl. u. Anm. 141).

lichen Elemente zunächst nicht voneinander zu trennen, sondern aufeinander zu beziehen. 2. dies kann »mit Rücksicht auf die überlandschaftliche Geltung der literarischen Denkmäler« (Diss., S. 4) geschehen, wobei an die Stelle genauer, aber auch enger begrenzter Dialekträume Kulturzentren treten, – im Fall der Ro das rheinfränkische Mainz und das ripuarische Köln, Mittelpunkt für Main-, Mosel- und Niederfränkisch. Der ältere genetische Gesichtspunkt bleibt dabei in zweifacher Hinsicht im Gespräch: 1. eine These O. Weisleders [133]) aufgreifend, untersucht Kramer die Schreibweise der Handschrift von vornherein mit daraufhin, ob in ihr zwei von verschiedenen Schreibern stammende Teile zu unterscheiden sind (PBB 82, S. 6f.). Diese letzten Endes auf den Inhalt zurückführende Zweiteilung in R I und R II (Grenze nach Kramer bei 2934/35, nach de Vries bei 2978/79, in Frings' auch weiterhin von mir gebrauchter Zählung) spielt in den Untersuchungen Frings' (s. unten S. 33) und seiner Schule zu Heinrich von Veldeke und anderem stets eine Rolle [134]). 2. der Verfasser unternimmt es, den Dialekt des Schreibers von dem seiner Vorlage zu trennen. Das auf ausführliche Listen gestützte [135]) Ergebnis ist (PBB 82, S. 4): vom »Grundcharakter der Sprache« (südliches Mittelrheinisch) hebt sich eine in sich ebenso einheitliche Schicht ab (nördliches Mittelrheinisch), die jünger ist und als Sprache des Schreibers zu gelten hat (Zusammenfassung PBB 82, S. 72 f., und 84, S. 166 f.). Ihr niederfränkischer Einschlag erklärt sich im Kulturzentrum Köln ohne weiteres (Diss., S. 256), besonders bei einem Schreiber, der »anscheinend in keiner strengen Schreibtradition eines engen Mundartgebietes stand« (PBB 82, S. 22). Oberdeutsche Eigenarten andererseits »erklären sich aus der Beziehung des Dichters zu Bayern« (Diss., S. 257; Sperrung von mir) [136]). Das, abgesehen von den im herangezogenen Vergleichsmaterial liegenden Imponderabilien (s. z. B. unten Anm. 144), sicher zuverlässige Ergebnis wird an diesem letzten Punkt allerdings wohl überfordert, denn hier ist die Annahme mit eingeschlossen, daß das rheinfränkische Gedicht bzw. die hinter H liegende Vorlage (diese vorsichtige Einschränkung immerhin PBB 82, S. 4 bzw. 73) auch im mainfränkischen Kulturzentrum Mainz entstanden ist (Diss., S. 256). Die bairischen (oberdeutschen) Sprachelemente sind weder so noch mit der Formel »Mischdialekt« (de Vries, S. XXXV) allein richtig zu bewerten. Richtig befragte dagegen E. Schröder die neben a-Formen mehrfach im Reim erscheinenden o-Formen des Praet. Pl. von *komen* [137]) und

---

[133]) Die Sprache der Heidelberger Hs. des König Rother (Lautlehre), Diss. Greifswald 1914, S. 9, 294. Diese Arbeit ist für die genaue sprachliche Analyse grundlegend, auch noch für die Beschreibung von H (S. 10–28; vgl. Frings-Kuhnt, S. 15*).

[134]) (Mit Gabriele Schieb), Drei Veldekestudien, Abhandlungen Berlin 1947, Nr. 6, Berlin 1949 (S. 66 zu *bis;* ausführlicher in *bis,* Annales Academiae Scient. Fennicae, Ser. B, 84 [1954], S. 429–462, S. 429,432); Heinrich von Veldeke zwischen Schelde und Rhein, PBB 71 (1949), S. 1–224 (auch Buchausgabe), Register unter Rother; Heinrich von Veldeke X/XI, PBB 70 (1948), S. 1–294 (auch Buchausgabe), (vgl. auch Register unter Rother). G. Schieb, »ich will«, »du willst«, »er will«, PBB (Halle) 79 (Sonderband 1957), S. 131–162, S. 135, 136 u. ö.; *samen, samt, ensamen, ensamt, zesamene,* PBB (Halle) 82 (Sonderband 1961), S. 217–234, S. 222 ff. (hier keine 2-Teilung). A. Riemen, Bedeutung und Gebrauch der Heldenwörter im mittelhochdeutschen Epos, Diss. Masch. Köln 1955, S. 16–27, bes. S. 27.

[135]) Vgl. Frings-Kuhnt, S. 14* ff.; Kramer, PBB 82, S. 5 ff., 74 ff., PBB 84, S. 167 ff., Diss., S. 260 ff. Hier fügt sich auch I. Henke, Die Verbalkomposita mit *vol-, volle-* und *vollen-* im Frühmittelhochdeutschen, PBB (Halle) 79 (Sonderband 1957), S. 461–488, S. 480, ein.

[136]) Aus einer Mischung Rhfr./Obd. wird denn auch von Marianne Schröder das im Mfr. höchst seltene Auftauchen der -*ic*-Fuge für Bildungen mit -*lich* erklärt (Die frühmittelhochdeutschen -*lich*-Bildungen, PBB [Halle] 83 [1961], S. 151–194, S. 169 f.).

[137]) Vgl. A. Schirokauer, Studien zur mhd. Reimgrammatik, PBB 47 (1923), S. 1–126, S. 15.

fand, daß der Dichter sie wohl »nur einem bairischen Publikum zugemutet haben« kann[138]). Unklar bleibt bei Kramer vorläufig auch, was aus graphischen und lautlichen Unterschieden von R I und R II (PBB 82, S. 72) über das geringere Alter der dem Schreiber zugewiesenen Sprachschicht zu folgern sein soll (ebd.), wie überhaupt, in welchem Zusammenhang man jene Zweiteilung denn nun endlich zu sehen hat. Inwieweit die sehr ausführlichen Vorarbeiten im Textbild über das hinausführen werden, was der weniger durch Spezialuntersuchungen gestützte kritische Verstand im einzelnen ohnehin als die vermutliche Grundlage für *H* angesehen hätte, bleibt abzuwarten, wenn auch für vieles jetzt schon größere Sicherheit gewonnen ist[139]).

Die neben *H* erhaltenen Fragmente, eine überwiegend oberdeutsche, vom Ende des 12. Jahrhunderts *(M)* bis ins 14. *(A),* von relativer textlicher Nähe *(M)* zur erweiternden Bearbeitung *(BE)* reichende Überlieferung, werden jetzt dann wohl auch die nötige Beachtung finden. Hier hat nach Frings-Kuhnt und de Vries auch W.J. Schröder vorgearbeitet, der vor allem de Vries in einigen Punkten beträchtlich korrigieren kann[140]). Ob aber allein auf Grund von *M* überall dort *H* oder seine Vorlage des Zusetzens verdächtigt werden darf, »wo der Text inhaltlich schwach ist und Wiederholungen zeigt« (S. 220)? Ein Blick auf dieses *H* zeitlich noch vorausgehende, von ihm im einzelnen aber beträchtlich abweichende Fragment warnt eher davor, selbst bei dem kurzen Zeitraum von ca. 40 Jahren allzu großes Vertrauen in die Rekonstruierbarkeit des Originals zu setzen (hierüber im Zusammenhang mit den Fragmenten auch Pogatscher, S. 11 ff., und W.J. Schröder, S. 205; vgl. u. unter IIIb). Inwieweit die Initialen in *H* wirklich genaue Auskunft über die Gliederungsabsicht des Verfassers geben, harrt noch der Klärung. Sie sind zuletzt von Fr. Maurer zur Stützung seiner Theorie der Langzeilenstrophen herangezogen, die im Fall des Ro weniger als Sangstrophen, eher als »'Vortragsstrophen'« nach Art der altfranzösischen Laissen zu verstehen seien[141]).

Neben den eigenen Vorarbeiten stehen Kramer bei seinen editorischen Bemühungen im übrigen außer den bereits genannten noch eine ganze Reihe Spezialuntersuchungen und Einzelvorschläge zur Verfügung[142]); die Verkrampftheit vieler

---

[138]) Der Dichter des deutschen 'Eraclius', MSB 1924, 3, S. 7 (vgl. auch S. 12, Anm. 1, und – mit näheren Ausführungen – ders., Aus der Reimpraxis frühmhd. Dichter, ZfdA 75 [1938], S. 201–215, S. 211ff.). Kramers Methode, wohl die beste Möglichkeit, die wir heute sehen, dürfte kaum mehr voll der Vorstellung Schröders entsprechen (S. 6): »Die höhere Kritik des 'König Rother' aufzuhellen, wird nur demjenigen gelingen, der für dies Gedicht die Frage der Sprachmischung gelöst und bis ins Einzelne aufgehellt hat.«

[139]) Vgl. den Reim *leph : niet* 162:163, hinter dem sich durch Schreibereinfluß die Assonanz *lieb : niet* verbirgt (PBB 79, S. 112).

[140]) Zur Textgestaltung des 'König Rother', PBB (Halle) 79 (1957), S. 204–233. Beschreibung der Fragmente bei Frings-Kuhnt, S. 1*–4* (vgl. de Vries, S. XIV–XVII). Die beiden Ausgaben verwenden verschiedene Siglen, ich benütze die von Frings-Kuhnt gebrauchten. Bedauerlich ist, daß, was E. Schröder schon an diesen Editionen bemängelte (Rez., S. 60), auch W.J. Schröder wieder das Nürnberger und Ermlitzer Fragment getrennt behandelt, obwohl sie doch ursprünglich derselben Handschrift angehören. Die Signatur von *B* lautet 27744 (im Verfasserlexikon verdruckt). Zu den *so : do* Reimen von *E* vgl. auch E. Schröder, Reimstudien II. Die Reime auf *-ô* in der mhd. Literatur, GGN 1918, S. 407–428, S. 407.

[141]) Die religiösen Dichtungen des 11. und 12. Jahrhunderts 1, Tübingen 1964, S. 39. Probe von 1–132 auf S. 36f. (zur Blockgliederung siehe auch u. IVa, und zur Strophik unter IIIb).

[142]) A. Leitzmann, Zum König Rother, PBB 42 (1917), S. 512–516; A. Schirokauer, S. 29 (1789f.); H. Suolahti, Textkritische Bemerkungen zum König Rother, in: Festschrift Friedrich Kluge, Tübingen 1926, S. 140–145; E. Henschel, Mittelhochdeutsche Wortstudien, PBB 73 (1951), S. 471–474; ders., Textkritische Vorschläge zum 'Rother',

unserer textkritischen Bemühungen wird allerdings gerade an der verblüffend einfachen Bestätigung der unnötig viel besprochenen Lesart *herriz* (Ro 2160) durch Hor F 74, 2 deutlich[143]: Witolt betätigt sich als Stabhochspringer.

Das Original des Ro gehört seiner Reimkunst nach in die 1. Hälfte des 12. Jahrhunderts (Kramer, PBB 79, S. 122[144]), genauer: an deren Ende (de Vries, S. LI). Die größere Anzahl reiner Reime in R II zu erklären, ist nur im Rahmen der Überlegungen zur Entwicklungsgeschichte möglich, wie u.a. die Stellungnahmen de Vries' (jüngere Interpolation mit fortgeschrittener Verstechnik: S. LII) und Kramers (fortschreitende technische Vervollkommnung des Autors und andere Vorgeschichte des zweiten Teils: a.a.O.) zeigen. Für diese Überlegungen ist festzuhalten, daß unter philologischen Gesichtspunkten das, was *H* bietet, zunächst als organische Einheit betrachtet werden kann, ja sogar muß. Zu dieser Auffassung ist schon E. Schröder in immer neuer Beschäftigung mit dem Text gekommen[145].

Was für den Osw als das sicher später Angetretene zu betrachten ist, wird für den Ro verschiedlich noch als alter Kern der Erzählung angesehen, die persönliche oder Boten-Werbung eines Herrschers (Authari) um die Tochter eines mächtigen Gegners (Childepert)[146]. Zumindest werden in diesem und ähnlichen frühgeschichtlichen Berichten »spielmännische Formeln« kenntlich, von denen aus eine Tradition zu den deutschen »Spielmannsepen« führt[147]. So modifiziert Heusler Baeseckes Vorstellung eines frühgeschichtlichen Brautwerbungsschemas, das sich bei Fredegar und anderen schon in der Gestaltung chronikalischer Berichte niedergeschlagen und, wie Baesecke gerade für Authari später nochmals betont hat, zugleich bereits in Liedform existiert habe (Oswald, S. 298 ff.; Vor- und Frühgeschichte, S. 329 f.; Näheres bei Schröbler, oben S. 25; vgl. unten Anm. 246).

Ähnlich vage muß das Verhältnis zur kürzlich etwas genauer definierten »Dienst-

<hr />

PBB (Halle) 82 (1960), S. 480–487; F.H.Bäuml, A Note to 'König Rother', MLN 71 (1956), S. 351–353 (1596–1602); ders., Three Further Emendations to 'König Rother', MLN 74 (1959), S. 251–254 (2157 ff., 2771 ff., 3938 ff.); W.J.Schröder, Zu König Rother V. 45–133, PBB (Tübingen) 80 (1958), S. 67–71, S. 69 (86 ff.). Alle wesentlichen der Edition vorausgehenden Vorschläge zum Text sind bei Frings-Kuhnt im Apparat verzeichnet, spätere z.T. in dem Nachdr. vorgeheftet.

[143]) Suolahti, S. 141; R.Meissner, *Herriz?*, AfdA 49 (1930), S. 161 f.; G.Thiele, Zu *herriz* Rother 2160, ZfdA 75 (1938), S. 64; Henschel, Mittelhochdeutsche Wortstudien, S. 472; W.J.Schröder, Zur Textgestaltung, S. 222 f.; (ohne Erwähnung der gleichen Argumentation Suolahtis und Henschels) Bäuml, Three Further Emendations, S. 251; jetzt richtig (noch ohne Bezugnahme auf Hor) Gellinek (u. Anm. 166).

[144]) Die auf vollen Endsilbenvokalen basierenden Reime sind nicht als gewollte Archaismen (E.Schröder, Reimpraxis, S. 213 ff.) zu verstehen, sondern passen gut in das obd./rhfr. Bild (Kramer, ebd., S. 130). Wenig trägt G.Berndt bei (Die Reime im 'König Rother'. Diss. Greifswald 1912), der seine Listen auf normalmhd. Lautung stützt. Zu einzelnen Laa. vgl. Wesle (o. Anm. 69), S. 85.

[145]) Zu den genannten Arbeiten (s. auch o. Anm. 72) vgl. noch: *gar – gerebt – gereit(e) – bereit (-fertig)*, ZfdA 75 (1938), S. 121–140, S. 124 f. (hier S. 133 bzw. 136 auch kurz über Archaismen der anderen »Spielmannsepen«). S. W.J.Schröder, Zur Textgestaltung, S. 223, 233.

[146]) Text aus Paulus Diaconus wie der der beiden Fassungen der 'Vilkinasaga' bei de Vries, S. 89 ff. Die ältere Anschauung noch bei Krogmann, Rother, Sp.852 f., und Fr.v.d.Leyen, Das Heldenliederbuch Karls des Großen, München 1954, S. 19 (zuerst in: Deutsches Sagenbuch 2, Die deutschen Heldensagen, München 1912 [1923²], S. 39 u. 218 ff., mit kleiner Entwicklungsgeschichte). Ablehnend de Vries, S. LXXXIX ff. (s.u.), zweifelnd Schneider, Literaturgesch., S. 246, ablehnend de Boor, S. 255. Zu Frings s.u. S. 34.

[147]) A.Heusler, Chlodwig, in: Reallexikon der germanischen Altertumskunde 1, Straßburg 1911 ff., S. 376 (direkte Beziehung des Ro zur Autharisage lehnt Heusler dagegen ab: Rother, ebd. 3, S. 533 f.).

mannensage« des 'Wolfdietrich' (mit Heimkehrermotiv) gefaßt werden, das durch die Namensgleichung Berht-er/Berht-ung[148]) belegt ist, wenn auch die inhaltlichen Entsprechungen »im Grunde unverbindlich« sind und im Ro unter einem vom Kern der Sage wegführenden Aspekt erscheinen[149]). Insofern Horn- und Überfallmotiv zur Salomonsage gehören, besteht auch hier ein (indirekter) Zusammenhang (s. oben S. 25 und Anm. 119). Ausführlich erörtert das de Vries (S. Cff.)[150]), der im übrigen die Wirkung, die umgekehrt der Ro auf 'Dietrichs Flucht' gehabt haben mag, sinnvoll auf Namensentlehnungen einschränken möchte (S. LXXV); Ähnliches gilt sicher für die Beziehung des Hor zum Ro, vielleicht sogar zur 'Kudrun', die ihrerseits ähnlich eklektisch mit der Hilde-Geschichte verfährt (unten IIIa). Die schlanke Form des Ro hat weder Frings noch Schneider übersehen lassen, daß wir hier im Grunde die gleiche Konstruktion aus vorgegebenen Elementen vor uns haben wie etwa in Or oder Osw; nur ist sie hier vielleicht »großteilig«, dort eher »kleinteilig« zu nennen.

Weiter modifiziert wird das Bild des Ro durch Betrachtung der 'Vilkinasaga', die sich mit ihrer Verbindung von Brautwerbung und Dienstmannensage, den riesenhaften Begleitern des Helden und der märchenhaften Schuhprobe[151]) als entwicklungsgeschichtliches Zwischenglied zwischen Authari-Fabel und Ro zu schieben scheint. De Vries hatte es nicht schwer, eine Gegenthese wie die Hünnerkopfs[152]) zu widerlegen (S. LXXVIII ff.), die eine zweimalige Benützung des Rotherstoffes in der Saga voraussetzt. Auch als »pathologische Fortsetzung des wohlgewachsenen Epos« (Heusler, Rother, S. 534) ist die Osantrix-Erzählung kaum zu erklären. De Vries' Stammbaum, der die 'Vilkinasaga' als urtümlicher ansetzt (S. XCIV), weist schon auf den Kompromiß einer gemeinsamen alten Quelle hin, der jetzt öfter vertreten wird (Krogmann, Sp. 855; de Boor, S. 254). Zu H. Voigt s. Anm. 341a.

---

[148]) Über langob. Herkunft des Namens s. E. Schröder, ZfdA 59 (1922), S. 179 f.

[149]) De Vries (S. LXXII ff.; vorher Rother en Wolfdietrich, Neophilologus 5 [1920], S. 121–129) betrachtete dagegen Berhter als Held einer selbständigen Dienstmannensage, die sich auch in afrz. Dichtungen niedergeschlagen habe (hierüber auch H. Schneider, Germanische Heldensage 1 [o. Anm. 11], S. 357 ff.). Traditionell wird die Sachlage so aufgefaßt, daß eine Vorstufe des 'Wolfdietrich' Grundlage des Ro geworden sei: Heusler, Rother, S. 533; Schneider, Literaturgesch., S. 246; Ehrismann, S. 298. Eine differenziertere Beurteilung gibt jetzt L. Baecker (dort S. 51 das obige Zitat). Insbesondere die zwischen Valeria Gramatzky (Quellenstudien zum Göttweiger Trojanerkrieg. Diss. Berlin 1935) und W. Krogmann (Ein verkümmertes Motiv im 'König Rother', ZfdPh 62 [1937], S. 244–248; dagegen Gramatzky, ebd. 63 [1938], S. 192 f.) ausgetragene Debatte um das Motiv von Asprian und dem Löwen bewegt sich noch ganz in den Bahnen der älteren, unzulänglichen Methode der Auswertung von Motivparallelen (nach Gramatzkys Ansicht fließt auch der Falkentraum des Ro direkt in den 'Trojanerkrieg' [Quellenstudien, S. 19], der auf dem Weg über 'Wolfdietrich' [Schneider, Wolfdietrich, S. 226 f.] dazu die Hirschlist des Osw rezipiert habe [S. 11]). Nach z. T. noch herrschender Ansicht soll die Asprian-Szene ja auch im 'Ackermann' erscheinen (Kap. XVIII), entweder in direkter Wiedergabe (so M. O'C. Walshe in seiner Edition [London 1951], gegen Burdach [o. Anm. 119], S. 262 f.) als Anspielung (Hilda Swinburne, Chapter XVIII of the 'Ackermann aus Böhmen', MLR 48 [1953], S. 159–166, S. 162). Gegen beides wendet sich jetzt unter Aufarbeitung weiterer Diskussion mit überzeugenden textkritischen Gründen G. Jungbluth: Zum 18. Kapitel des 'Ackermann aus Böhmen', in: Märchen, Mythos, Dichtung (o. Anm. 118), S. 343–373, S. 352 f. Zu 'Ortnit'/Ro de Vries, S. LXXI f.

[150]) Ein knappes Modell für eine mögliche Entwicklungsgeschichte des Epos bietet (mit Zusammenfassung der älteren Forschung) Ehrismanns Darstellung (S. 296 ff.).

[151]) Auf das Märchenhafte macht G. Kahlo, Antike Märchen, FuF 34 (1960), S. 171 f., aufmerksam. J. de Vries bezeichnet in diesem Zusammenhang seine Position neu (Die Schuhepisode im König Rother, ZfdPh 80 [1961], S. 129–141): 'Vilkinasaga' und Ro beziehen das Motiv unabhängig voneinander aus inselkeltischem Sagenstoff. Dagegen: G. Eis, Die Schuhepisode im König Rother und in der Vilkinasaga, Arkiv 77 (1962), S. 224–230.

[152]) Die Rothersage in der Thidrekssaga, PBB 45 (1921), S. 291–297.

Von methodisch wie sachlich weittragender Bedeutung ist die Diskussion geworden, die sich im Anschluß an Fr. Panzers prinzipielle Gegenerklärung[153]) ergab und die von K. Siegmund[154]) vorläufig in eine Sackgasse geführt worden ist. Panzer sah Roger II. und die politischen Geschehnisse um ihn als Vorbild und Rahmen der Dichtung, wies auf französische Vorbilder für das Riesenmotiv und das abschließende Klosterleben hin (S. 78 ff.) und zog auch das anglonormannische Epos 'Horn und Rimenhild' heran (S. 82 ff.; ausführlichere Diskussion bei Siegmund, S. 9 ff.). Epenschöpfung also statt Epenentwicklung, Heldendichtung ja, aber in Stilisierung, und ein zeitgeschichtlicher Sinn, der die ursprüngliche Einheit der überlieferten Dichtung voraussetzte und in der politischen Verknüpfung die bayerischen Beziehungen des Epos in neuem Licht erscheinen ließ. Hier ist Naumanns Beschreibung des Werkes als »welfische Hofdichtung« begründet, als Werk eines »Klerikers«, der »Partei ergriffen hatte ... und der den archaisch-frühhöfischen Stil wie eine Waffe schwang« (Kurzer Versuch [unten Anm. 319], S. 72), – hier setzte aber auch die Kritik K. Droeges an[155]): um 1160, die Zeit, in die die Beziehungen zu den Tengelingern das Werk weisen, ist das alles politisch unmöglich, besonders die Einreihung des »Reichsfeinds« in das Geschlecht Karls des Großen, die Reichsgenealogie[156]). Daß diese genealogische Anknüpfung »vom Mittelpunkt der Dichtung aus«[157]) besonders auf Regensburg zu beziehen ist, suchte K. Reich zu beweisen[158]), und in Regensburg sieht auch H. Weyhe den Entstehungsort, mit einem beachtenswerten Hinweis auf die mögliche Herkunft der mit Irland belehnten Riesen aus irischen, im irischen Schottenkloster aufbewahrten Quellen[159]). Direkte sprachliche Beziehungen zum Kreis der Regensburger Literatur kommen dazu[160]). Mit dem sprachlichen Befund kann das nur durch die (öfter

---

[153]) Italische Normannen in deutscher Heldensage, Frankfurt 1925. Rez. von H. Schneider, DLZ 47 (1926), Sp. 270–272. Er stimmt mit Panzer (und Heusler: o. Anm. 147) zumindest in der Annahme eines Entwicklungsganges Ro: 'Vilkinasaga' überein. Panzers Ergebnisse sind u. a. auch von H. Brinkmann akzeptiert worden (Zu Wesen und Form mittelalterlicher Dichtung, Halle 1928, S. 177 f.); er selber geht auf die ganze Frage nochmals ausführlich ein in: Studien zum Nibelungenliede, Frankfurt 1945, S. 126 ff. Vgl. unter IIIa.

[154]) Zeitgeschichte und Dichtung im 'König Rother', Berlin 1959. Rezz.: W. J. Schröder, PBB (Tübingen) 82 (1960), S. 195–201; E. A. Philippson, JEGP 59 (1960), S. 767–769; F. Lösel, MLR 55 (1960), S. 610 f.; J. de Vries, Leuvense Bijdragen 48, Bijblad (1959), S. 108–111; H.-Fr. Rosenfeld, Germanistik 1 (1960), S. 49 f.; Fr. Maurer, AfnSpr 197 (1961), S. 47; Fr. C. Tubach, Monatshefte 53 (1961), S. 218 f.; G. Zink, Études Germaniques 16 (1961), S. 52 f.

[155]) Zur Thidrekssaga, ZfdA 66 (1929), S. 33–46.

[156]) S. 41 f. Heer (Die Tragödie, S. 115) möchte dagegen gerade dies betonen, und de Boor (S. 255) versucht, durch Ansatz der Dichtung vor 1156 (Regierungsantritt Heinrichs des Löwen) Panzer (leicht modifizierend) zu folgen.

[157]) W. Müller-Römheld, Formen und Bedeutung genealogischen Denkens in der deutschen Dichtung bis um 1200, Diss. Frankfurt 1958, S. 102 (wichtige Arbeit mit kurzem Ro-Kapitel).

[158]) Das mittelhochdeutsche Rotherepos und seine Beziehungen zu Bayern und Regensburg, ZfbayerLgesch 1 (1928), S. 403–415. K. Winkler (Literaturgeschichte des oberpfälzisch-egerländischen Stammes 1, Kallmünz o. J., S. 89) folgt ihm unkritisch.

[159]) Die Heimat der Riesen des Rother, in: Altdeutsches Wort und Wortkunstwerk. Georg Baesecke zum 65. Geburtstage, Halle 1941, S. 153–159; das deckt sich u. a. mit den o. Anm. 151 u. 153 bezeichneten Positionen. Zur Herkunft der Riesen aus der Autharitradition s. Ehrismann, S. 297, Anm. 1.

[160]) Über Parallelen zu 'Rolandslied' und 'Kaiserchronik' de Vries, S. CXII f., Anm. 1, und dann bes. G. Fliegner, Geistliches und weltliches Rittertum im Rolandslied des Pfaffen Konrad, Breslau 1937, S. 59, Anm. 171, mit der Annahme direkten Einflusses dieser Dichtung auf den Ro (hierin war E. Schulze, Wirkung und Verbreitung des deutschen

geäußerte) Annahme vereinbart werden, hier habe ein Rheinländer in Bayern[161]) sein Brot verdient. K. Siegmund setzt nun dagegen Bamberg als Entstehungsort an, was mit einer anderen Deutung der politischen Tendenz des Werkes zusammenhängt. Schon F. Saran hatte sie als idealisierende Darstellung von Kaiser und Reich (in einer Zeit guten Einvernehmens zwischen Heinrich dem Löwen und Barbarossa 1156–1165; s. oben Anm. 156) gedeutet[162]). Mit modellphilologischer Argumentation, der im einzelnen immer wieder Inkonsequenzen unterlaufen[163]), sucht Siegmund Heinrich VI. als das Vorbild und »um 1196« als die Zeit der Abfassung zu erweisen. So sehr ihm darin zuzustimmen ist, daß traditionelle Datierungen wie die des Ro um 1160[164]) durchaus u. U. radikaler Revision bedürfen, – dies ist hier nicht nur ein »Stilproblem« (S. 132ff.), sondern schon im Hinblick auf die Überlieferung praktisch ausgeschlossen[165]). Die vielen Entsprechungen in Zeitgeschichte und Dichtung erklären sich z. T. schon aus der gemeinsamen menschlichen Basis der Situationen (Bedrückung durch Ungewißheit über das Schicksal der Boten, Freude über ihre Rückkehr, S. 30ff.) oder beruhen auf weiteren Hypothesen (politische Stellung des Dichters [S. 63], sein Wunsch, den von ihm geschaffenen Schlüsselroman unentschlüsselbar zu machen [S. 135], Sonderwünsche der in ihm auftretenden Personen [S. 60] etc.). Daß seinen persönlichen Eigenschaften nach (unter Berücksichtigung mittelalterlicher Fürstentypologie) »Rother ein idealisierter Kaiser Heinrich sein könnte« (S. 12), soll nicht bestritten werden; er könnte genauso gut ein idealisierter Karl der Große sein, wie Reich (S. 414) es will.

Als letzter hat zu diesen Fragen Ch. J. Gellinek Stellung genommen[166]), und er

---

Rolandsliedes, Diss. Hamburg 1927, vorausgegangen, demgegenüber E. Scheunemann, Verfasserlexikon 2, Sp. 886f., aber richtig auf entsprechende Stellen der 'Kaiserchronik' verweist). Solange die Datierungsfrage für das 'Rolandslied' nicht auf anderem Weg entschieden ist, läßt sich Genaues nicht sagen. Die früher öfter angeführten Parallelen zum 'Alexanderlied' diskutiert E. Sitte, Die Datierung von Lamprechts Alexander, Halle 1940, S. 69ff. Wichtig sind nach wie vor J. Wiegands Stilistische Untersuchungen zum König Rother, Breslau 1904.

[161]) Die hl. Gertrud von Nivelle (3479f.) deutet nach E. Schröder auf niederrheinische Beziehungen: ZfdA 57 (1920), S. 144; gerade niederrheinische (Aegidius, Gertrud) oder von dort her »eingewanderte« Heilige (von Oswald war oben die Rede) genießen aber auch in Bayern besondere Verehrung (zur Rolle der Heiligen s. u. Anm. 345). Das Auftreten der ungarischen Falwen im heidnischen Heer (4089, 4147) ist wahrscheinlich süddeutsch (K. Schünemann, Ungarische Hilfsvölker in der Literatur des deutschen Mittelalters, UngJhbb 4 [1924], S. 99–115, S. 105f., 112).

[162]) Deutsche Heldengedichte des Mittelalters 1: Hildebrandslied, Waltharius, Rolandslied, König Rother, Herzog Ernst, Halle 1922, S. 116–142, bes. S. 127, 141 (vgl. Schwietering, Literaturgesch., S. 108; ich vermisse einen Hinweis auf Saran bei Siegmund).

[163]) Bischof Egbert (Lupold), der das Werk zur Verherrlichung seines Vaters, Bertholds IV. (Berhter), und zum Ruhme des Idealherrschers (und damit als Anti-Er) veranlaßt habe (S. 78f.), müßte z. B. die Gesandtschaft von 1189 geführt haben, war aber damals kaum älter als 10 Jahre. Vgl. im einzelnen auch die Kritik W. J. Schröders und Gellineks (u. Anm. 166). Direkte Anspielungen auf die Kreuzzüge kann Kaplowitt (u. Anm. 311) nach ausführlicher Prüfung kaum entdecken.

[164]) Von Th. Frings nochmals festgehalten in einer Rez. in ZfrPh 73 (1957), S. 176, Anm. 2.

[165]) Fr. Neumann, Überlieferungsgeschichte der altdeutschen Literatur, in: Geschichte der Textüberlieferung 2 (ed. G. Ineichen, A. Schindler, D. Bodmer), Zürich 1964, S. 641–702, S. 695, Anm. 20. Neumann weist hier S. 660 auch über Konrad von Wittelsbach auf Mainz als möglichen Entstehungsort hin, was im Einklang mit Kramers Auffassung stehen würde.

[166]) 'König Rother' als literarisches Kunstwerk, Diss. Masch. Yale 1964 (erscheint demnächst im Druck).

stellt, wie mir scheint, mit Recht als den historisch-politisch wesentlichen Zug die Anknüpfung Rothers an das Geschlecht Karls heraus, durch die der Verfasser nach der Eheschließung des Helden mit der Tochter des byzantinischen Basileus »den Vorrang des griechischen Hauses auf das vorkarlische des König Rother« überträgt (S. 137). Die Tatsache, daß in dieser *translatio per nuptias* »der eigentliche 'reichsgeschichtliche' Aspekt der Rotherdichtung« zu sehen ist (S. 139)[167]), läßt bezüglich der Stellung der Welfen zwei Möglichkeiten offen: sie waren überhaupt nicht oder nicht in politischer Absicht Auftraggeber. Gellinek entscheidet sich – an Regensburg festhaltend – für die stauferfreundlichen Babenberger, die 1143–1156 in Regensburg statt der Welfen residierten (S. 158 ff.).

Mit seinem weiteren Beitrag zur Stoffgeschichte baut Gellinek auf Frings auf. Dieser hatte gerade den Ro ins Zentrum seiner Bemühungen um einen Ausgleich im Streit um Epenschöpfung und Epenentwicklung gestellt (hierzu unten IIIa): »von F. Panzer unterscheiden wir uns dadurch, daß wir die Entstehung des Epos auf die Stufe des Kurzepos vorverlegen« (Spielmannsepen, S. 318). Um 1150 »baute ein begnadeter Dichter« diesen spielmännischen Ur-Ro »in Verschmelzung vorhandener liedhafter Dichtung des Themas 'Werbung durch Gewalt' und des mittelmeerischen Schemas 'Werbung durch List'« (ebd.), das auch hinter der »byzantinischen Novelle« steht, die dem ersten Teil des Salm zugrunde liegt (S.319). Erst als dieser später als »das erste spielmännische Doppelepos« ausgebaut ist, wird auch der Ur-Ro zum »Großepos« »geschwellt und gedoppelt« (ebd.). Die Dissertation von J. Bahr ist in einem anderen Zusammenhang wichtiger und soll dort besprochen werden. Hier sei nur vermerkt, daß Bahr drei Teile unterscheidet (1–819, 820–3260, 3261–5181) und zwei Stufen der »Episierung«: Erweiterung eines Liedes im Stil der frühmittelhochdeutschen Verslegenden (Teil 2) um eine Einleitung (Teil 1) und dann Überarbeitung des ganzen unter Hinzufügung des 3. Teils[168]). Die von Bahr selbst angewandten Kriterien (s. unten) zeigen aber doch so enge Verwandtschaft von Partien des 2. Teils mit dem 1. (Dienstmannenbegegnung, Rückentführung) bzw. dem 3. (Arnoldgeschichte) (S. 276; vgl. 285), daß die Annahme eines zweiten Epikers unnötig wird, vielleicht auch die einer Liedvorstufe (Schneider, Literaturgesch., S. 245, ist hier, wie im Fall des Er, höchst vorsichtig). Bahr hat nicht ganz recht, wenn er sich in der These des Kurzepos mit Frings einig glaubt (S. 288); die große darstellerische Leistung würde nach Frings dem »Kurzepiker«, nach Bahr dem »Großepiker« gehören. Der Konflikt löst sich für Gellinek automatisch so: es gibt schon frühere Tendenzen zur doppelten Ausformung einer Brautfahrterzählung gerade auch im mittelmeerischen Bereich. Entsprechende »Dubletten« finden sich im 'Schahname' (Guschstaps und Katayoun/Bezhan und Manizhe, noch mit episodischem Charakter, vergleichbar der Geschichte von Zariadres und Odatis bei Athenäus) und im 'Digenis Akritas'. Der

---

[167]) So schon Rupp (o. Anm. 22), S. 56, und andeutend auch H. R. Hesse (Das Bild Griechenlands und Italiens in den mittelhochdeutschen epischen Erzählungen vor 1250, Diss. Saarbrücken 1961, S. 290), deren mangels Register nur schwer zugängliche Arbeit sonst nur Aspekte zur mhd. Dichtung insgesamt abgibt (der Ro ist relativ eingehend, der Er am Rand behandelt).

[168]) Der 'König Rother' und die frühmittelhochdeutsche Dichtung. Formgeschichtliche Untersuchungen, Diss. Masch. Göttingen 1951, S. 202, 284f. Der Befund D. Jägers gibt Bahr in gewissem Umfang recht: bei stetem Ansteigen der Paarformeldichte zum höfischen Epos hin weist Ro 1000–3000 auffallend wenig Paarformeln, der folgende Teil ungefähr die Paarformeldichte von 'Kaiserchronik' und 'Rolandslied', der vorausgehende eine etwas größere Dichte auf: Der Gebrauch formelhafter zweigliedriger Ausdrücke in der vor-, früh- und hochhöfischen Epik, Diss. Masch. Kiel 1960, S. 42–48, 13.

Ro-Dichter greift schon auf eine Dublette zurück, um sie dann einem neuen, tektonischen Aufbauprinzip zu unterwerfen (S. 124ff.). Über beides wird – mit einigen grundsätzlichen Einwänden – noch zu sprechen sein; wer, wie ich, mit Frings an der Anknüpfung der Roger-Geschichte an Authari-Rothari festhalten will, wird sie als bewußte zeitliche Entrückung der Roger-Gegenwart verstehen[169]), also im Rahmen der festgestellten Idealisierungstendenz der u. U. von Adelssippen getragenen[170]) »Reichsdichtung« (unten III c und IV b). Frings entgeht allerdings, daß dem auch die Anknüpfung an die Karlsgenealogie entspricht, die er einem »Nachdichter« (S. 370) zuschreibt, seiner Ansicht nach der Verfasser des zweiten Teils. Gerade darin liegt aber der Hauptgewinn der Diskussion um den Rohstoff des Ro, daß wir seither in dieser stilisierenden Entgegenwärtigung aktueller Bezüge Heldisches, Zeitgenössisches, Spielmännisches und Geistliches in Einheit sehen gelernt haben (W. J. Schröder, oben Anm. 140), ein wichtiger methodischer Gewinn für die Betrachtung der »Spielmannsepik« überhaupt.

e) 'Herzog Ernst'

Am deutlichsten dokumentiert der Fall des Er ein Phänomen, das auch beim Osw und Salm, nicht aber beim Or oder Ro zu beobachten war: stufenweises Wachstum eines Stoffes über längere Zeit hinweg und dabei allmählicher Wechsel der Publikumsschicht. Dieser Gesichtspunkt ist denn auch in einigen Untersuchungen mit Gewinn zugrunde gelegt[171]). Das »Spielmannsepos« des 12. Jahrhunderts (A), mit Überlieferung aus dem 12. und 13. Jahrhundert, haben wir dabei nur in spärlichen Fragmenten[172]); unsere Diskussionen stützen sich im allgemeinen auf die erweiterte Fassung des beginnenden 13. Jahrhunderts (B)[173]), mit Überlieferung aus dem 15. Von dort führt der Weg zum strophischen »Bänkelsängerlied« des Spätmittelalters (G)[174]). Nicht in diese direkte Linie gehört Ulrichs von Eschenbach Ernstdichtung (D), in der der Stoff erst »wirklich in höfischem Geiste« behandelt ist (H.-Fr. Rosenfeld, Verfasserlexikon, Sp. 398). Die Zuschreibung an

---

[169]) *Rothari-Roger-Rothere*, PBB 67 (1944), S. 368–370.

[170]) K. Hauck, Mittellateinische Literatur, in: Deutsche Philologie im Aufriß 2, Berlin 1960², Sp. 2555–2624, Sp. 2567f. mit Literatur.

[171]) Bes. Esther Ringhandt, Das Herzog-Ernst-Epos. Vergleich der deutschen Fassungen A, B, D, F. Diss. Masch. FU Berlin 1955; E. Hildebrand, Über die Stellung des Liedes vom Herzog Ernst in der mittelalterlichen Literaturgeschichte und Volkskunde, Halle 1937 (ausgehend von G; Rezz.: J. de Vries, Museum 45 [1938], Sp. 203; D. K. Coveney, MLR 33 [1938], S. 323f.; H. Neumann, DLZ 59 [1938], Sp. 1595–1598; H. Rosenfeld, AfnSpr 172 [1937], S. 238); K. Sonneborn, Die Gestaltung der Sage vom Herzog Ernst in der altdeutschen Literatur, Diss. Göttingen 1914 (fehlt im Druck der Abschnitt über G).

[172]) Außer den Prager (u. Anm. 173) und dem Marburger (ed. K. Bartsch, Germania 19 [1874], S. 195f.) nun den Saganer (ed. W. Göber, Neue Bruchstücke des Herzog Ernst, in: Festschrift Th. Siebs, Breslau 1933, S. 17–32; mit den entsprechenden Stellen aus B bzw. A). H.-Fr. Rosenfeld bereitet eine kommentierte Ausgabe der Fragmente vor.

[173]) Ed. K. Bartsch, Wien 1869: normalisierter Text von B, dazu Prager Bruchstücke von A sowie G und F (s. u.). Bruchstück II mit sprachlichen Erläuterungen bei Eggers (o. Anm. 13), S. 225f. Textbesserungen zu B gibt R. Reitzenstein, Zum Text des Herzog Ernst B, ZfdA 62 (1925), S. 181–184.

[174]) Neue Ausgabe von K. C. King, Das Lied von Herzog Ernst, Berlin 1959 (Rezz.: C. F. Bayerschmidt, JEGP 60 [1961], S. 132–134; G. Eis, PBB [Tübingen] 82 [1960], S. 208–210). Sie richtet sich (nicht ganz konsequent: Eis) stärker nach der durch mehrere Drucke repräsentierten längeren Fassung, die, wie auch die kürzere des Dresdener Heldenbuches, als B gegenüber ziemlich selbständig angesehen werden muß; vgl. Kings Einleitung, S. 26ff., sowie seine Abhandlung: Das strophische Gedicht von Herzog Ernst, ZfdPh 78 (1959), S. 269ff., bes. S. 276ff. Weitere Literatur u. Anm. 207.

Ulrich ruht im übrigen vorwiegend auf einer auch für die Stemmafrage grundlegenden Arbeit H.-Fr. Rosenfelds, deren Ergebnisse nicht unangefochten geblieben sind[175]). Sicher ist, daß der Verfasser auch heute noch das Gebiet am besten, wenn auch von einem konservativen Standpunkt aus, überschaut.

Aus der deutschen Stofftradition macht seit ihren Anfängen das lateinische Schrifttum Anleihen: Odo von Magdeburg mit dem 'Ernestus' (E), vielleicht wenig danach (im 1. Viertel des 13. Jahrhunderts) am gleichen Punkt der Überlieferung wie D ein Prosaist (C), aus dessen Fassung wiederum ein deutsches Volksbuch (F)[176]) hervorging. An eine eigene, parallellaufende lateinische Tradition ist nicht zu denken[177]), aber das Auftauchen der spät überlieferten, doch alten 'Gesta Ernesti ducis' (Erf) erneute zumindest die Debatte um die in B wie in D angedeutete lateinische Quelle der gesamten deutschen Überlieferung (s. unten) und damit die ganze Stammbaumfrage. Einzubeziehen war dabei auch ein Klagenfurter Fragment (Kl)[178]), zweifellos kein Ableger von B, wie Menhardt (S. 208) meinte, sondern – mit Rosenfeld (Herzog Ernst D, S. 27ff.) – zwischen A und B anzusetzen, wohin auch Erf gehört. Genaues sagen freilich die von Rosenfeld zwischen A und B auf Grund solcher Beziehungen eingeschobenen X, Y und Z nicht, und es ist fraglich, ob eine von Göber (S. 30f.) angeregte neue Stammbaumuntersuchung wesentlich mehr ergeben würde[179]); vor allem, nachdem die Saganer Bruchstücke aus dem letzten Viertel des 13. Jahrhunderts nicht eine erste selbständige Bearbeitung von A (was Rosenfelds X gleichkäme) darstellen, wie Göber (S. 30) vorschnell urteilte, sondern, wie ein Vergleich mit den Pragern zeigt, »eine im ganzen ziemlich getreue Hs. der Redaktion A« (Rosenfeld)[180]) in geglättetem Hochdeutsch, das vielleicht erst aus dieser Zeit stammt (de Boor, S. 257). Hier liegen ungelöste Probleme grundsätzlicher Art (vgl. unter III b). Ein Textbild von A ist – auch in

---

[175]) Herzog Ernst D und Ulrich von Eschenbach, Leipzig 1929. Dagegen H. Meier, Zum Reimgebrauch im Herzog Ernst D und bei Ulrich von Eschenbach, Diss. Marburg 1930 (Rez. von Rosenfeld, AfdA 49 [1930], S. 126–129, und Fr. Maurer, LtBl 51 [1930], Sp. 426–431, der eine vermittelnde Stellung einnimmt). Rosenfelds Ergebnisse zum Gesamtkomplex der Ernstdichtungen sind größtenteils in seinen Verfasserlexikon-Artikeln zu Er und Ulrich von Eschenbach (4, Sp. 572–582; Sp. 577 Hinweis auf alttschechische Übersetzung) zusammengefaßt.

[176]) Zu Rosenfelds Literaturangaben trage ich nach: W. Stammler, Von mittelalterlicher deutscher Prosa, in: Kleine Schriften (o. Anm. 13), S. 43–67, S. 60 (Textprobe auch in: ders., Prosa der deutschen Gotik, Berlin 1933, Nr. 63). Dem Volksbuch folgt die Nacherzählung K. Wehrhans, Deutsches Sagenbuch (ed. Fr. v. d. Leyen) 3, Die deutschen Sagen des Mittelalters 2, München 1920, Nr. 325 (mit ausführlicher Darstellung der historischen Grundlagen S. 221ff.).

[177]) Rosenfeld, Sp. 400; K. Langosch, Gesta Ernesti ducis, ebd., Sp. 255–257. Langosch hebt in seiner bereits genannten Arbeit (Anm. 18), S. 186 (vgl. Mittellateinische Dichtung in Deutschland, in: Reallexikon 2, Berlin 1965², S. 335–391, S. 379), besonders die jeweils eigene, nie »höfische« Stilhaltung der einzelnen Werke hervor.

[178]) 'Gesta', ed. P. Lehmann, Abh. d. Bayer. Ak. d. Wiss., phil.-hist. Kl. XXXII, 5, 1927. Rezz.: E. Schröder, AfdA 46 (1927), S. 107–112; C. Weymann, Hist. Jb. 47 (1927), S. 342–349; vgl. S. Singers Rez. von Ehrismanns Literaturgeschichte (II, 2, 1), DLZ 48 (1927), Sp. 1262–1266, Sp. 1265. Erörterung zum Stemma: bei Lehmann, S. 39ff., in Schröders Rez., S. 107f., und bei Rosenfeld, Herzog Ernst D, S. 4ff. Kl. ed. H. Menhardt, Ein neuer mitteldeutscher Herzog Ernst aus Klagenfurt (Kl), ZfdA 65 (1928), S. 201–212.

[179]) Die verschiedenen Hinweise mittelalterlicher Bibliothekskataloge auf weitere Hss. sind wegen der vielen verschiedenen Fassungen schwer zu interpretieren: Mittelalterliche Bibliothekskataloge Deutschlands und der Schweiz 2 (ed. P. Lehmann, 1928), S. 46; 3, 1 (ed. P. Ruf, 1932), S. 160; 3, 3 (ed. P. Ruf, 1939), S. 382, 392, 818; A. Dörrer, Mittelalterliche Bücherlisten aus Tirol, ZblfBw 51 (1934), S. 245–263, S. 256.

[180]) Der Saganer Herzog Ernst, Annales Acad. Scient. Fennicae B, 30 (1934), S. 577–588, S. 582.

Umrissen – jedenfalls nicht zu gewinnen, vor allem nachdem auch B »keineswegs ein so zuverlässiger Zeuge für das verlorene A ist, wie oft angenommen wurde« (Rosenfeld, ebd., S. 584)[181]). 458 Verse von A stehen für ca. 559 von B zum Vergleich[182]), 48 A-Verse sind dabei doppelt belegt. Ihnen entsprechen 74 in B; doch das Verhältnis von 2:3 mag trügen, genauso wie das für die Prager Fragmente zu errechnende von 3:4 (Ehrismanns Vergleichstabelle, II, 2, 1, S. 51, Anm. 1). Die Uneinheitlichkeit in der Überlieferung von A wird gerade auch dadurch demonstriert, daß die Marburger Fragmente im Rahmen der für den ersten Teil in den Pragern belegten *Grippia*-Episode wie auch der Magnetberggeschichte mehr Verse benötigen als B.

Soweit wir sehen, ist diese, wie u. a. Schirokauer erwiesen hat (oben Anm. 137, S. 26 und 34), sicher nicht bairische Fassung durch Erweiterung (wie durch Verkürzung!) nicht so sehr äußerlich verhöfischt[183]) als innerlich stilisiert (hierüber Ehrismann, II, 2, 1, S. 45, Anm. 7, S. 51), »einem bestimmten Ziel« untergeordnet (Ringhandt, S. 65). Leider ergibt H. J. Bayers in einem weiteren Zusammenhang durchgeführter stilistischer Vergleich zwischen A und B[184]) nicht mehr, als daß die Abänderungen dem allgemein im 12. Jahrhundert herrschenden Zug vom Konkreten zum Abstrakten, man würde vielleicht besser sagen: zur Formalisierung, folgen.

Ringhandt (S. 21) sieht die Lage positiv: wichtiger als die Tatsache, daß nur 80 Verse aus A wörtlich übernommen sind, ist, daß nichts Wesentliches verlorengeht (sie behandelt denn auch die Fassung A als solche gar nicht).

Unterscheidet sich die Situation grundsätzlich von der beim Osw, Or oder Salm gegebenen? Insofern sicher nicht, als der Wortlaut der Überlieferung im einzelnen ungesichert ist; andererseits ist diese Sachlage beim Er unter anderen Gesichtspunkten zu bewerten. Die Versuche, die Überlieferung des Er zur Klärung der Genese anderer »Spielmannsepen« heranzuziehen, seien sie auf die Reimtechnik (Baesecke[185])) oder auf den Inhalt (Hildebrand[186])) bezogen, haben daher nur sehr

---

[181]) Dazu stellt gegenüber *a* (die bei Rosenfeld fehlende Signatur: Germ. Museum 2285) die Hs. *b* geradezu eine eigene Redaktion dar (Ehrismann, II, 2, 1, S. 50, Anm. 3). E. Schröder: die Reime *do:so* (3927f. B) enthielt A sicher nicht (Reimstudien II [o. Anm. 140], S. 408), dagegen wohl den Reim *ho* (Reimstudien I, ebd., S. 378–392, S. 386; vgl. auch Reimstudien III [o. Anm. 72], S. 106f.).

[182]) B 444–477, 494–526 (Göber: 521), 602–615 (Sagan); 616–689 (Sagan und Prag); 690–707, 1221–1292, 1510–1586, 1758–1847, 3589–3683 (?) (Prag); 3779–3790, 3803–3816, 4200–4210, 4220–4234 (Marburg).

[183]) Zu einzelnen Beziehungen: E. Schröder, Walther in Tegernsee, ZfVk 27 (1917), S. 121–129, S. 129. In beschränktem Umfang gilt B als höfisches, in diesem Sinn auszuschlachtendes Werk: H.-Fr. Rosenfeld, geschächzabelt, NeuphMitt 31 (1930), S. 85–92; ders., Zum Pleier, Neophilologus 15 (1930), S. 34–39. H. Lichtenberg, Die Architekturdarstellungen in der mittelhochdeutschen Dichtung, Münster 1931, S. 85f.: die Burgbeschreibung der *Grippia*-Episode stellt sich im einzelnen zu dem Typus, den Wirnt von Gravenberc und Ulrich von Zazikhoven kennen. Ulrichs von Eschenbach Schilderung schließt sich bezeichnenderweise gerade hier eng an B an. Andererseits kennt im Gegensatz zum viel früheren Ro auch der Er B noch keine Verbalbildung auf *-ieren* (A. Rosenqvist, Das Verbalsuffix *-(i)eren*, Annales Acad. Scient. Fennicae B, 30 [1934], S. 587–635, S. 605 bzw. 609) und weist im Gegensatz zum Ro im undifferenzierten Gebrauch der Heldenwörter eher »zum späteren Heldenepos« hin (Riemen [o. Anm. 134], S. 41; so auch Bumke [u. Anm. 228], S. 91).

[184]) Untersuchungen zum Sprachstil weltlicher Epen des deutschen Früh- und Hochmittelalters, Berlin 1962, S. 66–69 (unverständlicherweise nur auf die Prager Fragmente gestützt). S. unter III b.

[185]) Oswald, S. 208f.; zu den Reimen der Fragmente in diesem Zusammenhang auch Teuber, S. 116ff.

[186]) Hier gilt als weiterer Einwand, daß die Erweiterung, welche die in B nur im Ansatz

bedingt Anspruch auf methodische Genauigkeit. Während im Fall des Er beide Größen, eine der Stufe des Ro entsprechende Fassung und eine in der allgemeinen Anlage zumindest nicht durchgreifend ändernde Bearbeitung, belegt bzw. bekannt sind, rechnet man in jenen Fällen mit zwei Unbekannten: einer kürzeren Fassung des 12. Jahrhunderts und einer Veranlassung zur Erweiterung. Für den Er, der gleich dem Ro die Geschmacksschwelle des Höfischen erklimmt, ist diese Veranlassung sicher mit dem Stoff gegeben, von dem sofort die Rede sein soll. Zunächst aber noch ein Wort zur neuesten Entwicklung in der Datierungsfrage.

H.-Fr. Rosenfeld hat mit guten Gründen die Authentizität des berühmten Briefes in Frage gestellt, in dem nach der bisher geltenden Ansicht ein Markgraf Berthold von Andechs den Abt Ruprecht von Tegernsee um ein *libellum teutonicum de herzogen Ernesten* bittet[187]). Der erste Herausgeber, B. Pez, hat an der fraglichen Stelle z w e i Briefe unter dem gemeinsamen Titel 'Bertholdi Marchionis Epistolae' zusammengestellt. Der zweite, auf den es der Germanistik ankommt, gibt aber lediglich Anfangsbuchstaben, *B*. und *R.,* die in der Pez vorliegenden Handschrift »häufig als Abkürzungen ganz anderer Persönlichkeiten« verwendet sind ('Herzog Ernst', S. 6). Weiterhin zeigt dieser Brief, der in der H a n d s c h r i f t »von dem gesicherten Brief Markgraf Bertholds (...) durch nahezu 60 Briefe getrennt« ist (Das Herzog-Ernst-Lied, S. 110), gegenüber jenem ganz auffällige Unterschiede in Tenor und Anrede, die auf einen geistlichen Absender deuten (ebd., S. 116); auch der Adressat und die Adresse werden zumindest ungewiß (S. 120). Pez hat mit einer von der Germanistik seit jeher übersehenen Zwischenbemerkung die Unsicherheit seiner Zuweisung durchaus betont. Damit verliert auch der von Fr. Neumann unabhängig davon gegebene Hinweis an Bedeutung, daß es sich bei Berthold nicht um Berthold IV., sondern dessen Vater, den viel früher (1188) verstorbenen Berthold III., handle[188]). Damit wird ferner nicht nur unsere Literatursoziologie an einem wichtigen Punkt korrigiert; es werden auch alle Theorien zu A erneut fraglich, die sich auf Familienbeziehungen des Andechser Hauses (zu Bamberg: Neumann) stützen, einschließlich der, daß die Vorlage der hochdeutschen Saganer Fragmente aus Andechs über die heilige Hedwig nach Schlesien gelangt sei[189]). Daß diese Vorlage wohl oberdeutsch/bairisch und altertümlich war (zur Altertümlichkeit: Rosenfeld, Der Saganer Herzog Ernst, S. 583), bleibt allerdings bestehen, und man wird auch den Hinweis auf Bamberger Beziehungen in B (4467 ff.) nicht aus den Augen verlieren dürfen, der allerdings wiederum möglicherweise in A nicht enthalten war (s. unten). Fragwürdig ist in jedem Fall das Verfahren, ohne weiteres von einem mittel- oder rheinfränkischen[190]), in Bayern entstandenen Er A auszugehen und diesen (zumindest implicite) s o mit dem Ro zu verkoppeln. Man vereinfacht in diesem Punkt von jeher unnötig: Sonneborn,

---

vorhandene Brautwerbung in Anlehnung an bekannte Muster im Spätmittelalter erfährt (S. 18 ff.), im Rahmen einer anderen Gattung, eben im »Bänkelsängerlied« steht. Dieser Aspekt der Ergebnisse Hildebrands zur Arbeitsweise des »Bänkelsängers« ist schon deshalb zu betonen, weil der Verf., was Neumanns Rez. ausdrücklich unterstreicht, sie mitten in die Kontroverse um den Spielmann und seine Tätigkeit hineinstellt.

[187]) 'Herzog Ernst' und die deutsche Kaiserkrone, Helsingfors 1961 (Soc. Scient. Fennica, Årsbok-Vuosikirja XXXIX B, No. 9). Der den Brief betreffende Teil des Aufsatzes jetzt erweitert in ZfdA 94 (1965), S. 108–121 (Das Herzog-Ernst-Lied und das Haus Andechs).

[188]) Das Herzog-Ernst-Lied und das Haus Andechs, ZfdA 93 (1964), S. 62–64.

[189]) Göber, S. 32. Ihm folgt J. Klapper, Schlesisches Volkstum im Mittelalter, in: Geschichte Schlesiens 1 (ed. hist. Komm. f. Schl.), Stuttgart 1961³, S. 484 ff., S. 498.

[190]) Die Prager Bruchstücke sind mfr., »mit Überleiten zu hd. Formen« (Ehrismann, II, 2, 1, S. 49), die Marburger rhfr.

S. 6, Ehrismann, II, 2, 1, S. 50, de Boor, S. 257. Soweit damit wiederum das Thema »welfische Literatur« verknüpft ist, setzt auch Fr. Neumann hier nochmals ein Warnzeichen. Seine Hinweise auf die Möglichkeit einer Datierung bald nach 1170 überzeugen für sich genommen und im Hinblick auf Rosenfelds Untersuchung nicht.

Dieser hat auch eine eigene neue Theorie zur Datierung und Lokalisierung vorgelegt, die sorgfältiger Überprüfung wert ist (leider ist der Aufsatz ohne die dazugehörigen Anmerkungen erschienen). Seine Zuweisung in den Umkreis des Würzburgers Heinrich von Wiesenbach »und zwar vor der Zeit seiner um 1156 verfaßten Fälschungen und in den seines Würzburger Bischofs Embricho« ('Herzog Ernst', S. 10) ruht weitgehend auf Kombinationen zeitgenössischer historischer Fakten mit im Epos gegebenen Anhaltspunkten, ein Verfahren, das hier besondere Nachteile hat, insofern es mit einer weit zurückgreifenden Entwicklungstheorie gekoppelt ist. Die Beziehung zu Byzanz[191]) ist ferner wohl auch anderorts, besonders in Regensburg gegeben. Die Gleichung: griechischer *orphanós* = deutscher »Waise«, den Ernst mit nach Hause bringt, den Vorrang des Westreichs gegenüber Byzanz bekräftigend (S. 14), würde den Er nach politischer Intention und – damit zusammenhängend – vielleicht auch Kompositionsweise sehr viel näher und in anderer Hinsicht als bisher erwogen an den Ro heranrücken[192]). P. E. Schramm[193]), der in diesem Punkt die Grundlage für Rosenfelds Argumentation liefert, folgt H. Neumanns Entwurf der Entwicklungsgeschichte (s. unten), legt allerdings die erste deutsche Erwähnung des Waisen, indem er das Stemma Rosenfelds akzeptiert, in die Fassung Y, nicht A (S. 806; Bd. 2, S. 609: »B (um 1200)«). Hier bleibt also noch einiges unklar.

Inhaltlich zerfällt der Er in zwei klar abgrenzbare Komplexe: deutsche Reichsgeschichte und teils orientalische, teils lateinisch-ethnographische Märchenwelt (Ehrismann, II, 2, 1, S. 44 ff.). Die Vorgeschichte dieser Stoffkombination hat die verschiedensten Interpretationen[194]) erfahren, wobei ähnlich wie beim Ro gewisse Vorentscheidungen über Epenschöpfung, Epenentwicklung oder einen möglichen Kompromiß natürlich eine Rolle gespielt haben. Wir begeben uns mitten in die Diskussion: deutliche Parallelen in altfranzösischen *chansons de geste,* besonders der 'Chanson d'Esclarmonde' (2. Hälfte 13. Jahrhundert) und der 'Chanson de Girard de Rossilon' (3. Viertel 12. Jahrhundert), geben Anhaltspunkte, die vielfach zu punktuell interpretiert wurden: die These, der noch Ehrismann[195]) anhängt, daß die 'Chanson d'Esclarmonde' unter Einfluß des Er entstanden sei, wurde bereits

---

[191]) Ernsts byzantinische Erziehung (Rosenfeld, S. 10ff.) ist im übrigen, wie F. Dölger (Byzanz und das Abendland vor den Kreuzzügen, in: Paraspora, Ettal 1961, S. 73–106, S. 105, Anm. 109) bemerkt, charakteristisch für die im byzantinisch-abendländischen Kulturaustausch übliche, »etwas widerwillige … Anerkennung zivilisatorischer und technischer Überlegenheit« des Ostens und darin auch für die Interpretation wichtig.

[192]) Der Verf. erwähnt dies nicht, gibt aber eine ausführliche Erörterung des Zweikaiserproblems in Verbindung auch mit der Heiratspolitik der deutschen Kaiser. Vgl. o. Anm. 163 und u. Anm. 205.

[193]) Herrschaftszeichen und Staatssymbolik 3, Stuttgart 1956, S. 803 ff.

[194]) Knapper Forschungsbericht bei H. Neumann (Die deutsche Kernfabel des 'Herzog-Ernst'-Epos, Euphorion 45 [1950], S. 140–164, S. 140 ff.), dessen eigene Ergebnisse von C. Minis mit besonderer Wendung gegen Wetters Entlehnungstheorie [u. Anm. 197] akzeptiert werden (u. Anm. 240, Bd. 7, S. 70 f.).

[195]) II, 2, 1, S. 58 mit der entsprechenden Literatur. Ähnliche Beziehungen sah M. Deutschbein, Studien zur Sagengeschichte Englands, Cöthen 1906, S. 198 f., 205, zum 'Bueve de Hantone'. Das setzte schon A. Stimming (Der festländische Bueve de Hantone, Fassung III, Bd. 2, Dresden 1920, bes. S. 321 f.) ins richtige Licht. Vgl. auch Laura A. Hibbard, Mediaeval Romance in England, New York 1960², S. 120 f. (aber seit 1924 nicht revidiert).

von Fr. Klauber als unhaltbar bezeichnet[196]). Seine Annahme eines umgekehrten Weges aber fußt auf zu vielen hypothetischen »Ur«-Fassungen der 'Esclarmonde' (S. 43 ff.). Nicht auf bestimmte Quellen festgelegt ist die von M. Wetter aus zahlreichen motivlichen Anklängen erschlossene »Achtermäre« nordfranzösischen Ursprungs[197]), die aus aktuellem zeitgeschichtlichen Anlaß heraus nach Deutschland verpflanzt worden sei. Die Beziehung auf die deutsche Reichsgeschichte wäre dabei teils durch Erinnerung bei der Adaption, teils durch gemeinfränkische Liedvorstufen hineingelangt. Die Unsicherheit einer solchen Argumentation wird von Rosenfeld wie von G. Bönsel betont[198]); weitere methodische Konsequenzen zieht aber nur Bönsel. Rosenfeld nimmt eine gelehrte lateinische Dichtung an, die als Quelle für 'Esclarmonde' und Er A gedient habe und am ehesten auch die Beziehung zum geographisch entfernten 'Girard' erklären könne (Rez. Wetter, Sp. 589, Verfasserlexikon, Sp. 391 ff.). E. Schröder hatte den Gedanken an ein solches Buchwerk auch dann nicht aufgegeben, als er selbst gegen Lehmann und Singer die Vorlage von Erf als deutsch und B nahestehend erwies[199]). Während C. Heselhaus hinter dem reichshistorischen Teil eine »Heldenfabel« und einen »Episierungsprozeß« vermutet[200]), verschiebt Neumann, ohne auf die »gelehrte Kompilation« zu verzichten, unter Zustimmung Rosenfelds den Akzent vom Heldenlied weg auf eine weniger Übergangscharakter tragende Form, »eine deutsche Chanson de geste« (S. 158), in der »eine geschichtlich fundierte Kernhandlung … bereits vor 1025 dichterische Gestalt gewonnen« hätte (S. 155). Das kann, so setzt sich der Verfasser gegen Frings' Kurzepentheorie ab, für diesen wie für andere Stoffe »die e r s t e Gestalt ihrer poetischen Existenz« sein (S. 162), vergleichbar etwa der 'Älteren Judith'. Der gelehrte Lateiner hätte dann noch weiter historisiert und die orientalische Pseudohistorie hinzugefügt (Ehrismann hatte nur für diesen Teil eine lateinische Form bzw. Quelle angesetzt).

Hier wäre im übrigen hervorzuheben, was Ehrismann nur nebenbei andeutet (II, 2, 1, S. 45, Anm. 7): was stets als fingierter oder nicht fingierter Hinweis von B (und D) auf eine in Bamberg aufbewahrte lateinische Quelle[201]) auch für A verstanden wird (4466 ff.), kann natürlich eine Zusatzquelle oder Parallelüberlieferung von B sein. Nach Rosenfelds Stemma wäre dann von Y auszugehen, und als das betreffende lateinische Werk käme Erf in Frage (vgl. oben). Insofern bei all diesen Überlegungen zur Genese immer vorausgesetzt ist, daß irgendwo ein punktuell zu definierender Zusammenhang zwischen französischer und deutscher Tradition vorliegen muß, steht diese lateinische Urfassung im Grunde vor allem auch für eine Unbekannte in unserer Rechnung.

---

[196]) Charakteristik und Quellen des altfranzösischen Gedichtes Exclarmonde, Diss. Heidelberg 1913, S. 19.

[197]) Quellen und Werk des Ernstdichters, 1. Teil: Deutsche Geschichte und westfränkische Achtermäre, Würzburg 1941, bes. S. 70 ff. Rezz.: A. Leitzmann, ZfdPh 69 (1944/45), S. 250; L. Wolff, HZ 166 (1942), S. 430 f.; J. H. Scholte, Neophilologus 27 (1942), S. 133 f.; H.-Fr. Rosenfeld, DLZ 63 (1942), Sp. 581–589.

[198]) G. Bönsel, Studien zur Vorgeschichte der Dichtung von Herzog Ernst, Diss. Masch. Tübingen 1943, S. 17.

[199]) Rez. Lehmann (o. Anm. 178), S. 109 ff. Singer nahm eine lateinische Quelle an, die aber letztlich auf »Umformung einer Chanson de geste« ruhe (Rez. Ehrismann, Sp. 1265). Vgl. ders., Wolframs Stil und der Stoff des Parzival, WSB 180, 4 (1916), S. 124.

[200]) Die Herzog-Ernst-Dichtung, DVjschr 20 (1942), S. 170–199, S. 190 ff.

[201]) Ehrismann, ebd. mit Literatur; ausführliche Diskussion des Themas Quellenfiktion auch bei Wetter, S. 19 ff., und A. Blumenröder (s. unter III b). Vogt ist der Quellenberufung des Er gegenüber skeptisch (Literaturgesch., S. 106), ebenso zuletzt E. Ploß, Bamberg und die deutsche Literatur des 11. und 12. Jahrhunderts, JhbffränkLforsch 19 (1959), S. 275–302, S. 284.

H. Schneider hat sich für den Fall des Er eindeutig für Epenschöpfung entschieden (Literaturgesch., S. 251). Er wie seine Schülerin Bönsel sehen wenig Möglichkeit, im »Geschlinge von Geschichte und Dichtung« (S. 252) die Quellen klar zu erkennen. Der 'Huon de Bordeaux', der sich im Gegensatz zur 'Esclarmonde' im einzelnen nicht besonders eng mit dem Er berührt, und eine Reihe anderer französischer *chansons de geste* dokumentieren die Verbreitung eines Schemas, das ungefähr folgende Vorgänge umfaßte: Herrenkränkung (durch verräterischen Ratgeber unvermeidlich gemacht) und folgende Verbannung mit unlösbarer Aufgabe (Ernst erwirbt den Waisen [?]) – Irrfahrt mit »zufälliger« Brautwerbung [202]) (im Er ganz abgebogen) – Rückkehr und Versöhnung. Das konnte nun in jedem der Hauptteile inhaltlich aufgefüllt werden (wobei einige Kernszenen formal festgelegt waren): im ersten und letzten Teil mit den jeweils verschiedenen historischen Traditionen (Charlemagne/Otto), im zweiten Teil aber mit denselben international verbreiteten Irrfahrtmotiven [203]). Solche Überlegungen werden von der die Stoffquellen erneut vorsichtig prüfenden Arbeit G. Bönsels gestützt; daß sich im Abenteuerteil 'Esclarmonde' und Er bis in die Motivkette Magnetberg – Greifen – Wasserstrudel – Edelstein nahekommen, ergibt sich aus dem dahinter stehenden Typus der mittelalterlichen Reisebeschreibung, wofür die Verfasserin (S. 114ff.) zahlreiche Belege erbringt [204]). Das Ineinander zweier verschiedener historischer Komplexe auf deutscher Seite resultiert ihrer Ansicht nach aus Stilisierungstendenzen gerade auch der Historiographie, in der im deutschen Südwesten z. B. Adelheid und Gisela verwechselt werden (S. 49ff.; vgl. Lehmann, S. 8). Dieser Grundgedanke scheint mir fruchtbarer als die immer wieder (Neumann, Rosenfeld) vorgebrachte These vom Einfluß hypothetischer Vorstufen der Dichtung auf chronikalische Quellenwerke. Muß der Er aber deshalb »als ein für das westdeutsche Grenzgebiet typisches Werk der Stauferzeit« (S. 111) angesprochen werden? Die Überlieferung stützt diese geographische Zuordnung nicht (auch die Bindung an Bamberg bleibt weiter möglich), und die Thematik paßt zu gut ins welfisch-staufische Spannungsfeld, solange man (mit de Boor) die Aussöhnung, also insgesamt das Positive in der Beziehung betont [205]), weniger den Partikularismus (Heer), d. h. die welfischen Sonderinteressen, die insbesondere der Naumann-Schüler Wetter für die Entstehung des Werkes verantwortlich macht (S. 4) [206]). Sie ist durch den Gedanken an Ausgleich hinreichend erklärt und nicht an eine Zeit besonderer negativer Spannung gebunden.

Zusammenhang mit den Welfen wird – zumindest für später – auch durch die Verquickung des Stoffes mit der Biographie Heinrichs des Löwen (Kreuzzug 1172) bezeugt. Oder sollten Michel Wyssenherre in seinem 'Buoch von dem edeln hern von Bruneczwigk' (H. Kuhn, Verfasserlexikon 4, Sp. 1107–1110) und der Verfasser des 'Reinfried von Braun-

---

[202]) Zum 'Huon' hier D. Scheludko, Neues über Huon de Bordeaux, ZfrPh 48 (1928), S. 361–397, S. 365. Beim 'Huon' geht es im einzelnen mehr um die Verwandtschaft mit 'Ortnit', die in der neuen Ausgabe von P. Ruelle nochmals diskutiert ist (Brüssel 1960, S. 68ff.).

[203]) Zur Pygmäenfabel vgl. außer Ehrismann und Bartsch in seiner Ausgabe auch Lütjens (o. Anm. 93), S. 22ff.

[204]) Ihre Schlußfolgerung, die Abenteuer Ernsts bildeten eine geschlossene Kette, die »bei der Suche nach Vorbildern nicht willkürlich auseinandergerissen« werden könne (S. 145), ist in dieser Richtung also etwas zu modifizieren.

[205]) De Boor möchte andererseits (S. 259f.) wie Wetter (S. 51ff., bes. S. 69) die Entstehung mit der Ächtung Heinrichs des Löwen in Verbindung bringen (1176–1180). Saran (S. 143–154) sieht die Parallelen noch stärker in modellphilologischem Sinn, und wie Rother der ideale Herrscher, so ist Ernst für ihn der ideale Vasall: »die Ideale der beiden Dichter sind ... fast genau dieselben, nur die Art der Darstellung wechselt« (S. 150).

[206]) Wie Heselhaus (S. 188f.) zeigt, gehört das im engeren Sinn Partikularistische erst der späteren Prosafassung an. S. u. IV b.

schweig' unabhängig aus der Reiseliteratur des oben angedeuteten Typs geschöpft haben?
K. Hoppe glaubt an einen direkten Weg Er – 'Reinfried'. Die Sage um Heinrich/Ernst hat
im übrigen auch in bildlichen Darstellungen Niederschlag gefunden [207]).

Die durch Rosenfelds Untersuchung möglich gewordene frühe Datierung muß
sehr ernsthaft erwogen werden. Wer die Quellenfrage weiterhin mit Blick auf einen
vorausgehenden Episierungsprozeß behandeln will (de Boor: »historisches Lied«),
wird zu bedenken haben, nicht nur, daß das Liedthema par excellence, die Freund-
schaftssage, geradezu unterdrückt wird (Ehrismann), sondern v.a. auch, daß die
»dichterische Reichsgeschichte« (Kuhn, Klassik des Rittertums, S. 106) als solche
erst in der aktualisierenden Beziehung der Reichsgeschichte auf die Orientfahrt
entsteht. »Die zwar großzügige, aber geographisch doch richtige Darstellung«
dieser Fahrt zeigt, wie Bönsel hervorhebt, auch der Or (S. 111). Im übrigen aber
ist der Er den »Spielmannsepen« gegenüber stärker »historiographisch« orientiert.
Diesen Zug teilt er mit der altfranzösischen Heldenepik, zu der er auch von allen
»Spielmannsepen« die offensichtlichsten Beziehungen hat. Das Gespräch über die
westfränkische Urverwandtschaft ist, was den Er angeht, inzwischen völlig ver-
stummt. Der Stand unserer Kenntnisse legt es eher nahe, die Motivgemeinschaft
des 12. Jahrhunderts zu betonen (hierzu unten).

f) 'Dukus Horant'

Seit 1925 war den Eingeweihten die Existenz der Cambridger Handschrift T.-S.
10 K. 22 bekannt, bis 1940 lag schon das Material zu einer Ausgabe des Hor durch
E.-H. Lévy bereit, und doch konnte man, als schließlich L. Fuks die ganze Handschrift in Faksimile mit Transkription wie Transliteration der hebräischen Schrift-
zeichen und neuhochdeutscher Übersetzung herausgab [208]), von einer Neuent-

---

[207]) Außer den Bildern in Michel Wyssenherres 'buoch' kennen wir einen oberrheinischen
Teppich (Ende 15. Jh.; B. Kurth, Die Bildteppiche des Mittelalters 1, Wien 1926, S. 244f.,
T. 165), ein gesticktes Rücklaken in Braunschweig (2. H. 14. Jh.; M. Schütte, Gestickte
Bildteppiche und Decken des Mittelalters 2, Leipzig 1930, S. XVII und 20f., T. 3) und
seit 1953 einen Freskenzyklus in Karden (Mosel) vom Ende des 15. Jh.s (zusammenfassend
jetzt W. Stammler, Herzog Ernst und Heinrich der Löwe, in: Wort und Bild [o. Anm. 97],
S. 77–81; Abb. in: Kunstchronik 6 [1953], S. 156f.). Über die Beziehung zwischen den
Geschichten Heinrichs des Löwen und Ernsts handelt umfassend K. Hoppe, Die Sage von
Heinrich dem Löwen, Bremen-Horn 1952: die Ernstsage hat seit 'Reinfried von Braunschweig' Einfluß auf die Sage des Welfen. Vgl. die Rez. W. Mohrs in Euphorion 48 (1954),
S. 493–495; hier S. 494, Anm. 1: in G hat die Sage des Welfen umgekehrt zurückgewirkt.
J. Carles hat seither, ohne auf diese Hinweise Bezug zu nehmen, den Einfluß Wyssenherres
auf G näher untersucht (La Chanson du Duc Ernst [XVe siècle], Publications [s. u. Anm.
225] 19, 1964, bes. S. 52ff.). Insgesamt geht es ihm um Abgrenzung des »Liedes« als einer
eigenständigen Komposition, v.a. gegenüber dem »Spielmannsepos« und im Umkreis der
»Lied«-Produktion des 15. und 16. Jh.s (im 2. Teil gibt er den Text von G mit franz. Übers.).
Zu weiteren Spuren der Reiseabenteuer in der dt. Literatur s. Ehrismann, II, 2, 1, S. 57f.,
und S. 45f., Anm. 7 (hier Literatur zu Er und der 'Klage'). Zur Aufnahme im slavischen
Literaturbereich jetzt J. Matl, Deutsche Volksbücher bei den Slaven, GRM 36 (1955),
S. 193–212, S. 202f.
[208]) The Oldest Known Literary Documents of Yiddish Literature (C. 1382), Leiden
1957 (2 Bde). Über die Metrik der verschiedenen Stücke handelt, was nur aus einer Fuß-
note zu ersehen ist, knapp J.H. Huisman (1, S. XXXIIf.). Die wichtigsten Rezz.: P.
F. Ganz, The Journal of Jewish Studies (JJS) 8 (1957), S. 246–249; G. Schramm, GGA
112 (1958), S. 211–221; W. Schwarz, Einige Bemerkungen zur jiddischen Gudrun, Neophilologus 42 (1958), S. 327–332; J. Carles, Un fragment Judéo-Allemand du cycle de
'Kudrun', Études Germaniques 13 (1958), S. 348–351; S. A. Birnbaum, Bibliotheca
Orientalis 16 (1959), S. 50–52; J. Fourquet, Ernest Henri Lévy (1867–1940) et le 'Dukus
Horant', Études Germaniques 14 (1959), S. 50–56; I. Schröbler, Zu L. Fuks' Ausgabe der
ältesten bisher bekannten Denkmäler jiddischer Literatur, ZfdA 89 (1958/59), S. 135–162;
H. W. J. Kroes, Ducus Horant een jiddische Kudrun?, Duitse Kroniek 1959, S. 89–93;

deckung sprechen[209]). Der Jiddist durfte aus der ältesten erhaltenen judendeutschen literarischen Handschrift weitere Aufklärung über die Anfänge des Jiddischen erwarten, der Germanist versprach sich insbesondere aus dem Text des Hor sagengeschichtliche Erkenntnisse zum Hildekreis und Bereicherung seiner Kenntnis der literarischen Formen des Spätmittelalters. Daß beide inzwischen mehr oder weniger enttäuscht sind, liegt überwiegend an der Sache selbst, z. T. allerdings auch an der Behandlung, die sie erfahren hat. Zunächst hatte Fuks' Ausgabe keine hinreichende Arbeitsgrundlage geschaffen, das ist in mehreren Rezensionen, am fundiertesten und einsichtsvollsten von I. Schröbler, dokumentiert worden. Bevor jedoch die offensichtlichsten Korrekturen am Fuksschen Text allgemein bekannt wurden, hatten sich schon Fehler festgesetzt. So deutet Roswitha Wisniewski[210]) in ihrer Erörterung der Vorgeschichte der 'Kudrun' das von Fuks immerhin mit Fragezeichen versehene *Walaise* (F 44, 4, 2; ich folge der Zählung der neuen Ausgabe) als Hinweis auf Waleis und die Scheldemündung, obwohl doch *walere* zu lesen ist, und übernimmt unbedacht Fuks' Eindeutschung von *Pulen* als »Bologna«. Auch H. Neumann ist mehrfach durch Fuks' Text in die Irre geführt worden[211]).

Eine neue Ausgabe, die die vielschichtige Aufgabe auf mehrere Fachgelehrte verteilte, entsprach daher einem dringenden Wunsch nach genauerer Orientierung, den nun die Hor-Ausgabe von P. F. Ganz, Fr. Norman und W. Schwarz in der Hauptsache, wenn auch noch nicht restlos, erfüllt[212]). Der Text des in hebräischen Lettern aufgezeichneten, nur fragmentarisch erhaltenen, in einer heldenepischen Strophenform abgefaßten Gedichts ist in jedem Fall mit größerer Gründlichkeit und besseren Mitteln entziffert und in größerer Vollständigkeit, exakter und philologisch umsichtig wiedergegeben[213]) (vielen wird, wie mir, die Nachprüfung der

J. W. Marchand, Word 15 (1959), S. 383–394. Weitere bei Ganz–Norman–Schwarz (s. u.), wo leider die z. T. doch recht informativen Titel ganz unterschlagen sind. Es fehlt dort die Rez. von K. Habersaat, Biblica 39 (1958), S. 526f. Nachdem Fuks' irrige Ansichten zur Entstehung der 'Kudrun' bereits korrigiert sind – zuerst durch Fr. Norman, Remarks on the Yiddish Kudrun, JJS 5 (1954), S. 85 f. –, möchte ich noch Habersaat dahingehend verbessern, daß es sich beim Hor nicht um ein »Hildebrandslied«, allenfalls ein Hildelied handelt. Sein Hinweis auf eine Parallelüberlieferung in einem Oxforder Fragment bezieht sich auf das 'Jüngere Hildebrandslied', wie aus seinem Repertorium der jiddischen Handschriften II (Rivista degli studi orientali 30 [1955], S. 238 bzw. 247) zu ersehen ist. Die Cambridger Hs. erscheint dann ohne diesen Fehler in den Nachträgen: Rivista 31 (1956), S. 41, ZfdPh 81 (1962), S. 341, MAJ (s. nächste Anm.) 1963, S. 117.

[209]) Entsprechender Hinweis von E. J. Thiel, Zur Cambridger jiddischen Gudrunhandschrift, Mitteilungen aus dem Arbeitskreis für Jiddistik (MAJ) 1956, S. 34–36. Ch. Gininger, A Note on the Yiddish Horant, in: The Field of Yiddish. Studies in Yiddish Language, Folklore, and Literature (ed. U. Weinreich), New York 1954, S. 275–277, klärt die Vorgeschichte; F. Beranek, Neues zur jiddischen Gudrunhandschrift, MAJ a.a.O., S. 49–52, faßt die Artikel Gininers und Fuks' (u. Anm. 215) zusammen.

[210]) Kudrun, Stuttgart 1963, S. 49 (vgl. S. 14f., 55).

[211]) Sprache und Reim in den judendeutschen Gedichten des Cambridger Codex T-S. 10. K. 22, in: Indogermanica. Festschrift für Wolfgang Krause, Heidelberg 1960, S. 145–165, S. 146f.

[212]) Dukus Horant. Mit einem Exkurs von S. A. Birnbaum, Tübingen 1964. Die Herausgeber zeichnen gemeinsam verantwortlich. Im einzelnen haben Ganz und Schwarz den Text, Schwarz den Lautstand, Ganz Bibliographie, allgemeine Einleitung und Anmerkungen, Norman die sagen- und literaturgeschichtlichen Fragen bearbeitet.

[213]) In ähnlichem Verhältnis stehen die von diesem Team beigesteuerten Besserungen zu dem erst von P. Trost (Zwei Stücke des Cambridger Kodex T-S 10. K. 22, Philologica Pragensia 4 [1961], S. 17–24: 'Josef' und Löwenfabel; Korrekturen hierzu vom Verf. selber, ebd. 5 [1962], S. 3–5) und dann von J. W. Marchand und Fr. C. Tubach (Der keusche Joseph, ZfdPh 81 [1962], S. 30–52) nach den Fuksschen Photographien herausgegebenen Josephsgedicht (Zu dem Cambridger Joseph, ZfdPh 82 [1963], S. 86–90). Die dort gebesserten Zeilen 11 und 62 waren allerdings schon von Trost richtig wiedergegeben.

Transliteration unmöglich sein; man würde den Herausgebern aber Unrecht tun, wollte man aus an anderen Stellen zu beobachtenden Ungenauigkeiten[214]) ohne weiteres einen Verdacht ableiten). Durch einen paläographischen Beitrag von S. A. Birnbaum ist ferner das vom Schreiber der Handschrift angegebene Datum 1382 endgültig als Datum der Niederschrift[215]) gesichert, und die die Einrichtung der Ausgabe bestimmende[216]) Analyse des Lautstandes durch W. Schwarz wird allen weiteren Erörterungen als Grundlage dienen können. Sie führt auch zu einigen für die deutsche Sprachgeschichte nicht unwesentlichen Ergebnissen (S. 74). Umstritten wird weiterhin wohl noch bleiben, inwieweit der Text nur Wiedergabe einer deutschen (genauer: mitteldeutschen[217])) mündlichen oder schriftlichen Vorstufe in hebräischen Buchstaben ist. Diese Frage ist freilich für die Jiddistik wichtiger als für die Germanistik, muß aber auch in diesem Rahmen weiter besprochen werden. Im Gegensatz zu Fuks ist für Marchand die ganze Handschrift mittelhochdeutsch, genauer: hessisch[218]), und er hat deshalb eine Transkription auf eine hypothetische mitteldeutsche Vorlage hin vorgeschlagen[219]).

Der Judaist M. Weinreich stellt demgegenüber fest, Marchands These, die ältesten jiddischen Denkmäler seien in Wirklichkeit deutsch und ein ungeeigneter Gegenstand jiddistischer Forschung, könne nicht aufrechterhalten werden und sei unnötig leichtfertig zusammengetragen[220]). »The practice of transposing texts of the O[ld] Y[iddish] period into 'normalized MHG' is outright detrimental« (S. 116). Die späteren Herausgeber haben denn auch vorsichtig die Türe zu weiterem intensiven Studium nicht zugeschlagen. Nach Birnbaum (Old Yiddish, S. 20f.) ist die Sprache der Handschrift »West Yiddish«, aber dem literarischen Mittelhochdeutsch stärker angenähert als das mündliche Jiddisch. Hierzu mag ergänzend eine Bemerkung J. Weissbergs treten, die Frage des im Hintergrund stehenden mittelhochdeutschen Dialekts sei im Hinblick auf den Gebrauch höfischer Schriftsprache im Hor relativ unwesentlich[221]). Die Sonderstellung des Hor in der Handschrift

---

Die Löwenfabel hat S. A. Wolf neu transkribiert: Jiddisches Wörterbuch, Mannheim 1962, S. 35f. E. Katz, Six Germano-Judaic Poems from the Cairo Genizah, Diss. Masch. University of California (Los Angeles) 1963, war mir nicht zugänglich.

[214]) Ich zähle in der knapp 1½ Seiten umfassenden Bibliographie etwa 15 (die Benützbarkeit allerdings nicht beeinträchtigende) Druck- und Zitierfehler. Die Signatur der Hs. ist auf S. 1 anders angegeben als auf S. 3 usw. (vgl. o. Anm. 208 und u. Anm. 223).

[215]) S. 7ff. W. Schwarz hatte (Einige Bemerkungen, S. 328) gemeint, das Datum könne auch aus der Vorlage stammen. Beschreibung der Hs.: Fuks, 1, S. XIXff. (vorher: The Oldest Literary Works in Yiddish in a Manuscript of the Cambridge University Library, JJS 4 [1953], S. 176–181, und The First Literary Documents in Yiddish, Yidishe kultur 1953, S. 30–35; On the Oldest Dated Work in Yiddish Literature, in: The Field of Yiddish, [a.a.O., S. 267–274]); Ganz, S. 3ff. (vorbereitend: Dukus Horant – an Early Yiddish Poem from the Cairo Genizah, JJS 9 [1958], S. 47–62).

[216]) S. 21ff. Der Text erscheint in Transliteration, die als »rein mechanische Umsetzung« hebräischer Buchstaben »in lateinische, bisweilen mit diakritischen Zeichen versehene Buchstaben« die Handschrift für jeden rekonstruierbar macht, und in Transkription »in ein Schriftbild, das dem mittelalterlichen Deutsch angepaßt ist« (S. 21), weitgehende Vorentscheidungen über den Lautstand im einzelnen aber vermeidet. Wichtige Hinweise zur Transliteration hatte v.a. S. A. Birnbaum gegeben: Old Yiddish or Middle High German?, JJS 12 (1961), S. 19–31.

[217]) S. 20f., 54. Die Verdunklung des â zu ô hatte schon J. A. Joffe bemerkt: Dating the Origin of Yiddish Dialects, in: The Field of Yiddish, a.a.O., S. 102–121, S. 106, Anm. 13a.

[218]) Rez. Fuks, S. 388; vgl. ders., Einiges zur sogenannten 'Jiddischen Kudrun', Neophilologus 45 (1961), S. 55–63.

[219]) Rez. Fuks, S. 391, mit einer Probe der Partie F 50, 3–6, die auch in einer Umsetzung Fourquets vorliegt (bei Gininger, S. 277). Fourquet gab nach der Ankündigung der Fuksschen Edition eine gemeinsam mit M. Neher geplante Ausgabe auf.

[220]) Old Yiddish Poetry in Linguistic-Literary Research, Word 16 (1960), S. 100–118.

ist auch von Neumann unter stilistischen und reimtechnischen Gesichtspunkten gewinnbringend hervorgehoben worden (oben Anm. 211), das sollte über Schwarz' berechtigter Kritik an den textlichen Voraussetzungen seiner Diskussion einer eventuell schriftlichen Vorlage (Dukus Horant, S. 17, Anm. 5) nicht vergessen werden. Die Frage: mündliche (Schwarz) oder schriftliche (Neumann, Marchand) Vorlage, hängt letzten Endes wieder mit der Grundfrage nach der Gattung zusammen, die bisher noch nicht näher erörtert worden ist. H. Fromm hat auf die Möglichkeit des Vergleichs mit der Kompositionsweise der »Spielmannsepik« hingewiesen (unten Anm. 341, S. 374); Fuks sieht allgemeiner in der ganzen Handschrift ein »Spielmannsbuch« (The Oldest Literary Works, S. 179); seine Annahme einer spielmännischen Ghetto-Produktion wird zwar nicht durch Marchands kulturhistorische Einwände (Rez., S. 392; dagegen Weinreich, S. 105 f.), wohl aber durch innere Kriterien (Ganz, An Early Yiddish Poem, S. 58 und 59, Anm. 54; Neumann, S. 165) widerlegt. Dafür, daß das Werk im Regensburger Ghetto entstand (H. Menhardt[222])), gibt es keinerlei Anhaltspunkte; die Hinweise auf jüdische Autorschaft, die L. Forster[223]), S. Colditz und F. Beranek[224]) bemerkt haben, sind, wenn auch nicht zahlreich, doch wohl ernst zu nehmen. (Wer will aber in solchen Details zwischen Autor, Schreiber oder Bearbeiter unterscheiden?)

In diesem Zusammenhang bedauert man besonders die Zufälligkeit der Auswahl im Anmerkungsapparat der Ausgabe. Solange die Literatur noch überschaubar ist, hätte man sie dort doch aufarbeiten und vor allem dann auch nicht akzeptierte Emendationsvorschläge früherer Rezensenten dort zur Diskussion stellen können. Die Anmerkung zu F 72, 4 muß man sich aus der sprachgeschichtlichen Einleitung ergänzen (S. 17, Anm. 5), wo aber naturgemäß der Hinweis auf Forsters, eine Kernfrage der Interpretation berührende Lesung (s. unten Anm. 227) zu kursorisch ist. Warum fehlt bei F 50, 3 ff. ein Hinweis auf andere Wiedergabeversuche (oben Anm. 219)? Oder auch: warum sind, wenn zu F 44, 4, 2 *(walere)* auf den Osw hingewiesen ist, in dem interessanten Exkurs zu den goldenen Hufeisen (F 60, 2, 2) die goldenen Sporen im Or nicht erwähnt?

Damit sind wir schon im Bereich der literarhistorischen Verbindungen. Daß der Hor vor allem in 'Kudrun' und im Ro vorkommende Züge und Namen enthält, hat man natürlich sofort gesehen[225]). Wisniewski hat diese Tatsache zur Klärung

[221]) The Vowel System of MS Cambridge T-10 K 22 Compared with Middle High German, JJS 14 (1963), S. 37–51, S. 39. Vgl. Ganz, An Early Yiddish Poem, S. 55.
Weissberg hat inzwischen auch das Konsonantensystem behandelt und dessen obd. Basis betont: Das Konsonantensystem des 'Dukus Horant' und der übrigen Texte des Cambridger Manuskripts T.-S. 10 K. 22 verglichen mit dem Mittelhochdeutschen, ZfMu 32 (1965), S. 1–40.
[222]) Zur Herkunft des 'Dukus Horant', MAJ 1961, S. 33–36.
[223]) 'Ducus Horant', GLL 11 (1958), S. 276–285, S. 281 zu *tiflah* (F 61, 3, 4; F 65, 3, 1) und Horants Lied (F 51, 7 – Wackernagel 2, S. 515). Der Aufsatz ist in der Bibliographie der neuen Ausgabe fälschlich unter Rezz. angeführt.
[224]) S. Colditz, Das jiddische Fragment vom Herzog Horand in seinem Verhältnis zum Gudrunepos und dem König Rother, MAJ 1960, S. 17–24, S. 24: F 51, 7, F 55, 5 (Anleihe Horants) und F 67, 6 (Rolle der Frau im Judentum). Die Masch.-Diss. der Verf.s war mir leider nicht mehr erreichbar: Studien zum hebräisch-mittelhochdeutschen Fragment vom 'Ducus Horant' (C. 1382), Leipzig 1964. H. Rosenfelds gegen Neumann vorgebrachte Theorie, *tiflah* sei aus *tefillah* (Gebet) verlesen (Der Dukus Horant und die Kudrun von 1233, MAJ 1964, S. 129–134, S. 130), wird durch den nachtragenden Hinweis Beraneks (S. 134) auf die Bedeutung »nicht-jüdisches Bethaus« hinfällig. Daß der Autor Pfingsten »nicht als einmaliges Fest des Jahres« betrachtet und deshalb Etenes und Hagens Pfingstfeste nur ca. 2 Monate auseinanderliegen (Rosenfeld, S. 129), ist kein stichhaltiges Argument, da »Pfingstfest« als literarischer Topos verstanden werden kann (Norman, Dukus Horant, S. 92).
[225]) Die Beziehung zum Ro betont besonders J. Carles in seiner Rez. und in Le poème de Kûdrûn, Publications de la Faculté des Lettres et Sciences Humaines de l'Université de Clermont-Ferrand, 2e Sér. 16, 1963.

der Vorgeschichte der 'Kudrun' heranziehen wollen (oben Anm. 210), Rosenfeld weist mit einer fragwürdigen Theorie zum Namen *Etene* dem Hor geradezu text-kritischen Wert zu (*Hetene* ist der alte Name, *Hetel* »einer der zahlreichen Fehler der Ambraser Handschrift«[226])). Auf dem Weg über das Riesenmotiv liefert der Hor zum Ro in jedem Fall einen den Text klärenden Beitrag (s. oben S. 29). Rückt das Werk aber damit automatisch in die gleiche Kategorie oder Zeit? Muß das fatale Etikett »Spielmannsepos« (Forster, S. 282; Colditz, S. 17 und 24) gleich wie-der aufgeklebt werden? Schwarz' von Schröbler akzeptierte Formulierung ent-spricht eher dem, was wir übersehen bzw. noch nicht übersehen: »ein Mittelglied zwischen den Epen des 13. Jahrhunderts und den späteren Prosaauflösungen und Volksbüchern« (Einige Bemerkungen, S. 327). Dieser Ansatz ist leider von Fr. Norman nicht verfolgt worden. In souveräner Beherrschung des Hilde-Stoffes stellt er das Personal des Hor in diesen Rahmen, um zu dem sicher richtigen Schluß zu kommen, daß wir hier sagengeschichtlich nichts Neues lernen. Bedauerlich ist, daß dabei eine Fr. Panzer evozierende Bemerkung von der »ursprünglichen Gleichsetzung von Hetin und Horant« (S. 120) liegenbleibt, ohne daß der Versuch gemacht ist, sie nun zur literarischen Interpretation des Hor zu nützen[227]. In dem bewußt lockeren Spiel mit den Möglichkeiten, das Werk an seinen Platz in der Literaturgeschichte zu schieben, verliert es sich etwas zwischen den schwungvoll darstellenden Exkursen zu Leben und Lebensform der Heldendichtung. Zwar taucht es – über eine mit Recht vorausgesetzte deutsche Vorstufe des späten 13. Jahrhunderts (S. 124; so auch Neumann, S. 162) auf ein »aus literarischen Er-wägungen heraus« postuliertes Lied des 12. Jahrhunderts (S. 129, 124) und von dort auf ein Hildelied (S. 93), ein Rotherlied (S. 98f.) und ein Herbortlied (S. 102) zurückgeführt (S. 129) – immer wieder als – im Rheinland entwickelte (S. 130) – Stoffmasse auf, aber als formal bestimmtes Phänomen (und sei es auch ein typi-sches Produkt der Heldenepikmanufaktur des 13. Jahrhunderts) wird es nicht greifbar. (Kroes hat in ähnlicher Weise, aber konservativer, in einer knappen Skizze eine Entwicklung angedeutet, die seiner Vorstellung von der Entwicklung des Kudrunepos [wie auch des Salm] entspricht [vgl. unten Anm. 238 und IV e]: Hor gibt ein »Spielmannsepos« 'Hilde' [ca. 1190] wieder, das unter dem Einfluß des 'Nibelungenlieds' mit einer spielmännischen 'Kudrun' vereinigt wurde [S. 93].) Hier bleibt unter dem Gesichtspunkt der Bauweise und im Vergleich gerade zu den »Spielmannsepen« noch viel zu tun (vgl. de Boor 3, 1, S. 146)[227a]).

---

[226]) S. 132. Zu Horant s.o. Anm. 125. Soweit ich sehe, hat bisher niemand sonst den Gedanken an direkte Ableitung aus der 'Kudrun' erwogen.

[227]) Forster hat mit der Bemerkung, Horant sei möglicherweise selber der Liebhaber, nicht nur der Bote (S. 283; abgelehnt von Schröbler, S. 155f., Anm. 2, Kroes, S. 93, und Neumann, S. 146), diese Frage vom anderen Ende her angeschnitten. Genaueres Studium der motivlichen Bausteine der Komposition müßte sie klären können. Gleich wie die Antwort ausfällt, wir haben in jedem Fall einen sonst in Deutschland nicht belegten Typ vor uns: (sekundäre?) Zwitterform, in der die Botenwerbung zur Eigenwerbung abge-drängt wird (*wooing emissary wins lady's love for himself*: Thompson [u. Anm. 241], T 51, 1), oder eine reine Botenwerbung, die nun interessanterweise sehr spät auftritt, während sie doch allgemein als eine Vorform zu Doppelepen angesetzt wird.

[227a]) (Korrekturnote) Als weitere Vorarbeit hierzu kündigt jetzt W. Röll einen kritisch be-arbeiteten Text an (Rez. in Studi medievali. 3ª Serie, VII, 1 [1966], S. 269–275, S. 274, Anm. 15). Von J. Carles (o. Anm. 225) wird eine an J. Fourquet (o. Anm. 219) anknüpfende Diplom-arbeit von S. Roelly erwähnt: Essai de reconstition en moyen haut-allemand normalisé d'un texte en strophes ..., Dukus Horant, Paris 1960. Vor zu starker Betonung der Ent-wicklungsgeschichte, insbesondere im Hinblick auf die 'Kudrun', warnen die kurzen Aus-führungen H. Stackmanns: Kudrun, ed. K. Bartsch, 5. Aufl. v. K. Stackmann, Wiesbaden 1965, S. LXXIVff.

III. Gruppierung und literaturgeschichtliche Stellung

Nach geographischer und kulturhistorischer Herkunft in ihrem jeweiligen Kern klar abgrenzbar verschieden – angelsächsisch-christliche, politische Konsolidierung (Osw), lokale, aber nur im Blick auf den Osten begründbare, pseudo-historische Legendentradition (Or), orientalisch-jüdische Weisheitslehre aus dem Problemkreis der Hybris (Salm), frühe Reichsgeschichte und antik-orientalische Ethnographie (Er), germanische Früh- (?) und normannisch-deutsche Zeitgeschichte (Ro) –, treten die »Spielmannsepen« nach Art der jeweiligen Aktualisierung der Stoffe, nach geographischer Herkunft, »politischer« Haltung, Überlieferung usw. zu je nach dem Blickpunkt verschiedenen Gruppen zusammen oder besser: auseinander. Die Gliederungen der Literaturgeschichten (oben S. 4ff.) erschöpfen die Möglichkeiten längst nicht. Einer der »Legendenromane« (de Boor), der Or, tritt mit Anklängen an die Schematik der Orientabenteuer zum Er, mit der Möglichkeit französischer Vorbilder zu Er und Ro (s. unten S. 52); der andere, Osw, steht mit welfischen Beziehungen diesen vielleicht im »reichspolitischen« Sinn nahe. »Volkstümliche Legende« (Schwietering) wird zweifellos dem Salm nicht gerecht; die Gruppierung Salm/Osw/Or ergibt sich eher aus der Überlieferung. Die Überlieferung von Er und Ro ist demgegenüber aber nur insofern vergleichbar, als die Stoffe der höfischen Geschmacksrichtung gemäß sind; im einzelnen ist dabei das gemeinsame Höfische für den Er vielfach ein Reflex der Fassung B, und für dieses Werk ist dann auch eine an die andere Gruppe gemahnende Stofftradition im Spätmittelalter charakteristisch. Geographisch eindeutig festlegen lassen sich nur Salm und Or im Westen und Osw im Süden (womit diese Überlieferungsgruppe auseinanderfällt: dies gegen Ehrismanns zu sehr schematisierende Darstellung, S. 289). Allein im Salm ist deutlich der Ansatz zum Brautwerbungsschema schon im Stoff-Kern gegeben (was dem Or-Stoff offenbar von Hause aus ganz fremd ist); dieses Schema erweist sich aber für alle als aktualisierendes Ferment – für alle außer dem Er, der aber wiederum das Kreuzzugsschema, nach dem ihn Schneider aussondert, mit allen außer dem hiervon kaum berührten Salm gemeinsam hat.

Trotz alledem, die zahlreichen detaillierteren Längsschnittuntersuchungen zur mittelhochdeutschen Epik des 12. und 13. Jahrhunderts folgen in Gruppierung und Einreihung naturgemäß im allgemeinen dem Schema der Literaturgeschichten, auch in der Weise, daß gelegentlich Unterschiede zwischen »hohem« und »niederem« Stil, Ethos oder Publikum usw. gemacht werden. Mehrmals sind auch

Salm, Or und Osw der Überlieferung wegen ausgeklammert[228]), generell aber liegt, wenn sich so die Datierung auf das 12. Jahrhundert unausgesprochen oder ausgesprochen bestätigt[229]), immer der Einwand auf der Hand, der Verfasser sei einem Zirkelschluß erlegen. Diese Möglichkeit steht bei allen folgenden Überlegungen im Hintergrund; um aber die Diskussion der Forschungsentwicklung sachgemäß weiterführen zu können, verzichte ich darauf, sie an jedem Punkt gesondert zu erwägen. Sie soll nur dort zur Sprache kommen, wo die Forschung sich ausdrücklich mit ihr beschäftigt hat. Daß dies noch nicht hinreichend geschehen ist, sei dabei betont. Die frühe Ansetzung ist immer leicht allgemein in Frage zu stellen, aber äußerst schwer ist es, die Alternative konkret zu besprechen, v.a. solange eine Arbeit wie die Teubers in diesem Zusammenhang nicht diskutiert wird. Ihm hat sich unter form- und sprachgeschichtlichen Gesichtspunkten vom Spätmittelalter her ergeben, was ich unter allgemeiner literargeschichtlichen Gesichtspunkten vom 12. Jahrhundert her sehe, nämlich daß es keinen triftigen Grund gibt, Or bzw. Osw, so wie wir sie haben, aus ihrer traditionellen Datierung herauszurücken, wenn sich ihre Gestalt im einzelnen auch etwas verändert haben mag. Letzteres entspricht im übrigen durchaus der Art und Weise ihrer ursprünglichen Komposition.

a) Aufbau und Motivik

Eine gewisse Einheit der Gruppe ist am ehesten in der Motivik gegeben, das ist seit Baeseckes ältere Kataloge weiterführendem und ergänzendem Parallelstellenverzeichnis zum Osw (S. 266ff.) Gemeingut der Forschung, obwohl hier im einzelnen die Verwirrung womöglich noch größer ist. Ein Teil der entsprechenden Literatur ist oben an verschiedenen Stellen schon erwähnt[230]); wichtig ist, aufs Ganze gesehen, nur die Frage der Methode, mit der man diese Motivparallelen auswertet. Die richtige Antwort hatte im Prinzip schon Baesecke selbst gegeben, wenn auch in einem zu sehr von Gesichtspunkten moderner Logik bestimmten

---

[228]) Z.B. schon bei Elsa-Lina Matz, Formelhafte Ausdrücke in Wolframs Parzival, Diss. Kiel 1907 (S. 6); zuletzt bei J.Bumke, Studien zum Ritterbegriff im 12. und 13. Jahrhundert, Heidelberg 1964, S. 29ff. (im einzelnen aber mehrfach herangezogen).

[229]) Hierfür mag als Beispiel die Arbeit J.Schildts stehen: Zur Gestaltung und Funktion der Landschaft in der deutschen Epik des Mittelalters, PBB (Halle) 86 (1964), S. 279–307, bes. S. 300ff. H.Trautmann (Das visuelle und akustische Moment im mittelhochdeutschen Volksepos, Diss. Göttingen 1917) schöpft auch die »Spielmannsepen« aus, ohne aber damit zu ihrer genaueren Bestimmung etwas beizutragen; von Margrita Freie (Die Einverleibung der fremden Personennamen durch die mittelhochdeutsche höfische Epik, Diss. Groningen, Amsterdam 1933) sind die »Spielmannsepen« voll mit einbezogen. Eine offenbar recht ausführliche Erörterung war mir nicht zugänglich: G.Usadel, Die Personenbeschreibung in der altdeutschen Epik bis Gottfried von Straßburg, Diss. Masch. Königsberg 1923 (Zusammenfassung im JhbdphilosFak Königsberg 1923, S. 37f.).

[230]) Hier noch einige weitere Sammlungen: F.Bernatzky, Über die Entwicklung der typischen Motive in den mittelhochdeutschen Spielmannsdichtungen, besonders in den Wolfdietrichen, Diss. Greifswald 1909; W. von Unwerth, Herzog Iron, PBB 38 (1913), S. 280–313; Th.Walker, Die altfranzösischen Dichtungen vom Helden im Kloster, Diss. Tübingen 1910; Hertha Marquardt, Die Hilde-Gudrunsage in ihrer Beziehung zu den germanischen Brautraubsagen und den mhd. Brautfahrtepen, ZfdA 70 (1933), S. 1–23; D.Scheludko, Versuch neuer Interpretation des Wolfdietrichstoffes, ZfdPh 55 (1930), S. 1–49; A.Jensen, Hild og Trud, Danske Studier 1926, S. 51–65, und: Den forklædte bejler, ebd. 1927, S. 44–64 (zum verkleideten Freier – mit Hinweis auf 'Digenis Akritas' – vgl. auch E.Seemann, Wolfdietrichepos und Volksballade, ArchfLituVdtg 1 [1949], S. 119–176). S. im übrigen o. S. 14. P.Schultz, Die erotischen Motive in den deutschen Dichtungen des 12. und 13. Jahrhunderts, Diss. Greifswald 1907, schließt bis auf Ro die »Spielmannsepen« aus.

Zusammenhang: es ist »weit mehr nach dem Aufbau der Motive, als nach den einzelnen Motiven zu fragen«; »der Vergleich des Baus wird das Natürliche zeigen, daß eine Erzählung dem Abweichenden ... ihr Leben verdankt: der Rest ist nichts als überlieferte Form« (S. XI). Zunächst aber charakterisiert noch ein eifriges Bemühen um den Nachweis direkter Berührungen durch Motivverwandtschaft das Verhältnis der Forschung zu diesem Sach- und Problemkreis, über den die »Spielmannsepik« mit dem Heldenepos, dem Volkslied, dem Märchen, der Legende, dem höfischen Roman in Beziehung tritt. Auch der junge H.Schneider untersuchte in seinen 'Wolfdietrich'-Studien die Texte noch unter dem Gesichtspunkt, »wie weit sie sich den zeitgenössischen Werken gegenüber gebend oder nehmend verhalten haben« (S. III). Die »Spielmannsgedichte« sind S. 217 ff. als eigene Gruppe behandelt, und auf S. 276 ff. findet sich die Sammlung von Parallelstellen aus dem Altfranzösischen, von der Schneider später mit neuem Ansatz und schärferer Fragestellung ausgehen konnte (Deutsche und französische Heldenepik, S. 55).

Bevor J. de Vries (ähnlich wie Fr. Vogt) die Gruppe Salm, Osw, Or ins 13. Jahrhundert datierte, sie dort aber »ganz schroff den gleichzeitigen sogenannten Heldenepen« gegenüberstellte (Rother, S. CXIII), und bevor die terminologische Spaltung das Gemeinsame verdunkelte, hatte ebenfalls Baesecke – das sei mit allen Vorbehalten bezüglich der geographischen Zuordnung und der von ihm postulierten »Urformen« mitgeteilt – Osw, Or und Ro als »die Vertreter des Volksepos am Rheine« bezeichnet, »das mit Unrecht dem bairisch-österreichischen als das spielmännische entgegengesetzt wird. Vielleicht ist dieses nur nicht zu der Entwicklung gelangt, die im Südosten die Kreuzung mit der höfisch-ritterlichen Kunst zuwege brachte« (S. 384f.; vgl. unten Anm. 257). Der einzige ernsthafte Versuch, hiervon ausgehend anhand der Motivverwendung eine Typologie der Gesamtgruppe aufzustellen, kommt in dem Maß, in dem auch er, wie ältere Untersuchungen, in Aufzählung stecken bleibt, kaum zu einer Skizze[231]). Beachtenswert ist immerhin Hünnerkopfs Bemerkung, der Hauptunterschied zwischen den »Brautfahrtgeschichten« (»Spielmannsepik« ohne Er, dazu 'Ortnit', 'Wolfdietrich' B und D, soweit Hugedietrich betreffend) und den »Dichtungen, die stilistisch der Spielmannspoesie nahestehen«[232]) ('Laurin', 'Rosengarten', 'Virginal', 'Sigenot', 'Wolfdietrich'), bestehe darin, daß erstere weitgehend typisch, aber durchkonstruiert seien, während letztere »einer strafferen Einheit entbehren« (S. 70)[233]). Der Er bleibt dabei wieder abseits, denn formaler Grund für die Strukturiertheit in der ersten Gruppe ist, oberflächlich betrachtet, eben das Brautfahrtschema. Die Forschung ist denn auch dieser Spur gefolgt, einem notwendigen Umweg, der trotz Frings noch nicht zu einer klaren Einsicht in die innerdeutschen Zusammenhänge zurückgeführt hat. Im Reallexikon (s. oben Anm. 78) wird immerhin der Unterschied »Spielmannsdichtung«–Heldendichtung mit Vorsicht betont.

Die Gemeinsamkeiten sind unter dem Gesichtspunkt der Motivik nie ganz über-

---

[231]) R.Hünnerkopf, Beiträge zur deskriptiven Poetik in den mittelhochdeutschen Volksepen und in der Thidrekssaga, Diss. Heidelberg, Borna-Leipzig 1914.

[232]) Hier setzt der spätere Versuch einer Typologie von zur Nieden an (s. u. S. 55 u. 93). W.Kienast (Das Fortleben der altgermanischen Heldenlieder in den Epen des deutschen Mittelalters, Deutsche Rundschau 208 [1926], S. 46–54, 156–163) unterscheidet vom spielmännischen Heldenepos »die eigentlichen Spielmannsgedichte« (S. 54), aber nicht so schroff wie de Vries.

[233]) Die Betonung des Kämpferischen verhindert hier die Gesamtdurchbildung. Ehrismann betont, ohne auf diesen Zusammenhang einzugehen, interessanterweise für den Ro gerade auch das Zurücktreten des Kriegerischen (s. u. S. 64f.): Die Ethik des deutschen Heldenepos, Annales Acad. Scient. Fennicae B, 30 (1934), S. 273–289, S. 287f.

sehen worden, und hier kann der vorsichtig gehandhabte Motivvergleich[234]) gerade auch im Bereich an sich nicht oder nicht mehr spielmännischer, aber mit Elementen spielmännischer Dichtung durchsetzter Dichtung wichtige Interpretationshilfe leisten. Für die Tristandichtungen ist hier noch alles zu tun, für das 'Nibelungenlied' ergeben sich wohl auch über das zweimalige Brautwerbungsschema hinaus jedem Assoziationen, die v. a. seit K. Droege[235]) verschiedentlich konkret belegt worden sind. Leider zuletzt wieder mit dem Schluß auf direkte Entlehnung (in diesem Fall aus dem Ro[236]). Angeregt durch D. v. Kraliks Konzept einer Parodie in der Werbung Siegfrids um Brünhilde, hat nach Baesecke (oben Anm. 88) auch W. Mohr[237]) mit zahlreichen Parallelen aus Or und Ro auf die Verwurzelung dieser Brünhilde-Geschichte im Traditionell-Spielmännischen hingewiesen. In seiner Terminologie, »Familienähnlichkeit«, literarischer »Umkreis« (S. 113 bzw. 116), spiegelt sich ein modernerer Standpunkt, der sich lange nicht einstellen wollte und sich noch längst nicht allgemein durchgesetzt hat, wie u. a. die hoffnungslos verfahrene Situation in der Quellenforschung zur 'Kudrun' zeigt[238]). H. Kuhns wichtiger Hinweis auf die Möglichkeit »manieristischen« Spiels mit im Grunde bereits aus der Mode geratenen Motiven und Schemata der Brautwerbung allgemein weist hier mehr als nur einen Ausweg. Das wird auch neuerdings aus den vorsichtig wägenden Ausführungen K. Stackmanns (oben Anm. 227a) recht deutlich (S. XLIIff.).

Zur Gewinnung des richtigen Standpunktes bedurfte es zunächst einer Weitung des Blickwinkels. H. Schneider fügte dem germanischen Komplex den altfranzösischen hinzu, wobei »altfränkische Urverwandtschaft und hochmittelalterliche literarische Entlehnung« als getrennte, wenn auch durch den »entwicklungsgeschichtlichen Prozeß der Heldendichtung« verbundene Komplexe gesehen sind (Deutsche und französische Heldenepik, S. 54). »Die deutsche und die französische Heldenepik ist zusammengehalten durch eine ausnehmend weit und ins Einzelne gehende Motivgemeinschaft. Von einem bewußten und individuellen Nehmen und Geben ist dabei nicht mehr die Rede. Priorität, Originalität, Kopie, das sind Begriffe, die hier ausscheiden« (S. 59)[239]). Für die »Spielmannsepik« wird die Formel

---

[234]) Mit Einschränkungen wäre I. Schröbler zu nennen (o. Anm. 16), auch H. Marquardt, mit dem Vergleich zwischen Or und 'Kudrun' (S. 19f.).

[235]) Die Vorstufe unseres Nibelungenliedes, ZfdA 51 (1909), S. 177–218; Das ältere Nibelungenepos, ZfdA 62 (1925), S. 185–207.

[236]) B. Nagel, Das Nibelungenlied, Frankfurt 1965, S. 51.

[237]) Rez. von D. v. Kralik, Die Siegfridtrilogie 1, Halle 1941, in: DuV 42 (1942), S. 83–123, S. 112ff. Vgl. o. S. 18, u. S. 51f.

[238]) Fr. Neumanns eingehende Beschreibung (Verfasserlexikon 2, Sp. 961–983, 5, Sp. 572–580) führt zu dem Ausruf: »Welche Unsicherheit auf dem Felde der Quellenforschung!« (Sp. 579). Es geht dabei in unserem Zusammenhang um die »spielmännische Kudrun« bzw. darum, ob dieses hypothetische Doppelepos auf andere »Spielmannsepen« gewirkt oder umgekehrt aus anderen entstand. Von hierher gehörigen Arbeiten betreffen neben der genannten von I. Schröbler (bes. S. 75ff.) die letzten näher: Th. Frings, Hilde, PBB 54 (1930), S. 391–418; H. W. J. Kroes, Kudrunprobleme, Neophilologus 38 (1954), S. 11–23; ders., Die Hildestelle in Lamprechts Alexanderlied und die Kudrunsage, ebd. 39 (1955), S. 258–261; B. Boesch, (ed.) Kudrun, Tübingen 1954³, S. LVI; H. Kuhn, Kudrun, in: Münchener Universitätswoche an der Sorbonne zu Paris (ed. J. Sarrailh und A. Marchionini), München 1956, S. 135–143. Vgl. auch Jungandreas (o. Anm. 55), S. 142f.; Droege, Das ältere Nibelungenepos, S. 202; Marquardt, S. 15f., und o. zum Hor.

[239]) G. Brockstedt, den motivliche Anklänge aller Art zu der Annahme eines Autors praktisch der gesamten afrz. Heldenepik und der von ihr abhängigen deutschen Heldenepik und »Spielmannsepik« verleiteten (Von mittelhochdeutschen Volksepen französischen Ursprungs. 2 Teile, Kiel 1910/12; alle früheren Untersuchungen zusammenfassend: Benoit de Sainte-Maure und seine Quellen 1, Kiel 1923), nahm damit eigentlich nur die

modifiziert durch das Maß, in dem diese mit der französischen Heldenepik den gemeinsamen Ausgangspunkt nicht teilt (der Er ist, wie bemerkt, ein Grenzfall); im übrigen aber ist sie von weittragender Bedeutung[240]). Das unterstreichen denn auch die abermals den Blickwinkel weitenden Forschungen von M. Braun und Th. Frings (oben Anm. 28), die in Bibliographie wie Diskussion eine erste Zusammenfassung der slavistischen Forschung zur russischen Heldendichtung und späteren Byline einerseits, zum serbokroatischen Heldenlied andererseits hinzufügten. Dies führte zu der Einsicht, daß sich Schneiders Satz »ins Osteuropäische und damit ins Europäische überhaupt erweitern« läßt (Frings, Heldenlied, S. 300). Die Untersuchung wurde dabei eingeschränkt auf »das Thema 'Erwerb einer Frau'«. Zum epischen Vergleichsmaterial tritt noch das europäisch-orientalische Märchengut (Frings, Spielmannsepen, S. 312)[241]). Vor dem Anblick dieser umfassenden Motiv- und Erzählformengemeinschaft müssen punktuelle Motivvergleiche als unangemessen erscheinen, erweist sich auch im engeren deutschen Rahmen die Trennung von »Spielmannsepos« und Heldenepos als künstlich (S. 307). Ich greife aus dem weiteren Forschungsgebiet (man denke an die neueren Ergebnisse der Nibelungenliedforschung) nur das heraus, was die »Spielmannsepen« unmittelbar angeht.

Direkte Abhängigkeit ist nach Frings nicht aus dem mehr oder weniger frei verfügbaren Einzelmotiv, eher aus dem Erzählschema zu erschließen (S. 320). Er unterscheidet im gemeineuropäischen Bereich, in dem besonders das Sammelbecken der 'Thidrekssaga' eine große Rolle spielt, eine Reihe unter dem Thema »Brautwerbung«[242]) stehender Erzählungstypen (S. 312 ff.): Werbung durch Gewalt (germanisch), Werbung durch List (orientalisch), Entführung (geographisch neutral), Salomonsage (Schema »Ungetreue Frau«)[243]), Flucht ('Walther und Hildegunde'). Sie erscheinen selten rein, da die ihnen zugehörenden Erzählschemata sich ständig vermischen (S. 316); dennoch sieht Frings sich berechtigt, die angedeutete geographische Aufgliederung anzunehmen und dann zur Klärung der Genese der deutschen »Spielmannsepen« heranzuziehen. Sie ist für ihn wie für Helga Reu-

---

letzte Konsequenz der älteren Betrachtungsweise vorweg. Im einzelnen bietet er immer wieder interessante Hinweise.

[240]) Zur immer noch viel umstrittenen Frage der Urverwandtschaft insgesamt s. die Bibliographie bei R. Bossuat, Manuel bibliographique de la littérature Française du moyen âge, Melun 1951, S. 12 ff., und in den Supplementbänden. Es fehlt hier v. a. die schöne, um Versöhnung wissenschaftsgeschichtlicher wie nationaler Gegensätze bemühte Abhandlung Fr. Panzers, Die nationale Epik Deutschlands und Frankreichs in ihrem geschichtlichen Zusammenhang, ZfdB 14 (1938), S. 249–265. Vgl. den Forschungsbericht von C. Minis, Französisch-deutsche Literaturberührungen im Mittelalter, RomJb 4 (1951), S. 55–123, 7 (1955/56), S. 66–95.

[241]) Belege aus '1001 Nacht', Brautwerbung, S. 141 ff. Von Bolte und Polívka sind die »Spielmannsepen« (mit Vorbehalt) unter die Epik eingeordnet, die märchenhafte Züge angenommen hat [o. Anm. 59] Bd. 4, S. 168 ff.). Ein entsprechender Hinweis auf Salomons entführte Frau auch bei Fr. v. d. Leyen-K. Schier, Das Märchen, Heidelberg 1958⁴, S. 125 (v. d. Leyen behandelt aber in Märchen und Spielmannsdichtung, GRM 10 [1922], S. 129–138, die »Spielmannsepik« nicht). Umgekehrt betont W. A. Berendsohn den literarischen Ursprung des 'Getreuen Johannes' (Grundformen volkstümlicher Erzählerkunst, Hamburg 1922, S. 65 f.; ähnlich L. Mackensen, Brautwerbungsmärchen, in: Handwörterbuch des deutschen Märchens 1, Berlin u. Leipzig 1930/1933, S. 316–320, S. 318). Vgl. St. Thompson, Motif-Index of Folk-Literature 5, Bloomington 1957², T 50 ff.

[242]) Zusammenstellungen bei Fr. Geissler, Brautwerbung in der Weltliteratur, Halle 1955; ohne Auswertung des Gesammelten.

[243]) Hierüber auch E. Seemann, Die 'Zekulo'-Ballade und die Ballade von der 'Brautwerbung'. Eine Studie zu zwei Goltscher Liedern, JbfVlf 7 (1941), S. 40–70: v. a. zur Kaufmannsentführung.

schel[244]) nicht zuletzt vom Brauchtum bestimmt[245]); Reuschel ist jedoch in der Auswertung ihrer Beobachtungen zurückhaltender: die Belege für das Motiv »Liebe vom Hörensagen« bilden »eine schöne Kette von Indien bis Island«; dazu kommt »die Tatsache, daß die geographische Folge zugleich, im ganzen gesehen, eine historische Folge ist.«

Insgesamt gelangt Frings zu klareren und besser verwendbaren Resultaten als eine enger gefaßte Untersuchung von J. de Vries, in der der Verfasser Baeseckes frühere, auf germanischer und frühgeschichtlicher Überlieferung aufbauende Schematisierungsversuche durch Beschränkung auf Brautwerbung, d. h. Ausschluß von Salomon- und Hildetypus wie Brautraub, zu präzisieren suchte[246]). Der Fortschritt besteht v. a. auch darin, daß mit den von Frings und Braun durchgeführten Untersuchungen zugleich wichtige Einblicke in die literarische Technik eines bestimmten Literaturtyps gewonnen werden. Das Einleitungskapitel der Brautwerbungsabhandlung umreißt den kompositorischen Vorgang so[247]): vom gewählten Thema (z. B. »Brautwerbung«) führt der Weg zum Handlungsschema (»Schwieriger Auftrag«), von dort zum Motiv (Teilthema), das mit anderen Motiven zur »Motivkette« zusammentritt, die als »der individualisierende Faktor im System der Gestaltungsmittel« zu gelten hat (S. 6). Vom Motiv geht der Weg dann zur Handlungsformel (Teilschema), im ganzen also vom Inhaltlichen zum Formalen zweimal in einer »gebrochenen Linie« verlaufend (S. 7). Die Verfasser demonstrieren weiterhin in einer vorläufigen Ordnung des Materials die mannigfaltigen Möglichkeiten der Verknüpfung und Vertauschung nicht nur innerhalb dieser beiden Kategorien, sondern auch von einer zur anderen, immer im Bereich mündlicher Überlieferung. All das veranlaßte nun Frings, sich im Zusammenhang mit einer Übertragung seiner Resultate auf die Genese der deutschen »Spielmannsepen« gegen »die neue Lehre« (Spielmannsepen, S. 311) Panzers und der Nachfolger zu wenden bzw. einen Ausgleich zwischen den herrschenden Haupttheorien zu suchen: »Nach- und Nebeneinander von Epenentwicklung und Epenschöpfung« (S. 310), – Bédier und Heusler haben recht ('Europäische Helden-

---

244) Saga und Wikinglied, PBB 56 (1932), S. 321–345, S. 338.

245) Vgl. u. S. 53. Liselotte Hofmann (Der volkskundliche Gehalt der mittelhochdeutschen Epen von 1100 gegen 1250, Diss. München, Zeulenroda 1939) wertet volkskundlich aus, trägt also zu dieser Frage ebensowenig bei wie F. Kondziella (Volkstümliche Sitten und Bräuche im mittelhochdeutschen Volksepos, Breslau 1912; S. 104 ff. aber ein paar interessante Anmerkungen).

246) Die Brautwerbungssagen, GRM 9 (1921), S. 330–341, 10 (1922), S. 31–44. Diese Klassifizierung, die v. a. der Klärung der Ursprungsfrage dienen sollte, war von R. C. Boer in seinen Untersuchungen über die Hildesage, ZfdPh 40 (1908), S. 1–66, 184–218, 292–346, S. 307 ff., gerechtfertigt worden. Gegen Baeseckes in der Vor- und Frühgeschichte vorgetragene Konzeption frühmittelalterlicher Vorstufen stellt Frings in seiner Rez. (DVjschr 19 [1941], Referatenheft, S. 137–167, S. 166) fest: »Uralt« ist nur »Brautraub-Brautentführung«, anderes ist später angetreten. Baeseckes Vorstellung, es habe sich um »heitere Dichtung neben der tragischen« gehandelt (Das heutige Bild des Althochdeutschen, ZfdB 11 [1935], S. 78–90, S. 80), und Andeutungen R. Stumpfls (Kultspiele der Germanen als Ursprung des mittelalterlichen Dramas, Berlin 1936, S. 184) aufgreifend, kommt F. R. Schröder zur Annahme »mythisch-ritueller« Herkunft »dieser dichterischen Überlieferungen« (Ursprung und Ende der germanischen Heldendichtung, GRM 27 [1939], S. 325–367, S. 346; vgl. ders., Die Sage von Hetel und Hilde, DVjschr 32 [1958], S. 44); sie müßte aber erst durch eine genauere Unterscheidung zwischen Brautraub und Brautwerbung diskutierbar gemacht werden. Die gelegentlich in Bibliographien auftauchende Arbeit von Ilse Kospoth, Das Brautwerbungsschema des mittelhochdeutschen Spielmannsepos, Leipzig 1932, ist eine längst nicht mehr zugängliche Staatsexamensarbeit.

247) Dieser Teil der Abhandlung jetzt erneut in M. Braun, Das serbokroatische Heldenlied, Göttingen 1961, S. 131 ff. Wesentliches über Kompositions- und Lebensweise des Liedes hat schon J. Meier, Werden und Leben des Volksepos, Halle 1909, gesagt.

dichtung'). Aus Liedern entsteht das Kurzepos (der Ro bewirkt dann wieder eine Umbiegung der Hildegeschichte), aus diesem durch Schwellung und Zufügung das »spielmännische Doppelepos« (Salm), ein Typ, der (mit Heusler) dann für 'Nibelungenlied' und 'Kudrun' Vorbild wird (Spielmannsepen, S. 319f.). Für den Er ist im Episierungsprozeß das Vorbild des 'Girard' entscheidend (S. 310). Anderes, wie der Ur-'Herbort', entsteht in noch stärker schematisierter Form im gleichen Zeitraum und in gleicher Weise[248]. All das ist Werk und Tradition des Spielmanns (S. 311f.), aber Osw und Or entstehen dann schon direkt als »Epenschöpfung«, in Stil und Schema der »Spielmannsepik«, sie sind »Nachfahren« (S. 319).

Während Schneider später Panzers weitgehenden Schlüssen auf Entlehnungen des 'Nibelungenlieds' aus französischen und anderen Quellen (oben Anm. 153) widersprach (Euphorion 45 [1950], S. 493–498), stimmte Frings methodisch wie weitgehend auch sachlich zu[249]. Das 'Nibelungenlied' rückt für ihn mit seinen Vorstufen in den Nordwesten und dort mit dem »rheinischen Spielmannsepos« zusammen: »daher die Verwandtschaft mit Rother und Orendel« (Nachwort, S. 499). Hier würde auch die motivliche Nähe des Or (oben Anm. 80) und des Ro zur *Chanson de geste* gut erklärbar (Panzers Beispielen fügt Frings [Raoul, S. 110] Pflege und Freilassung des gefangenen Bernier hinzu). Lothringen »war ein natürlicher Vermittler auch der literarischen Gebilde« (ebd., S. 116); das hat in diesem Sinn für Er und Ro und den frühhöfischen Roman schon G. Rosenhagen bemerkt[250]. (Vgl. oben S. 48.)

Frings' und Brauns Untersuchungen haben eine neue Plattform für die Erforschung des ganzen Gebiets geschaffen, von der aus sich verheißungsvolle Durchblicke, aber bei weitem keine endgültigen Einsichten ergeben. Die Einwände beginnen bei der Tatsache, daß weder die russische noch die serbokroatische Heldendichtung zum nicht mehr nur reihenden Epos vorstößt[251]), wir also nicht ohne weiteres berechtigt sind, direkte Rückschlüsse auf die Genese der deutschen Epen zu ziehen. D. v. Kralik hatte schon, bevor diese Frage akut wurde, seine Position im Streit um Epenentwicklung und Epenschöpfung so festgelegt[252]): »die Tradition der Spielleute« ist notwendige Voraussetzung der »Spielmannsepik« wie der Heldenepik (S. 180), aber sie liefert nur den Stoff; die »Spielmannsepen« selber sind von Geistlichen verfaßte »weltliche Buchepen« (S. 172), also allesamt Nachfahren. Der Übergang von Mündlichkeit zu Schriftlichkeit ist in der Tat im Zusammenhang immer noch nicht hinreichend beachtet (s. unten S. 61). Die von Frings und Braun so klar herausgestellte handwerkliche Schematik im Dichtungsvorgang ist im Bereich mündlicher Tradition u. U. als entscheidendes literar-historisches Kriterium zu akzeptieren; man begäbe sich aber von vornherein eines wichtigen Interpretationswerkzeuges, wollte man bei der so relativ früh schon schrift-

---

[248]) Frings, Herbort, bes. S. 34ff. In diese Richtung deutet schon W. v. Unwerth, Eine schwedische Heldensage als deutsches Volksepos, Arkiv N.F. 31 (1919), S. 113–137, bes. S. 130ff.

[249]) Nachwort zu Panzers Aufsatz: Nibelungische Ketzereien I, PBB 72 (1950), S. 463–498, S. 498–500; Raoul de Cambrai und die deutsche Heldendichtung, in: Romanica. Festschrift Fr. Neubert, Berlin 1948, S. 107–116.

[250]) Der Geist des deutschen Mittelalters in seinem Schrifttum und seiner Dichtung, Frankfurt 1929, S. 93f.

[251]) Die Verfasser glauben allerdings (mit R. Trautmann) Ansätze dazu zu erkennen (Brautwerbung, S. 49). Im übrigen wird man für diese Frage die Publikation weiterer Teile der Sammlung M. Parrys abwarten müssen (s. u. Anm. 283).

[252]) Deutsche Heldendichtung, in: Das Mittelalter in Einzeldarstellungen (ed. H. Leitmeier), Leipzig u. Wien 1930, S. 168–193 (hier schließen die von Kralik betreuten Diss. von Schreiber [o. Anm. 54] und Schwendenwein [u. Anm. 318] an). S. 193 unterscheidet Kralik anhand der 'Kudrun' »Brautwerbungstragödien und Brautwerbungskomödien« (vgl. o. Anm. 246).

lich überlieferten deutschen Epik darüber die Möglichkeit bewußter und individueller Handhabung dieser Schematik ausschalten.

Frings' ganze Theorie hängt eng zusammen mit seinem Glauben an den Spielmann als Träger und Dichter, der aber aus der an sich sachlich völlig richtigen Ausweitung des Stoffgebiets nicht so ohne weiteres gerechtfertigt werden kann. Vielleicht ist es geradezu das Hauptcharakteristikum aller »Spielmannsepen«, daß sie weder »spielmännisch« komponiert noch »Nachfahren« sind, vielmehr in jeweils anderem Maß und mit jeweils anderer Wirkung aus der Spannung leben, die zwischen »traditioneller« Kompositionsweise mit weitgehender Selbständigkeit der Erzählformen und des Stofflichen und einem neuen Willen zu zeitgenössischer Thematik und zur Überwölbung der Erzählung durch einen Gesamtplan entsteht.

Davon im einzelnen später. Hier sei nur noch die Frage der Handlungsverdoppelung angerührt. Ein einfacher Hinweis auf die – an sich ja gar nicht zweiteilige – Legendenform (Frings, Spielmannsepen, S. 319) oder auch formbewußte Doppelung in der 'Crescentia' (Schwietering, Literaturgesch., S. 92; Bahr, S. 206) genügt nicht. W. J. Schröder hat in Weiterführung seiner am 'Parzival' entwickelten Gedanken die Doppelung als ganz unnaive strukturelle Nachbildung der »Dualität von Welt und Überwelt« (König Rother, S. 317; s. unten S. 74) verstanden, damit aber, wie mir scheint, zu statisch. Richtig ist, daß man formgeschichtlich weiter ausgreifen muß. W. T. H. Jackson sieht das den deutschen »Spielmannsepen« und Chrestiens Romanen Gemeinsame und bemerkt: »the whole construction of 'Yvain', then, is consciously determined by two factors – a tradition of a dipartite structure in the works of the 'conteurs', and the posing of a moral problem of conflicting duties which is solved by demoralization, recovery, suffering, and attainment of balance«[253]. Hinzuzufügen wäre aber, daß in diesem Kunstbereich die Strukturen dann doch komplizierter und vieldeutiger werden, daß Chrestien und stärker noch Hartmann über der Zweiteiligkeit jedenfalls einen dreiteiligen Aufbau errichten. Gellinek sieht etwas Ähnliches schon im Ro. Der Ro-Dichter kann ihm zufolge dabei schon auf eine um einiges ältere, in orientalischer Literatur entwickelte (Frings, Reuschel) Doppelform zurückgreifen (oben S. 33 f.), »eine Sonderform des Erzählens, die auf der Verdoppelung des Schemas beruht, welche ihrerseits auf zwei nicht mehr als ähnlich empfundene Geschichten zurückgeht« (S. 103). Im einzelnen ist diese Quelle nicht bekannt (S. 126). Für andere Epen mit gedoppelter Handlung läßt sich aber noch weniger eine Dublettenvorgeschichte aufzeigen, und unsere ganze bisherige Erfahrung mit dem genre zeigt, daß die Stoffe eher als Motive und im Rahmen kleinerer Handlungsgerüste tradiert wurden. Es sei auch zum Abschluß dieses Kapitels auf eine wichtige, durch deutsche Übersetzung allgemein zugängliche Abhandlung V. Schirmunskis hingewiesen[254], in der dieser unter nachdrücklicher Betonung soziologischer und folkloristischer Aspekte (S. 38 f.) bei Brautwerbung und anderen heldenepischen Inhalten und Formen (»Sujets«) immer wieder nicht nur bei Einzelmotiven (wie H. Schneider), sondern auch bei Motivketten und Schemata die Möglichkeit »typologischer« gegen die »genetischer« Ähnlichkeit

---

[253]) The Literature of the Middle Ages, New York–London 1962³, S. 109. Zu Hartmanns 'Erec' de Boor 2, S. 69, zu 'Yvain'/'Iwein' P. Wapnewski, Hartmann von Aue, Stuttgart 1964², S. 60ff. Zum ganzen grundsätzlich R. Bezzola, Le sens de l'aventure et de l'amour, Paris 1947, und H. Stolte, Eilhart und Gottfried. Studie über Motivreim und Aufbaustil, Halle 1941.

[254]) Vergleichende Epenforschung 1, Berlin 1961. Weiterhin ist dem Nicht-Slavisten ein wichtiges Buch von V. Schirmunski und Ch. T. Sarifow durch W. Fleischer erschlossen: Das uzbekische heroische Volksepos, PBB (Halle) 80 (1958), S. 111–156.

stellt. Die Doppelung der Handlung bezeichnet er als »'zweiten Kreis'«, den er mit Märchentypen in Verbindung bringt (S. 56).

Simpler »Erzählerfreude« schreibt die Doppelung Ingeborg Benath zu, die unlängst »den Aufbau und die Motivverarbeitung« in drei »Spielmannsepen« minutiös vergleichend auf der Basis der Frings'schen Ergebnisse analysiert hat[255]). »Im Hintergrund steht dabei die Frage nach dem für das Spielmannsepos Charakteristischen und Typischen, ohne daß jedoch eine Abgrenzung etwa von den sog. 'Volksepen' vorgenommen und eine Definition des Spielmannsepos gegeben werden soll« (84, S. 312). Ganz entsprechend dieser Formulierung wird denn auch kein konkretes Ergebnis sichtbar, wenn die Arbeit auch als wertvolle Grundlage weiterer Überlegungen zu Einzelfragen anzusehen ist (s. unten zu Or und Salm). »Die Untersuchung der Form allein ergibt kein eindeutiges Unterscheidungsmerkmal« (85, S. 415). Trotzdem glaubt die Verfasserin die Einheit der Gruppe aufrechterhalten zu sollen; wie, das wird allerdings nie recht deutlich, auch mit dem Rückgriff auf Vogt nicht, der »weniger den Aufbau, sondern die 'Wahl verwandter sagenhafter Stoffe' als das wesentlichste Gemeinsame ansieht: 'erst in der Gestaltung und Weiterbildung dieses überkommenen Materials gelangt ihre eigentliche dichterische Tätigkeit zu übereinstimmendem Ausdruck'« (85, S. 416). Soweit Vogts dictum Stoffwahl und Motivverarbeitung betrifft, hat es aber doch die Verfasserin selbst widerlegt – was nach Frings' Ergebnissen kaum überrascht –, und mit einer abschließenden Andeutung über »Besonderheiten der sprachlichen Formulierung« (ebd.) scheint sie an eine Stilbetrachtung anknüpfen zu wollen, die doch auch gerade die vielfältige Verflechtung der »Spielmannsepik« mit den verschiedensten literarischen Typen des 12. und 13. Jahrhunderts demonstriert hat.

b) Sprachstil

Der Begriff der sprachlichen »Formel« wie der damit zusammenhängende Begriff der Wiederholung ist dabei in der Forschung, die hier v. a. an die germanische Dichtung anknüpft, im allgemeinen recht locker gebraucht worden[256]), was – vor dem Hintergrund älterer mündlicher Tradition und zeitgenössischer mündlicher Lebensform eines großen Teils der Literatur – auch durchaus nicht als Manko zu betrachten ist, solange Klarheit über diese Tatsache besteht. Auch in diesem Bereich ist natürlich

---

[255]) Vergleichende Studien zu den Spielmannsepen König Rother, Orendel und Salman und Morolf, PBB (Halle) 84 (1962), S. 312–372 (hier S. 319 bzw. 312 die Zitate), 85 (1963), S. 374–416.

[256]) Formeln sind gesammelt in den Anmerkungen zu den verschiedenen Ausgaben, dazu für Salm, Or und Ro gesondert noch in der ihrem genannten Aufsatz zugrunde liegenden Diss. I. Benaths (Masch. Leipzig 1962). Die wohl umfangreichste Sammlung existiert größtenteils nur handschriftlich, der Rest in Maschinenschrift: W. Freitag, Die epische Formel in der frühmittelhochdeutschen Dichtung, Diss. Marburg 1923. Ehrismann (S. 289 f.) macht erschöpfende Angaben zur älteren Literatur; Benath gibt (84, S. 316) eine kleine, etwas zufällige Auswahl. Es fehlt dort vor allem die materialreiche Abhandlung von A. Daur, Das alte deutsche Volkslied nach seinen festen Ausdrucksformen betrachtet, Leipzig 1909. Besonders hingewiesen sei auf J. Lindemann, Über die Alliteration als Kunstform im Volks- und Spielmannsepos, Diss. Breslau 1914, und Fr. Bode, Die Kampfesschilderungen in den mittelhochdeutschen Epen, Diss. Greifswald 1909 (S. 297 ff.: »Spielmannsepen« sowie 'Virginal' und 'Wolfdietrich' [A und B]). Über den Formelbegriff und seine Geschichte in der germanistischen Forschung orientiert jetzt Marianne von Lieres und Wilkau, Sprachformeln in der mittelhochdeutschen Lyrik bis zu Walther von der Vogelweide, München 1965, S. 10 ff. Vgl. auch den Artikel Formel im Reallexikon I², S. 471–476, bes. S. 474 (H. de Boor – W. Mohr).

die Nähe zum Heldenepos von jeher aufgefallen[257]), die zur Geistlichendichtung des
11. und 12. Jahrhunderts dagegen erst von Reinicke und Naumann zusammenfassend hervorgehoben worden[258]). Naumann denkt in großen Zügen an eine stilistische Entwicklungslinie 'De Heinrico' – 'Georgslied' – 'Judith' – 'Physiologus' – 'Tobias' – 'Scopf von dem lône' – Osw/Or (Spielmannsdichtung, S. 267f.).
Die Ergebnisse der Untersuchungen zum Umkreis »Spielmannsepos«/»Volksepos« sind zumeist durch den Spielmannsbegriff vorbelastet. De Vries faßt in seiner Ro-Ausgabe Älteres zusammen (S. CVII ff.). Seine eigene Ansicht: »Spielmannsepos« sind nur Or/Osw/Salm (oben S. 48), der Er ist »Abenteuerroman«, der Ro vorhöfische Novelle (oben Anm. 160), auf die Heldenepik wie 'Nibelungenlied' und 'Kudrun' hinweisend. Leider ist ein jüngerer Darstellungsversuch von W. Thoss[259]), der S. 97f. zum ungefähr gleichen Ergebnis wie de Vries kommt, unzulänglich. Bezeichnend, daß die inzwischen erschienenen größeren Arbeiten von Kl. Fuss und K. zur Nieden hier überhaupt nicht erwähnt sind, obwohl der Verfasser sich gerade zu der Gruppe stellt, die die Spielmannsfrage auf dem Weg über den Stil lösen möchte.
Zur Nieden hat Naumanns Einwände gegen den Spielmannsbegriff durch eine stilistische Untersuchung zu entkräften bzw. zu modifizieren versucht, in der etwa 20 Kategorien des »Spielmannsstils« aufgestellt sind[260]). Über ihre Aussagekraft im einzelnen kann man sich streiten – Hyperbolik ist wohl für alle mittelalterliche Dichtung kennzeichnend, zu den Formeln ist einiges einzuwenden (s. unten), zu den Kategorien »Volksliedton« (S. 20), »Träume« (ebd.), »Märchenmotive« (S. 21) und Sentenzenstil bedarf es dessen kaum –, insgesamt ergibt sich aber doch das Bild einer relativ homogenen Literatursphäre, in der ähnlich wie bei Hünnerkopf »Spielmannsepos« und Heldenepos zusammenstehen, hier unter engeren stilistischen Gesichtspunkten, die die weitere Stellungnahme der Forschung zum Problem »Spielmannsepik« nicht unwesentlich mitbestimmt haben.
Eine ganze Reihe traditionell als Kennzeichen »spielmännischen Stils« angesehene Formeln sind auch in der Geistlichendichtung häufig, die hier wie in anderen Fällen als Schmelztiegel wirkt, aus dem dann sprachliche und stilistische Eigenheiten weiterfließen[261]). A. Blumenröder hat im Umkreis eines einzelnen Topos einiges zusammengefaßt[262]): die Berufung auf die Wahrheit des Ge-

---

[257]) Nach Daur steht es im Grad der Formelhaftigkeit zwischen der »Spielmannsepik« und der (nach Daur) die Formelhaftigkeit meidenden höfischen Epik (S. 7), repräsentiert demnach gewissermaßen den ersteren Typ, wie er sich unter Einfluß des letzteren gewandelt hat.

[258]) Einzelhinweise z. B. schon bei Wiegand (S. 102), Freitag (S. 2), Daur (S. 7) u. a. Vgl. auch W. Wilmanns, Leben und Dichten Walthers von der Vogelweide, Halle 1916², S. 3 mit entsprechenden Bemerkungen über 'Georgslied' und die 'Ältere Judith' (dazu die Wilmanns korrigierende Anm. V. Michels', S. 390).

[259]) Untersuchungen zum Stil der Spielmannsdichtung, Diss. Masch. München 1954. S. 99–150 ein Verzeichnis aller in den »Spielmannsepen« (Er ist ausgeklammert: vgl. u. Anm. 272) vorkommenden attributiven Adjektiva, S. 72–85 eine entsprechende Zusammenstellung der Zahlen.

[260]) Über die Verfasser der mittelhochdeutschen Heldenepen, Diss. Bonn 1930. Es werden dabei Ro, Or, 'Nibelungenlied', 'Kudrun', 'Biterolf', 'Alpharts Tod', 'Ortnit', 'Wolfdietrich A', 'Laurin' und 'Rosengarten' behandelt. Zum Soziologischen s. u. S. 93.

[261]) Mit einer relativ großen Anzahl von Parallelversen steht hier der Or der Geistlichendichtung am nächsten, ist das einzige in unserem Zusammenhang gehörende Ergebnis der Arbeit Regine Strümpells, Der Parallelismus als stilistische Erscheinung in der frühmhd. Dichtung, PBB 49 (1925), S. 163–191, S. 188.

[262]) A. Blumenröder, Die Quellenberufungen in der mittelhochdeutschen Dichtung, Diss. Masch. Marburg 1922.

sagten gehört schon zum Stil »der gesamten altgermanischen und der übrigen westeuropäischen Dichtung« (S. 128); die hierher gehörende (fingierte) Quellenberufung läßt sich bis in die Antike zurückverfolgen [263]; später gesellt sich ihr die kurze predigthafte Berufung zu (S. 130), ohne daß im 12. Jahrhundert dann im einzelnen noch genau nach Provenienz zu scheiden wäre. Letzteres wird man sowohl gegen Blumenröders detaillierten Gliederungsversuch nach Herkunftsbereichen (S. 132) als auch gegen Wetters Herleitung der ausführlichen Buchberufungen aus dem Französischen (S. 19 ff.) einwenden dürfen. Öfter mögen sich im übrigen Berufungen in »Spielmannsepen« einfach »auf die nachfolgende Dichtung selbst« (Blumenröder, S. 78) beziehen; dazu paßt die ihnen mit anderen Epentypen gemeinsame Wendung *hie hat daz buoch ein end* [264]. Auch die Aufforderung zum Zuhören bzw. die Bitte um Ruhe ist germanisch bzw. antik [265] und zu Unrecht v. a. in der Diskussion um Entstehung und Träger des mittelalterlichen Dramas immer wieder im Sinn spielmännischen Ursprungs gedeutet worden. Eva Mason kommt zu dem Schluß, daß vielmehr der Dramatiker damit (bei besonderer Nähe zur Predigt) auf einen in mehreren Schichten literarischer Tätigkeit anzutreffenden Formelschatz zurückgreift [266]. Gemeinsam ist immer die stilistische Haltung unmittelbaren mündlichen Vortrags in engem Kontakt mit dem Publikum, die sich z. B. auch im Hervortreten des Autors in Ich-Form, epischer Vorausdeutung [267] etc. äußert. Zu leicht stellt sich, wenn dies nicht beachtet wird, ein schiefer Begriff vom »Spielmännischen« ein, so in den oft begrifflich vage formulierenden und zu allgemein gehaltenen 'Studien zur Kaiserchronik' (Leipzig/Berlin 1930) von Martha Maria Helff, in denen immer wieder »Predigthaftes für spielmännischen Redestil und alte biblische und legendäre Wendungen und Motive für spielmännische Hyperbolik in Anspruch genommen werden« [268]. Dabei kommt die Verfasserin aber zu im ganzen richtigen Einsichten in den Zusammenhang, wenn sie in der 'Wiener Genesis' und dann erst recht in der 'Kaiserchronik' schon die Formen und Formeln erkennt, mit denen die »Spielmannsepik« auch arbeitet [269]. Dieser stilisti-

---

[263]) Fr. Wilhelm, Über fabulistische Quellenangaben, PBB 33 (1908), S. 286–339, S. 325 ff.; K. Burdach, Über den Ursprung des mittelalterlichen Minnesangs, Liebesromans und Frauendienstes, in: Vorspiel I, 1, Halle 1925, S. 253–333, S. 285, Anm. 2 (zuerst BSB 1918): (mit besonderem Bezug auf die »Spielmannsromane«) als literarisches Zwischenglied kommt die Legende in Frage. S. u. S. 71 f.

[264]) Belege bei Käthe Iwand, Die Schlüsse der mittelhochdeutschen Epen, Berlin 1922, S. 66 ff.

[265]) H. Schreiber, Studien zum Prolog in mittelalterlicher Dichtung, Würzburg-Aumühle 1935, S. 10. Dort die feine Beobachtung: »liturgisch, im Stile einer Weihnachtsantiphon, beginnt 'Orendel'«.

[266]) Prolog, Epilog und Zwischenrede im deutschen Schauspiel des Mittelalters, Diss. Basel, Affoltern 1949, S. 54 ff., 98 ff., 128 ff. mit Literatur und vielen Beispielen.

[267]) Hierzu A. Gerz, Rolle und Funktion der epischen Vorausdeutung im mittelhochdeutschen Epos, Berlin 1930. B. Wachinger, Studien zum Nibelungenlied, Tübingen 1960, gibt S. 153 ff. gegliederte Listen von formelhaften Erzählervorausdeutungen aus Heldenepos, höfischer, geistlicher und spielmännischer Epik.

[268]) E. Fr. Ohly, Sage und Legende in der Kaiserchronik, Münster 1940, S. 5 f.

[269]) Bes. S. 9; zu einzelnem s. S. 40 ff. Für die sich hier anschließende Arbeit Elisabeth Färbers, Höfisches und 'Spielmännisches' im Rolandslied des Pfaffen Konrad, Diss. Erlangen 1934, gelten die oben geltend gemachten Vorbehalte in noch höherem Maß. Die Verfasserin versteht ihre Resultate im übrigen im Sinn der »geistlichen Propagandadichtung« Naumanns; E. Sitte (o. Anm. 160) möchte die stilistische Gemeinschaft Ro/'Rolandslied'/'Kaiserchronik' (das geht letzten Endes auf Scherer zurück) / 'Alexanderlied' so interpretieren, daß, nachdem der Geistliche vom Spielmann gelernt und das Gelernte in Buchepen niedergelegt hat, nun der Spielmann, vom Geistlichen geführt, zum Buchepos vorstößt (S. 71 ff., S. 116 ff.).

sche Zusammenhang ist seither von J. Bahr methodisch genauer und einsichtiger begründet worden (s. unten). Manches, wie die biblische Zahl 72, die in den »Spielmannsepen« zum Inbegriff der erlebnismäßigen, Christliches und Heidnisches umschließenden Weite wird [270]), konnte kontinuierlich weiterentwickelt werden, manches wird gebrochen, anderes, wie z. B. die lateinischen liturgischen Einschiebsel, verschwindet ganz [271]). Mit dem Hervortreten des Verfassers ist im Stilistischen auf der anderen Seite eine deutliche Beziehung zur frühhöfischen und höfischen Epik gegeben. Im 'Tristrant' zählt A. Schaflitzel nicht weniger als 125 solche Stellen [272]). Von Wolfram weiß man seit langem, daß er in Art und Grad seiner sprachlichen Formelhaftigkeit stark auf das 12. Jahrhundert zurückgreift (E.-L. Matz; s. aber oben Anm. 228) und insgesamt sein Stil »eine Beeinflussung durch den Lamprechts und der Dichter der Spielmannsepen erfahren« hat [273]). Für die 'Krone' Heinrichs von dem Türlin belegt E. Gülzow ausführlich das stilistische Hervortreten des Verfassers [273a]), das nach dem oben Ausgeführten aber auch nur bedingt als »spielmännisch« zu bezeichnen ist. Stilistische Untersuchungen, die beim höfischen Epos ansetzen, wie die A. van der Lees, sind andererseits öfter durch einen Gesamtstilbegriff vorbelastet, der zumindest in Osw, Or und Salm von vornherein nur den »niedrigen, nachlässigeren Spielmannsstil« (S. 4) und dann das Gemeinsame überhaupt nicht mehr sieht [274]). Gerade einige der von van der Lee herangezogenen Kriterien, bildhafter Ausdruck, Pleonasmus, Vor- und Rückweisung, demonstrieren die Mängel einer solchen Haltung; Hartmanns lange Reden an sein Publikum sind ohne einen Blick auf die von der »Spielmannsepik« insgesamt geschaffenen Voraussetzungen wohl auch nicht ganz richtig zu verstehen (anders van der Lee, S. 151 f.). Eine umfassende Untersuchung von H. J. Bayer über die »sprachliche Gestalt der mittelhochdeutschen Epik in unmittelbarer Beziehung zu ihrem Gehalt« ([oben Anm. 184], S. 5) bestätigt Wolfram in der oben angedeuteten Position. Darin, daß Bayer den Begriff des höfischen Stils damit etwas aufzulockern vermag, besteht sein Verdienst; Ro, Or und (unbegründet) der W. Osw sind in die Betrachtung mit einbe-

---

[270]) Vgl. Verf., S. 31 ff. mit Literatur (H. J. Weigand, The Two and Seventy Languages of the World, GR 17 [1942], S. 241–260, ist dort übersehen, ebenso K. Stackmann, Der Spruchdichter Heinrich von Mügeln, Heidelberg 1958, S. 43 f., mit Literatur).

[271]) Die solche Fragen behandelnde Masch. Diss. von Gertrud Wiech, Dolmetscherei in der weltlichen Epik des 12. Jahrhunderts, Tübingen 1952, wird leider durch unscharfe Argumentation und unzureichende Textkenntnis fast unbrauchbar.

[272]) Gehalt und Gestalt im vorhöfischen Epos, Diss. Masch. München 1950, S. 125. Er behandelt weiterhin 'Graf Rudolf', 'Trierer Floyris' sowie Er A (worauf später Thoss überhaupt nicht eingegangen ist).

[273]) Das ist das Ergebnis eingehender, von Fr. Dahms angestellter Vergleiche: Die Grundlagen für den Stil Wolframs von Eschenbach, Diss. Greifswald 1911, S. 118.

[273a]) Zur Stilkunde der Krone Heinrichs von dem Türlin, Leipzig 1914, S. 206 ff. Bis in die 'Reimchronik' Ottokars aus der Gaal sieht E. Kranzmayer (ohne nähere Angaben) solche Einflüsse hineinreichen: Die steirische Reimchronik Ottokars und ihre Sprache. WSB 226, 4, 1950, S. 59, Anm. 56.

[274]) Der Stil von Hartmanns Erec, Diss. Utrecht 1950. Bei J. van Dam wird selbst mit Bezug auf den Ro eine solche Haltung deutlich; daß »zwischen der Eneide und dem Rother keinerlei Verbindung« zu bestehen scheint, wird u. a. damit erklärt, daß der höfische Dichter mit »der etwas derbern, leichtsinnigern und flottern Anschauung der Spielleute« vielleicht nichts habe anfangen können: Vorgeschichte des höfischen Epos. Lamprecht, Eilhart, Veldeke, Bonn u. Leipzig 1923, S. 77. In diese Kategorie ist auch K. Ständer einzureihen: Das Stilmittel des Zeugmas entgegengerichteter Begriffe in der mittelhochdeutschen Epik, Diss. Frankfurt, Witten 1931 (vgl. S. 16, 62 f., 74). Zur Methodik solcher Untersuchungen mit Blick auf das Höfische gute Bemerkungen bei Wapnewski (o. Anm. 253), S. 25 f.

zogen (ohne daß dabei die Arbeiten Teubers und Bahrs beachtet wären), der Er ist etwas eingehender untersucht (s. oben). Allgemein ergibt sich dabei, daß alle sich ohne weiteres in die 2. Hälfte des 12. Jahrhunderts einordnen lassen. (Die umfassende Stilgeschichte der ganzen Zeit, die allein eine genaue Klärung dieser Fragen ermöglichen würde, bleibt noch zu schreiben. Jetzt, wo der Boden hie und da etwas gelockert ist, sollte das eher möglich sein.) Daß in der Entwicklung der direkten Rede bzw. deren Häufigkeit, ein Gebiet, auf dem die »Spielmannsepik« aus ihrer primär erzählenden Grundhaltung (s. unten) heraus einen größeren Schritt vorwärts tut[275]), enge Verwandtschaft zu 'Kaiserchronik' und 'Rolandslied' einerseits, dem 'Iwein' andererseits besteht, hat auch Thoss (S. 37) bemerkt. Im Prolog des höfischen Epos zeigt sich andererseits schon ein prinzipieller Unterschied im Verhältnis der Verfasser zu ihrem Stoff, wenn man auch die Eigenart der »Spielmannsepen« (und Heldenepen) kaum mit einer Kategorie »Gedichte ohne Einleitung«[276]) erfaßt. Schreiber betont denn auch durchaus die Rolle der Eingangspassagen in Or und Salm als vorausweisende, auf das Gesamtwerk bezogene, separate Erzähleinheiten (S. 10 f.), was für den Salm etwas zu modifizieren sein wird. Der Er-Prolog schickt dieser Vorskizze (31–56) schon Bemerkungen über den Erzählzweck voraus (1–30). Gegen Schreiber (S. 12) möchte ich dies vorwiegend der Bearbeitung B zuschreiben; als Gegenbild des abenteuernden Ritters ist hier nicht der Bauer gemeint, sondern der verbaute Ritter (Landjunker), den auch Gawan im 'Iwein' dem Helden so anschaulich vor Augen führt. Osw und Ro beginnen mitten im Geschehen, in ganz ähnlicher Weise. Gerade im Bereich der Einleitung wäre für die genauere Differenzierung nach außen und innerhalb der Gruppe noch viel zu gewinnen.

Fragen des sich wandelnden Verhältnisses zum Stoff sind auch von J. Schwietering in seiner Göttinger Dissertation angerührt worden: *singen unde sagen* beziehe sich, anders als in der Geistlichendichtung, in der »Spielmannsepik« nicht auf den Inhalt, sondern die Form[277]). Aber als eigentlich singbar gelten Schwietering diese Epen dann doch nicht (S. 41). Das ist nach den Erörterungen von K. H. Bertau und R. Stephan zumindest für den Salm stark zu bezweifeln[278]). Wie paßt *singen* im Or hierher? Keinesfalls als Ausdruck durch Überarbeitung verdeckter ursprünglicher Strophigkeit[279]). Gelegentliche Langzeilen und Ansätze zur Strophigkeit erklären sich teils aus der Komposition in Formelgruppen (ähnlich de Boor), teils aus dem allmählichen Übergang von der Strophe zum Verspaar (vgl. oben S. 22). So ist für die »Spielmannsepen« auch Fr. Maurers Theorie der Langzeilenstrophen zu beurteilen[280]), die er zuletzt allerdings nur noch für den Ro als beweisbar betrachtet (s. oben S. 28).

---

[275]) W. Schwartzkopff, Rede und Redeszene in der deutschen Erzählung bis Wolfram von Eschenbach, Berlin 1909, S. 46 f. Vgl. u. Anm. 293.

[276]) R. Ritter, Die Einleitungen der altdeutschen Epen, Diss. Bonn 1908, in Abschnitt C (ähnlich für den Epilog Iwand, S. 64 f., Anm. 36). Ritter streicht dabei allerdings den Or-Prolog (S. 85).

[277]) Singen und Sagen (1908), S. 14, 17 f. (mit Belegen über diese doppelte Tätigkeit von Spielleuten).

[278]) Zum sanglichen Vortrag mhd. strophischer Epen, ZfdA 87 (1956/57), S. 253–270.

[279]) Baesecke und Pogatscher (o. Anm. 36 bzw. 132) haben unter ganz verschiedenen Gesichtspunkten die Strophentheorie ins 20. Jahrhundert verpflanzt. De Boor lehnt allgemein, Teuber (S. 160) speziell für den Or ab.

[280]) Über Langzeilen und Langzeilenstrophen in der ältesten deutschen Dichtung, in: Beiträge zur Sprachwissenschaft und Volkskunde. Festschrift für Ernst Ochs, Lahr 1951, S. 31–52, S. 48 ff. (jetzt auch in: Fr. Maurer, Dichtung und Sprache des Mittelalters, Bern u. München 1963, S. 174 ff., und in erweiterter Form an der o. Anm. 141 genannten Stelle).

In grundsätzlicher Weise setzt sich mit der Frage des Verhältnisses von Kompositionstechnik und Vortrag eine Forschungsrichtung auseinander, die in den allgemeineren Rahmen der vergleichenden Epenforschung gehört. Sie hat mit der deutschen »Spielmannsepik« im Ausgangspunkt nichts zu tun, wird in Zukunft aber auch in diesem Zusammenhang nicht mehr zu übergehen sein. Einige kurze Hinweise müßten genügen, um dies deutlich zu machen [281]).

Als 1933 ein erster Aufsatz M. Brauns zur serbokroatischen Volksepik erschien (oben Anm. 28), hatte gerade der amerikanische Gräzist M. Parry den zweiten Teil seiner Abhandlung 'Studies in the Epic Technique of Oral Verse-Making' veröffentlicht [282]) und damit die Besinnung eingeleitet, die später Frings in dem mit Braun gemeinsam verfaßten Heldenlied-Aufsatz (S. 289) der Homerforschung nahelegte. Und als diese sich auf ältere schriftliche Aufzeichnungen von Heldenliedern stützende Arbeit gedruckt wurde, war Parry mit seinem Schüler A. B. Lord in Jugoslawien, um dort weiter den Vorgang des heldenepischen Singens zu studieren. Sein pragmatisches Vorgehen entsprang dem Wunsch, eine Methode zu finden, »which consists in defining the characteristics of oral style« (zitiert von Lord, Serbocroatian Heroic Songs, S. 4), und führte ihn und Lord zur Darstellung eines Systems mündlichen epischen Ausdrucks im Vers, als dessen Hauptcharakteristika Formelhaftigkeit und Mangel an Enjambement erkannt sind. Der einzelne Sänger trägt nicht auswendig vor, sondern er reproduziert, d. h. variiert aus seiner Beherrschung einer regelrechten Grammatik aus Formeln und Formel-»Systemen« heraus, – »a grammar superimposed, as it were, on the grammar of the language concerned« (Lord, The Singer of Tales, S. 36). »The essential feature of such poetry is its oral form, and not such cultural likenesses as have been called 'popular', 'primitive', 'natural' or 'heroic'« (Parry, Whole Formulaic Verses, S. 179), und, »what is important is not the oral performance but rather the composition during oral performance« (Lord, S. 5) [283]). Die Begriffe Original und Kopie gelten in diesem Bereich nicht, »oral learning, oral composition, and oral transmission almost merge; they seem to be different facets of the same process« (ebd.). Nach Parry und Lord bedeutet das auch: schriftliche und mündliche Komposition »are mutually exclusive« (Lord, S. 129).

Hauptsächlich auf zwei Gebieten der Forschung zur mittelalterlichen Literatur haben diese Untersuchungen weitergewirkt: in der älteren Anglistik, beginnend

---

[281]) Eine ausführlichere Diskussion (mit Bibliographie) findet sich in meinem Aufsatz: Oral Poetry in Mediaeval English, French, and German Literature: Some Notes on Recent Research, demnächst im Speculum. H. Fromm gebührt das Verdienst, im Rahmen der Forschung zur »Spielmannsepik« zuerst auf J. Rychners Arbeit (u. Anm. 285) hingewiesen zu haben (u. Anm. 341). Im allgemeinen sind derartige Ausblicke seit den Arbeiten von Th. Frings selten geworden.

[282]) Teil 1: Homer and Homeric Style, Harvard Studies in Classical Philology 41 (1930), S. 73–147; Teil 2: The Homeric Language as the Language of an Oral Poet, ebd. 43 (1932), S. 1–50. S. ferner: Whole Formulaic Verses in Greek and Southslavic Heroic Song, Transactions and Proceedings of the American Philological Association 64 (1933), S. 179–197. Parrys und seine eigenen darauf aufbauenden Ergebnisse faßt zusammen A. B. Lord, The Singer of Tales, Cambridge 1960. Er gibt auch das gemeinsam gesammelte Material heraus: (neben der Ausgabe in der Originalsprache) Serbocroatian Heroic Songs 1, Cambridge/Belgrad 1954. A. B. Lords Buch ist inzwischen auch als »paper-back« mit seitengetreuem Abdruck erschienen: New York 1965.

[283]) Diese additive Technik der ad hoc Reproduktion kann offenbar zu Epen von überraschender Länge führen. Man darf auf die Veröffentlichung der 12 000 Verse umfassenden 'Brautwerbung des Smailagić Meho' gespannt sein, die Parry zweimal aufgezeichnet hat (Lord, Serbocroatian Heroic Songs, S. 16).

mit Arbeiten F. P. Magouns [284]), und in der älteren Romanistik, beginnend mit J. Rychner [285]). Magouns auf die Anwendung der Beobachtungen Parrys und Lords gestützte Auffassung, mehr oder weniger das gesamte Corpus der angelsächsischen Poesie sei mündlich konzipiert und müsse deshalb unter völlig anderen Gesichtspunkten als bisher analysiert und interpretiert werden, hat eine Diskussion ausgelöst, die vor allem die Möglichkeit individueller Aussage im Rahmen einer solchen Kompositionsweise und das Problem der geistlichen Autorschaft in diesen Fällen (s. unten S. 93 f.) zum Gegenstand hat und im übrigen die alte Theorie, wörtliche Übereinstimmung bedeute Abhängigkeit, durch die Theorie unabhängiger Entstehung aus gemeinsamem Formelschatz ersetzt (man sammelt also wieder Formeln!). Das entspricht in vielem der oben beschriebenen schon länger zurückliegenden Diskussion um die Motive, und man geht denn auch hier allmählich schon zu dieser Frage über.

J. Rychner greift die Probleme der altfranzösischen *chansons de geste* etwas systematischer und umfassender an. Er betont in dem ganzen Fragenkomplex besonders die »conditions de diffusion« (S. 9) und damit »la situation sociale de l'épopée« (S. 22). Die *chansons de geste* werden mündlich konzipiert und überliefert, ihre Gliederung ist entsprechend additiv und ohne Gesamtplan. Die »jongleurs ne se souciaient pas plus que leurs auditeurs de l'unité de couleur, de style, de la cohérence narrative d'une œuvre insaisissable en son entier« (S. 47; diese Kompositionsweise wird in detaillierter Untersuchung der strophischen Struktur der *chansons* dargetan). Es gibt so viele Fassungen als es Sänger gibt (S. 33), die schließlich einsetzende schriftliche Überlieferung versteinert diese Pluralität. Das Aufschreiben ist in jedem Fall »un fait secondaire« (S. 35), trifft aber gelegentlich »avec un acte de création poétique« (S. 36) zusammen. Hier sieht man dann eine untypische, dramatische, dreiteilige Struktur: die der 'Chanson de Roland' (S. 40, 154). Inwieweit solche Gedanken auf andere Literaturbereiche zu übertragen sind, kann nur in einer Diskussion auf breiterer Grundlage entschieden werden. Mein oben (Anm. 281) genannter Aufsatz soll einen Versuch in dieser Richtung bringen. Dabei werden auch Ergebnisse der Forschung zur »Spielmannsepik« in die Debatte um mündlich-formelhafte Dichtung eingeführt, mit Blick v. a. auf die altenglische Literatur. Umgekehrt ergeben sich natürlich für die »Spielmannsepen«, selbst wenn man von der Frage der Verfasserschaft einmal absieht, eine Reihe neuer bzw. neu beleuchteter Diskussionspunkte. Die präziser formulierte Einsicht in die Natur der Formelhaftigkeit und des Wiederholungsvorgangs ergänzt und vertieft, was wir über Motivik und Schematik schon wissen [286]), wenn auch vielleicht immer noch nicht hinreichend schlüssig interpre-

---

[284]) Grundlegend: Oral-Formulaic Character of Anglo-Saxon Narrative Poetry, Speculum 28 (1953), S. 446–467. Letzte Beiträge zum Thema (mit der neueren Literatur): R. L. Kellogg, The South Germanic Oral Tradition, in: Franciplegius. Medieval and Linguistic Studies. Studies in Honor of Francis P. Magoun, Jr., New York 1965, S. 66–74 (Anwendung der Untersuchungsmethode auf den 'Heliand'!), und Fr. G. Cassidy, How Free was the Anglo-Saxon Scop?, ebd., S. 75–85.

[285]) La chanson de geste. Essai sur l'art épique des jongleurs, Genève-Lille 1955. Ähnliche Überlegungen hat Rychner im Zusammenhang mit der Gattung der kurzen Verserzählung vorgetragen: Contribution à l'étude des fabliaux. Variantes, remaniements, dégradations, Genève 1960. Vgl. jetzt H. Fischer, (ed.) Die deutsche Märendichtung des 15. Jahrhunderts, München 1966, S. XII.

[286]) Es sei noch die Beobachtung Fr. Wahnschaffes angefügt, in Heldenepik und »Spielmannsepos« gebe es »so gut wie gar keine schweren Enjambements« (Die syntaktische Bedeutung des mittelhochdeutschen Enjambements, Berlin 1919, S. 209 f.). Formelhaf-

tieren. Art und Grad der Formelhaftigkeit vermag in Zusammenhang mit anderen Elementen etwas auszusagen über das Maß, in dem ein Werk als »Literatur« entsteht (nichts allerdings über seinen soziologischen Ort!). Es kann so u. U. betrachtet werden als in mündlicher, »gebundener Improvisation« (M. Braun) entstanden – nach seiner Theorie der Kompositionsweise müßte Frings zumindest Salm und Ro hier einordnen –, oder als durchkomponiert. Entspricht das aber einem Gegensatz »nur mündliche Überlieferung« / »schriftliche Fixierung«? Wie steht es um die Möglichkeit bewußter Verwendung mündlicher Kompositionstechnik bei durchkomponiertem Bau?

Ganz gleich, wie die Fragen im einzelnen lauten mögen, daß wir bisher nicht präzise genug gefragt haben, erhellt schon daraus, daß die herrschende Meinung, es handle sich bei der »Spielmannsepik« von vornherein um Buchdichtung, keineswegs aus einer profunden Diskussion hervorgegangen ist. Sie ist deshalb denn auch, obwohl oft mit Selbstverständlichkeit von »Buchepos« gesprochen wird, da, wo sie etwas ausführlicher zur Sprache kommt, meist unscharf formuliert, wie etwa bei Ehrismann (S. 289; positiver und genauer bei de Boor, S. 251, und vorher Baesecke, Wiener Oswald, S. CV). H. R. Jauß hat in seinen 'Untersuchungen zur mittelalterlichen Tierdichtung' (Tübingen 1959) mit einer Gegenüberstellung des altfranzösischen und des mittelhochdeutschen 'Reinhart Fuchs' in einem einzelnen Schwank (vgl. oben S. 3 und unten S. 82) unser Gebiet schon von Rychners Seite her berührt. Sein beachtenswertes Ergebnis: »Vortragsdichtung« im Französischen, »Leseliteratur« im Deutschen (S. 142 ff.). Reflektiert die handschriftliche Überlieferung eine Mehrzahl von Bearbeitungen bzw. »Aufführungen« (eine solche Möglichkeit hatte immerhin schon Ehrismann an der genannten Stelle angedeutet)? Im Verhältnis Osw/W. Osw und Salm/Epilog des Spruchgedichts mag das zutreffen, vielleicht auch für die Überlieferung von Er A und Ro; andererseits geht aber die handschriftliche Überlieferung von Osw und Salm für sich genommen auf jeweils einen einzigen Archetypus zurück, und von da an sind die Denkmäler, wie die Eigentümerverhältnisse beweisen, »zerschrieben«, nicht ad hoc mündlich reproduziert und danach wieder aufgezeichnet worden. Immerhin ist diese Frage von grundsätzlicher Bedeutung, wie sich unlängst auch in der 'Nibelungenlied'-Forschung gezeigt hat (H. Brackert, Beiträge zur Handschriftenkritik des Nibelungenliedes, Berlin 1963).

Für Aufnahme und Verarbeitung einer solchen Diskussion sind wir außer durch die Ergebnisse der vergleichenden Epenforschung glücklicherweise ein wenig auch schon auf stilistischem Gebiet gerüstet, – durch einen bisher wenig beachteten Forschungsansatz, in dem man nicht die oben vorgeführte punktuelle Stilbetrachtung [287]) weitergepflegt, sondern versucht hat, das Stilphänomen näher an der Wurzel zu greifen, womit dann erst der Vergleich mit anderen epischen Erzähltypen des 12. und 13. Jahrhunderts wirklich sinnvoll würde. W. Matz untersucht einzelne Szenen aus der 'Chanson de Guillelme', aus Chrestiens 'Erec' wie 'Kudrun' und Salm auf ihr Zeitgerüst, die »Erstreckung der Verbalhandlung« hin [288]). Er-

tigkeit bedingt ja das Fehlen des Enjambements, und die formelhafte Wiederaufnahme eines Satzes in einer der nächsten Zeilen (bes. Or und Osw) schafft zugleich einen Ersatz.

[287]) Es wären noch zu nennen: W. Hawel, Das schmückende Beiwort in den mittelhochdeutschen volkstümlichen Epen, Diss. Greifswald 1908; E. Hüttig, Der Vergleich im mittelhochdeutschen Heldenepos, Diss. Jena, Halle 1930 (mit nur gelegentlichen Seitenblicken auf die »Spielmannsepik«).

[288]) Der Vorgang im Epos, Hamburg 1947, S. 13. Rez.: M. Wehrli, DLZ 71 (1950), Sp. 157–159.

gebnis: die Zeit ist nicht als Kontinuum behandelt; die zeitliche Folge kann vielmehr durch »Rückgriffe« unterbrochen werden, die etwas gleich zu Beginn Festgestelltes nachträglich erst aufbauen (S. 38 ff. zum 'Guillelme', S. 82 zur 'Kudrun'). Eine Szene wie die Ankunft Morolfs in Wendelsê (Salm 186–212) kann in einem »Ineinanderlaufen verschiedener Stränge« nacheinander unter verschiedenen Aspekten dargestellt werden (S. 69), oder der Erzähler kann aus einer noch nicht abgeschlossenen Szene heraus das Schicksal einer einzelnen Figur schon weiterverfolgen (S. 111 zu 'Kudrun' 1414, 4). All das gilt auch für die Kategorie des Raumes (S. 42 f.) und ist Teil einer Denk- und Anschauungsform, die adäquaten sprachlichen Ausdruck in Wiederholung und Variation findet, welche also nicht mehr als »bloßes Stilprinzip« verstanden werden kann (S. 35 f.). Nur angedeutet wird von Matz, daß diese Kompositionsweise auch das Epos als ganzes bestimmen kann (S. 35) und daß sie einerseits allgemein mittelalterlich, andererseits im Vergleich zum 'Erec' in den anderen, nicht-höfischen Epen wesentlich ausgeprägter und stilbestimmender ist.

Durch unklare Formulierungen und das Bestreben, zu viel zu bieten, hat G. Zimmermann diesen verheißungsvollen Ansatz leider z. T. wieder erstickt[289]), wenn er ihn auch S. 48 ff. mit dem von R. Petsch geborgten Begriff »Aspektwechsel« zu erweitern und konkretisieren sucht. Die Technik, einen Vorgang zugleich im ganzen und unter verschiedenen Aspekten zu sehen, wird von Zimmermann nun besonders in den »Spielmannsepen« beobachtet und als deren eigentliches zeitliches Ordnungsprinzip erkannt. Die Zeitangabe selbst ist demgegenüber »leer vermeintes allegorisches Requisit« (S. 107 ff.). Zimmermann übersieht in diesem Zusammenhang die dementsprechende Rolle des Raumes, obwohl Feststellungen über die grundsätzliche Raffung aller Reisebewegungen (S. 114) in diese Richtung deuten. Raum und Zeit sind, wie Lina Kirchenbauer für den Ro gezeigt hat, als typologisch, von einem »den ganzen Stoff erfassenden Prozeß der Entindividualisierung« her zu verstehen[290]). Die Funktion des Meeres[291]) und der Seefahrt wie die allgemeine geographische Unorientiertheit sind entsprechend zu beurteilen. Bei diesen Diskussionen um Raum und Zeit in der mittelhochdeutschen Dichtung sollte man im übrigen den Theologen mehr befragen, der Psychologe gibt hier nur methodisch begrenzte Hilfe. E. Kobel, dessen nachdenkliche Arbeit Binswanger verpflichtet ist, trägt aber ohnehin in unserem Zusammenhang nicht allzu viel bei, da der Verfasser mit Recht mehr auf das Gemeinsame mittelalterlicher Dichtung ausgeht[292]): in einer vorwiegend raumgebundenen Erlebniswelt gehört das »Spielmannsepos« wie die Heldenepik zum »vertikalen« Typus, in dem das Dasein fahrend, nicht strebend erlebt wird.

J. Bahr bleibt mit seinen Beobachtungen zur Typologie im Bereich der Stilistik.

---

[289]) Die Darstellung der Zeit in der mhd. Epik im Zeitraum von 1150 bis 1220, Diss. Masch. Kiel 1951. Es fehlt hier der Raum, auf die inzwischen schnell angeschwollene entsprechende Literatur zum höfischen Epos einzugehen.

[290]) Raumvorstellungen in frühmittelhochdeutscher Epik, Diss. Heidelberg 1931, S. 44. Diese aufschlußreiche, ein wenig zu deskriptive Arbeit behandelt Vorauer und Straßburger 'Alexander', 'Rolandslied' und Ro. Dieser wirkt nach Kirchenbauers Interpretation noch um einiges »typischer« und unanschaulicher als der 'Vorauer Alexander' und das 'Rolandslied'. Die Verf. übergeht aber einen wichtigen, den »spielmännischen« Typ der Raumdarstellung völlig: die Beschreibung des Raumes von der Gestalt her (s. u. S. 71).

[291]) Formelhaft meist *wild* genannt, wie J. Koch, Das Meer in der mhd. Epik, Diss. Münster 1910, S. 33, belegt.

[292]) Untersuchungen zum gelebten Raum in der mittelhochdeutschen Dichtung, Zürich (1951).

Während im »Vorder-Nachsatzsystem« des ʼVorauer Alexanderʼ das Geschehen gradlinig, auf einer Erzählebene forterzählt wird (S. 69), greift im Ro die Erzählung in der von Matz beobachteten Weise zeitlich immer wieder zurück. Es manifestiert sich so eine eigene Erzählebene des Dichters, deren »sprachliches Äquivalent« die Stereotypik ist und die »dem Erzählschema (dem Brautwerbungsschema) entspricht, das einer konkreten und einmaligen Handlung übergeordnet ist« (S. 72). Im Hinblick auf die vorausgehende Geistlichendichtung läßt sich dann die Position des Ro, von dem die Entwicklungslinien zu den anderen »Spielmannsepen« und der Heldenepik führen (S. 289), so bezeichnen: der Verfasser steht »in der Tradition der frühmhd. Dichtung und auf der Basis ihrer Literatursprache« (S. 269), aber sein grundsätzlich neues Formstreben, das sich mit dem Drang »zu einer bestimmten metrischen Form« (S. 234) verbindet und in durchgehend stereotyper Sprache sich ausdrückt, »die keine Lücken für wirklich Subjektives und für individuelle sprachliche Äußerungen läßt« (S. 251), überwindet endgültig »die alte Bearbeitungs- und Aggregatstechnik« der älteren Zeit (S. 268 f.).

Mit der Reduktion dieses Phänomens auf den Terminus »Erzählfreude« (S. 70 u.ö.) greift Bahr in dieser höchst anregenden Untersuchung aber doch zu kurz[293]). Man fragt sich, ob nicht zur Erklärung dessen, was nach den genannten Untersuchungen mit einiger Sicherheit als bedeutsamer Unterschied zur Geistlichendichtung einerseits, der höfischen Epik andererseits betrachtet werden kann, eher bei W. Wöhrles Unterscheidung von älterem »sakralmagischen« und jüngerem »sakralmythischen« Stil anzusetzen ist[294]). Die »Selbstobjektivierung in den Bildern der Außenwelt« (Wöhrle, S. 81, nach A. Gehlen), die Gewinnung eines Weltbildes durch weltliche Gegenstände (s. unten), erfordert wohl zunächst eine Erhebung ins Typische, bis zur Rück-Mythisierung in alte Geschichte, Sage usw. Man hat mit Recht auch umgekehrt formuliert: »Durchdringung des realen Lebens mit göttlichem Geist« in einer »mystisch-symbolischen Weltbetrachtung«[295]).

c) Gehalt

Daß die Welt neu als Gegenstand in die Dichtung tritt, gilt seit jeher als Hauptcharakteristikum der »Spielmannsepik«. Der Gefahr, es mit unscharfen Begriffen beschreiben und deuten zu wollen, ist man dabei genauso wenig entgangen wie in der Frage des Stils. Schwierigkeit bereitet vor allem die Unterscheidung von »germanisch« und »weltlich« und geschriebener und vor- oder unterliterarischer Literatur.

Gertrud Schmid arbeitet mit so stark vorgeprägten Anschauungen von »germanisch« und »höfisch«, daß sich ihr in den meisten Fällen nur ein unverbundenes Nebeneinander der verschiedenen Elemente ergibt[296]) (von den Arbeiten Fär-

---

[293]) Das zeigt u. a. auch ein Vergleich mit den (öfter anfechtbaren) Resultaten der Habil.-Schr. von H. J. Gernentz, Formen und Funktionen der direkten Rede und der Redeszenen in der deutschen epischen Dichtung von 1150–1200, Masch. Rostock 1960 (Ro-Kapitel S. 143–178; über sonstigen Inhalt vgl. das Selbstreferat in Germanistik 2 [1961], S. 556 f.). Gernentz' Ansicht, der Ro hebe sich von der vorhergehenden Dichtung gerade dadurch ab, daß er der Form weniger unterworfen, wirklichkeitsnäher sei (S. 177 f.), ruht auf einer engeren Definition des Formalen und widerspricht Bahr nicht unbedingt.
[294]) Zur Stilbestimmung der frühmittelhochdeutschen Literatur, Diss. Zürich, Aarau 1959, S. 81.
[295]) A. Simon, Vom Geist und Stil der frühmittelhochdeutschen Dichtung, Diss. Heidelberg 1933, S. 5 bzw. 25. Diese Untersuchung schließt die epischen Denkmäler aus.
[296]) Christlicher Gehalt und germanisches Ethos in der vorhöfischen Geistlichendichtung, Erlangen 1937. Vgl. hierzu die Rez. von A. Mulot, AfdA 58 (1939), S. 82 f.

bers und Helffs war oben schon die Rede). Annemarie Bechmann[297]) stellt Ähnliches für »germanisch« und »christlich« nicht nur im Ro (S. 58), sondern auch im Or (S. 66; der Osw ist »etwas überzeugender« verchristlicht: S. 69) fest und deutet es dann unnötig vereinfachend: die um die Jahrhundertmitte zu beobachtende Rückwendung zu »den Idealen der altgermanischen Zeit« ist »im Grunde ... nichts weiter als eine Verweltlichung der Literatur« (S. 317). Das wird richtig sein, aber begrifflicher Schematismus verunklart dabei doch im einzelnen Vieles, so, wenn die Verfasserin sämtliche Belege für *triuwe* und vor allem *ere* in den »Spielmannsepen« mit der Bemerkung beiseite schiebt, daß sie inhaltlich »sowohl im geistlichen als auch im weltlichen Sinne ... bedeutungslos« seien (S. 128). Wo differenzierter untersucht wird, ergeben sich dagegen tragfähigere Grundlagen. Schon bei Schmid finden sich Ansätze: im Ro z. B. sei einerseits die germanische Fürstentugend der *milte* zur religiösen Forderung erhoben, andererseits aber treibendes Element letzten Endes doch die politische Haltung (S. 82 ff.). Man sieht also eben nicht einfach Verchristlichung der *milte,* wie Gertrud Hermans wieder aus Schmids Belegen folgert[298]), sondern Ambivalenz und Auseinandersetzung mit dem Begriff. S. Grosse hat das gerade für den Ro gezeigt und anhand des Begriffs »Erbarmen« entsprechende Entwicklungslinien gezogen[299]). Der Schluß des Ro ist entgegen der in einem reichhaltigen und besonders auch für die »Spielmannsepik« instruktiven Aufsatz von Maria Mackensen vorgetragenen Ansicht[300]) nicht das einzige Beispiel, das ihrer These widerspricht, die »Spielmannsepik« habe durchwegs ein naiv-positives Verhältnis zum Reichtum (vgl. unten Anm. 347). Der Osw bringt gegenüber dem Ro eine geradezu absichtsvolle Steigerung. In diesem Zusammenhang ist das Wort *ere* trotz zahlreicher Publikationen für die »Spielmannsepik« noch nicht hinreichend untersucht[301]); das gilt auch für andere, vor allem *sunde,* ein Begriff, für den G. Frank im Osw den Übergang vom rein Dogmatisch-Unbegrifflichen der Geistlichendichtung zum *sunde*-Begriff Hartmanns und Wolframs wohl hätte beobachten können, wenn er die »Spielmannsepen« in seine Untersuchung mit einbezogen hätte[302]).

Das Stichwort *list,* unter dem man gern die »Spielmannsepen« als von »List-

---

[297]) Das germanische Kontinuitätsproblem und die deutsche Dichtung des frühen Mittelalters, Diss. Masch. Würzburg 1946. Dort auch Listen »germanischer« Stilmerkmale: S. 195 ff.

[298]) List, Diss. Masch. Freiburg 1953, S. 63, Anm. 2. Es sind außer Ro 'Kaiserchronik', 'Rolandslied', 'Erec', 'Iwein', 'Nibelungenlied' und 'Tristan' behandelt.

[299]) Der Gedanke des Erbarmens in den deutschen Dichtungen des 12. und des beginnenden 13. Jahrhunderts, Diss. Masch. Freiburg 1952. In einzelnem wird man ihm öfter nicht gerne folgen, so etwa in der 4-Teilung des Ro nach Stufen des Erbarmens.

[300]) Soziale Forderungen und Anschauungen der frühmittelhochdeutschen Dichter, Neue Heidelberger Jhbb. N. F. 1925, S. 133–171, S. 140 ff.

[301]) Die Beziehung zum 'Rolandslied' wäre von besonderem Interesse. Nur allgemeine Hinweise auf einzelne Belege in den »Spielmannsepen« gibt G. F. Jones, Honor in German Literature, Chapel Hill 1959. Fr. Maurer sieht in Ro und Er A noch die (germ.) Bedeutung »Ehrverletzung« für *leit* vorherrschen, was einen entsprechenden *ere*-Begriff voraussetzt (Leid, Bern–München 1951, S. 80 f.). Politisch vorbelastet ist die mit dem historisch unangemessenen Gegensatz »äußere«/»innere« *ere* arbeitende und weitgehend in Clichés erstarrte Münchener Diss. von H. Reinecke, Untersuchungen zum Ehrbegriff in den deutschen Dichtungen des 12. Jahrhunderts bis zur klassischen Zeit, 1937 (S. 25–37 über »Spielmannsepen«).

[302]) Studien zur Bedeutungsgeschichte von 'Sünde' und sinnverwandten Wörtern in der mhd. Dichtung des 12. und 13. Jahrhunderts, Diss. Masch. Freiburg 1949; S. 56 wird hier eine Lücke festgestellt. *tugent* im Ro gilt eine kurze Bemerkung H. Rupps, mit der er das Werk als primär höfisch-weltlich orientiert kennzeichnet: Einiges Grundsätzliche zur Wortforschung, Der Deutschunterricht 3, 1. H. (1951), S. 53–57, S. 55.

ethik« bestimmt gegen Heldenepos und höfisches Epos abgrenzt [303]) bzw. einer »niederen« Geschmackssphäre zuweist, hat durch J. Trier und F. Scheidweiler verschiedene Behandlung erfahren[304]), die aber in jedem Fall ergibt, daß, wenn auch im »Gebiet des Dolosen« *list* herrscht (Scheidweiler, S. 65), doch »die begriffliche Unterscheidung« zwischen *wis* und *listic* »sehr unausgebildet ist« (Trier, S. 176, aus Salm und Ro belegt). Insgesamt ist die Bedeutung »Mittel« sehr häufig (Scheidweiler, S. 68 f.). *list* hat weitgehend »sittlich indifferenten Charakter«, dieses Ergebnis, das die erwähnte Dissertation G. Hermans' mit Kl. Fuss (s. unten) teilt, liest man immerhin mit einiger Überraschung (S. 234), nachdem die Verfasserin trotz gegenteiliger Versicherung immer wieder nach Gesichtspunkten moderner Moraltheologie und somit nach »guten« und »bösen« Listen wertet. Wesentlicher Zug dieser wertneutralen *list* ist intellektuelle Überlegenheit, und in diesem Sinn liegt sie nicht nur den »Spielmannsepen«, sondern u. a. auch der Tristan-Dichtung geradezu strukturbestimmend zugrunde. P. Böckmann stellt gerade unter diesem Gesichtspunkt Ro und 'Tristrant' zusammen[305]): die Erzählung gewinnt so »eine eigene Selbstgenügsamkeit der spannungsreichen Verwicklung« (S. 172). Hierzu stimmen die Ergebnisse J. Bahrs, wie dieser betont aber Böckmann wohl doch das rein Erzählerische zu sehr, das hier damit schon vor der Zeit des höfischen Epos von dessen »sinnbildlichem Sprechen« wegführe (ebd.).

Eines wird aus den vorläufig noch kargen Hinweisen schon klar: Welthaltigkeit bedeutet nicht nur einfach, daß weltliche Stoffe aufgenommen werden; sie werden auf ihre Bedeutung hin befragt.

Schon J. Schwietering hat betont, daß »das alte Lied nicht durch geistliche, sondern durch weltliche Dichtung überwunden« wird[306]). Als eine stilistische Synthese aus den *fabulae curiales,* vor denen Meinhard den Bischof Gunther von Bamberg warnt, und der *lectio,* die er ihm statt dessen empfiehlt, kann schon das 'Ezzolied' bezeichnet werden[307]). Die (mündlichen) *fabulae* wirken auch sicher bald in Motivik und Thematik in 'Hochzeit', 'Wiener Genesis', 'Judith' und 'Kaiserchronik'[308]), und die Vorgeschichte von Er und Ro ist auch schon hier angeknüpft worden (s. oben S. 33, 39 und 63). Kommt nun nach dem Verebben der

---

[303]) P. Kluckhohn, Ministerialität und Ritterdichtung, ZfdA 52 (1910), S. 135–168, S. 164, gibt das »ethische Moment« Anlaß, die Heldenepen an Ritter, die »Spielmannsepen« an Spielleute zu binden. Zur Niedens detaillierterer Aufgliederung liegt ein ähnliches Wertungsprinzip zugrunde: »ein hoher Geist, höfische Ethik: ritterlicher Stand; ein niederer Geist, Listethik: fahrender Sänger« (S. 10). Unter dem Stichwort *erbarmen* ähnlich H. Buttke, Studien über Armut und Reichtum in der mittelhochdeutschen Dichtung, Diss. Bonn, Würzburg 1938: »ohne sittlichen Kern« (S. 49 u. ö.). S. u. S. 68 und 73.

[304]) Der deutsche Wortschatz im Sinnbezirk des Verstandes 1, Heidelberg 1931, bzw. »Kunst« und »List«, ZfdA 78 (1941), S. 62–87. Ihre Polemik über *list/kunst* betrifft u. a. auch einige Belege im Osw.

[305]) Formgeschichte der deutschen Dichtung 1, Hamburg 1949, S. 169 ff.

[306]) Die Demutsformel mittelhochdeutscher Dichter, Abhandlungen Göttingen, phil.-hist. Kl. N.F. XVII, 3 (1921), S. 77.

[307]) C. Erdmann, Fabulae Curiales. Neues zum Spielmannsgesang und zum Ezzo-Liede, ZfdA 73 (1936), S. 87–98, S. 94. Für die noch frühere Zeit: G. Ehrismann, Der Stil des Georgsliedes, PBB 34 (1909), S. 177–183. Vgl. o. Anm. 258.

[308]) Über die 'Hochzeit' s. v. a. H. Schneider, Literaturgesch., S. 161; zur 'Crescentia' o. S. 72. Über diese Literatur des Übergangs ist, ohne daß die »Spielmannsepik« berührt worden wäre, mehrfach gehandelt worden: Grundlegend von W. Stammler, Die Anfänge weltlicher Dichtung (o. Anm. 13); ferner W. Mohr, Lucretia in der Kaiserchronik, DVjschr 26 (1952), S. 433–446; S. Beyschlag, Zur Entstehung der epischen Großform in früher deutscher Dichtung, WW 5 (1954/55), S. 6–13; hierüber auch Halbach (o. Anm. 23), Sp. 504. Zur Erhellung des Hintergrundes: K. Hampe, Der Kulturwandel um die Mitte des 12. Jahrhunderts, AfKultg 21 (1931), S. 129–150.

ersten Kreuzzugswelle der neue Einfluß des Orients und mit verstärkter oder neuer Aufnahme des Brautwerbungsschemas der »Zug in die Ferne« und die neue Symbolik der Minne (Kuhn, Klassik des Rittertums, S. 103). Das Symbolische wird, weil erst in der stilistischen Aufarbeitung des Stoffes sichtbar (s. oben), meist übersehen über der Fülle des »Realen«.

Es ist im einzelnen eine Wunderwelt, die erscheint, sei es als Handlungsträger, wie im Er, sei es in Motiven und atmosphärischen Glanzlichtern. Orientalischer Einfluß hilft auch, einheimisches Sagen-, Märchen- und Mythengut neu zu beleben, das dann in Verbindung mit Motiven der christlichen Legende uminterpretiert wird (Hirsch im Osw, Zwerg im Or, Ring und Musik im Salm etc.). Aufschlußreich ist W. Schmitz' Beobachtung, daß in 'Rolandslied' und Or der magisch-mythische Traum »ohne ausgeprägte transzendente Dimension« im Nebeneinander von Traum und Vision allmählich seinen statischen Charakter verliert und wie die Vision als handlungsauslösendes Element behandelt wird[309]). Unter den vier »Gestaltstufen« des Wunderbaren, die W. Broel zu unterscheiden versucht hat[310]), sind es v. a. die zweite und die dritte, die im »Spielmannsepos« (wie im Heldenepos) hervortreten: Mythisches (Riesen, Meerfrauen, Botenvogel, *wise wîp*) und Sagenhaftes (in Form schon des Legendarischen: Rock Christi, Salomons Werbung) erscheinen mit neuer Ausdrucksmöglichkeit durch neue Zusammenhänge (Broel sichtet mehr das Material, interpretiert kaum); die legendenbetonten Or und Osw führen hier in die Nähe der erst im höfischen Epos und auch nur in einigen Fällen ganz erreichten vierten Stufe (rein symbolischer Charakter des Wunderbaren), indem hier das Wunderbare nicht mehr Steigerung der Wirklichkeit, sondern Vergegenwärtigung des Transzendenten ist (Broel, S. 99).

Wie verhält sich der Kreuzzug als Thema und Schema zur Brautwerbung? Fr.-W. Wentzlaff-Eggeberts Darstellung leidet, was die »Spielmannsepik« angeht, in ihrer stofflichen Fülle öfter unter unkonzentriertem Beobachten[311]). Die Feststellung, daß »der Missionsgedanke die sichtbarste Linie bleibt, die von dem Brautraubthema (!) immer wieder zur Zeitstimmung der Kreuzfahrten hinführt« (S. 99), ist viel zu allgemein und kann weder durch eine weitere Verallgemeinerung wie: »die Braut ist stets von heidnischer Abstammung, im Herzen aber oft schon Christin« (ebd.), noch in der gemeinsamen Behandlung von Osw, Or und Salm unter dem Kreuzzugsschema gestützt werden, wie vom Verfasser später selbst bemerkt. Rothers wie Orendels Braut ist Christin, Salme eine getaufte Heidin, als das Epos beginnt; im Salm spielt der Heidenkampf eine ganz untergeordnete Rolle (so Grosse, S. 68), im Ro wird er erst bei der Rückgewinnung der Gattin wichtig. Die

---

[309]) Traum und Vision in der erzählenden Dichtung des deutschen Mittelalters, Münster 1934, S. 15 bzw. 35 f. Dazu S. 47 f. über die Traumfiktion in Salm und Ro.

[310]) Stufen des Wunderbaren im Epos des 12. und 13. Jahrhunderts, Diss. Masch. Bonn 1948.

[311]) Kreuzzugsdichtung des Mittelalters. Studien zu ihrer geschichtlichen und dichterischen Wirklichkeit, Berlin 1960 (vgl. auch H. Schneider–Fr. W. Wentzlaff-Eggebert, Kreuzzugsliteratur, in: Reallexikon I², S. 885–895, S. 888 ff.). Sachlich ganz irreführend ist S. 347, Anm. 83, die Bemerkung, der W. Osw wie der Or sollten für den jeweiligen »Heiligen in seiner Diözese (Oswald Wien, Orendel Trier)« werben. Der W. Osw kommt aus Schlesien und Orendel ist kein Heiliger. Für andere Teilgebiete des Buches sind ähnliche Einwände verschiedentlich in Rezz. erhoben worden, am ausführlichsten von Ute Schwab, Annali (Sezione Germanica) 6 (1961), S. 223–238. St. J. Kaplowitt hat es unternommen, für die mhd. Epik von 1150–1250 Wentzlaff-Eggebert zu ergänzen, indem er über den Bereich der eigentlichen »Kreuzzugsdichtung« hinaus fragt: wie beurteilen die Christen die Heiden, und: sind bestimmte historische Ereignisse der Kreuzzüge in bestimmte Dichtungen eingegangen? (Influences and Reflections of the Crusades in Medieval German Epics, Diss. Masch. Philadelphia 1962, S. 50–88, 230–362).

Taufe Pamiges bildet im Osw nicht »den krönenden Abschluß der Heidenfahrt«
(S. 105), wird vielmehr nur noch beiläufig erwähnt. Wichtig ist aber der Hinweis
auf den Kampf um die Frau als »Gottesurteil« (S. 102) oder, wie man im Hinblick
auf die Genese des Topos besser formulieren würde, als Rechtsentscheid[312]). In
dem Maß, in dem zugleich der alte Gedanke, daß die im Heidenkampf Gefallenen
eo ipso himmlischen Lohn erwerben, in einen Anspruch der Kämpfer auf gött-
liche Hilfe in der Welt umgebogen wird (S. 103), scheint damit eine Verschmelzung
der Bereiche »Kreuzzug« und »Werbung« stattzufinden, in der das Kreuzzugsschema doch mehr als nur Vehikel ist.

Zur Klärung des Verhältnisses trägt der Hinweis Marianne Plochers bei[313]), daß
sich im 'Rolandslied', aber vor allem auch in den historischen Quellen der Zeit
»heidnische und christliche Welt in ihren Äußerungen genau entsprechen und zwar
so, daß das Heidentum den Charakter eines negativen Nachbildes des Christen-
tums erhält«. Es ergibt sich weiter, daß Naumanns »edler Heide«[314]) keine höfische »Treibhausblume« darstellt, sondern »gerade erst vom historischen Geschehen und dem darein verflochtenen theologischen und philosophischen Denken« bestimmt ist (S. 88). Mit dieser Modifizierung fällt dann auch die unter-
schiedslose Klassifizierung der »Spielmannsepik« unter eine der höfischen gegen-
überstehende geistliche, »harte« Konzeption (Naumann, S. 85, 87), die schon Naumann selbst gemildert und – von seiner Arbeit ausgehend – S. Stein stärker diffe-
renzierend, wenn auch überwiegend deskriptiv, dann so ergänzt hatte, daß hier
»die geistige Grundlage des Heidenhasses, das Bewußtsein von der Scheidung der
Welt in civitas coelestis und civitas terrena nicht zur Geltung kommt«[315]). Das ist in
nuce auch das Ergebnis St. Kaplowitts zur Frage der christlichen Haltung den Heiden gegenüber. Bedingt ausgenommen ist von Kaplowitt allerdings der Or, was
damit zusammenhängt, daß dieser unmittelbar die Ereignisse vor der Einnahme
Jerusalems durch Saladin reflektiert (S. 88 bzw. 324ff.; ursprünglich war dies von
E. H. Meyer aufgezeigt worden). Das ist aber auch alles, was nach einer ausführlichen
Diskussion aller alten und neuen Argumente (S. 230–362), nach Kaplowitt, an kon-
kreter Anspielung auf Kreuzzugsereignisse in den »Spielmannsepen« übrigbleibt.
Stein setzt übrigens für Salm, Or und Osw bei Annahme geistlicher Verfasserschaft
»ein unter- oder nebenhöfisches Publikum« (S. 51) ein, für Ro und Er dagegen
nicht, weil sie in der Heidenfrage doch einen etwas höheren Bewußtheitsgrad erreichten (S. 53ff.).

Im allgemeinen richtet sich die Auffassung vom Publikum danach, wie die Verfasserschaft und, damit verbunden, der Stil im weitesten Sinn beurteilt wird.
Wegen ihrer Argumentation fällt Steins Ansicht aus diesem Rahmen heraus, denn
sie rührt an das Problem, inwieweit diese Epen an der Kontinuität bewußten lite-

---

[312]) Hierüber P. U. Rosenau, Wehrverfassung und Kriegsrecht in der mittelhochdeutschen Epik. Wolfram von Eschenbach, Hartmann von Aue, Gottfried von Straßburg, Der
Nibelungen Not, Kudrunepos, Wolfdietrichbruchstück A, König Rother, Salman und
Morolf, (jur.) Diss. Masch. Bonn 1959, S. 206ff.
[313]) Studien zum Kreuzzugsgedanken im 12. und 13. Jahrhundert, Diss. Masch. Freiburg 1950, S. 16.
[314]) Der wilde und der edle Heide, in: Vom Werden des deutschen Geistes (o. Anm. 11),
S. 80–101.
[315]) S. Stein, Die Ungläubigen in der mittelhochdeutschen Literatur von 1050–1250,
Diss. Heidelberg 1933 (Nachdr. Darmstadt 1963), S. 53. Die sicher eindrucksvollere Formulierung bei A. Haas ruht auf der traditionellen Vorstellung von »spielmännischem«
Erzählen: »wo alles zu allem in Beziehung gesetzt werden kann, mag auch einmal ein
'guter' Heide zwischendurch vorkommen« (Aspekte der Kreuzzüge in Geschichte und
Geistesleben des mittelalterlichen Deutschlands, AfKultg 46 [1964], S. 185–202, S. 197f.).

rarischen Lebens Anteil haben. Die Berliner Dissertation von D. Haacke[316]), die die mit unzulänglichen Mitteln von E. Färber begonnenen und klarsichtiger von G. Fliegner (oben Anm. 160) fortgeführten Untersuchungen fortsetzt, rückt die Kreuzzugs- und Heidenfrage in den Rahmen einer dialektisch progressiven, durch Wolfram beendeten Auseinandersetzung mit dem Thema »Welt«, das sich besonders in der Minnefrage kristallisiert. »Der These des Heinrich von Melk folgt die Antithese des Floyris« (S. 154), mit der Opferung des Gegensatzes Heiden–Christen »zugunsten des großen höfischen Prinzips der Minne« (S. 150) usw. Die »Spielmannsepik« hat der Verfasser leider völlig ausgeklammert, es muß aber sehr ernsthaft erwogen werden, ob sie nicht gerade auch in diesen Zusammenhang gehört. Daß in ihr, ganz abgesehen davon, die Minne- mit der Heidenfrage eng verknüpft ist, steht außer Zweifel, und hierin wird dann auch eine thematische Verbindung zum frühhöfischen Epos deutlich. L. Deneckes Begründung für seine Zusammenstellung der »Spielmannsepen« mit 'Graf Rudolf' (hierüber auch kurz Wentzlaff-Eggebert, S. 123) und anderen (oben Anm. 18) bedarf allerdings unter den obigen Gesichtspunkten einiger Modifizierung: es stelle der Kreuzzug immer einen äußerlichen Rahmen, in dem dann doch »nur der fürstliche Held mit seinen Wunderfahrten und Wundertaten« wesentlich sei (S. 56; das wird auch von H. Schneider nicht bestritten, der die Sonderstellung von Er und 'Graf Rudolf' mit größerer Wirklichkeitsnähe begründet: S. 251; vgl. u. S. 77).

Wenn die »Spielmannsepen« als Glieder einer weiter gespannten literarischen Auseinandersetzung mit solchen Gegenwartsfragen zu sehen sind, dann gehören sie soziologisch am ehesten an die Höfe des Adels. Daß sie ein höfisches Publikum interessieren konnten, und d. h., daß es auch bei der Verfasserfrage mehr darauf ankommt, »für wen ein Gedicht bestimmt war, als darauf, wer es verfaßt hat«, hat schon H. Fischer gesehen. H. Eggers hat unlängst unter diesem Gesichtspunkt Publikum wie Verfasser im »niederen Rittertum« lokalisiert[317]). Allerdings werden spätestens seit Saran wenigstens Ro und Er schon auf Grund ihres Geschichtsverständnisses[318]) dem Hochadel zugeordnet. Man versteht z. Zt. das Historische ent-

[316]) Weltfeindliche Strömungen und die Heidenfrage in der deutschen Literatur von 1170–1230, Diss. Masch. FU Berlin 1951.

[317]) H. Fischer, Über die Entstehung des Nibelungenliedes, MSB 1914, Nr. 7, S. 5f. bzw. 7; Eggers (o. Anm. 13), S. 98. In diesem Sinn ist »der soziologische Ort des 'Spielmännischen'« auch von H. Kuhn bestimmt (Frühmittelhochdeutsche Literatur, S. 501). Zum 'Nibelungenlied' s. u. S. 92. In indirekter Wendung gegen Vogts Klassifizierung (Grundriß II, 1 [o. Anm. 20], S. 230: Salm, Or und Osw haben es »auf den Beifall eines Straßenpublikums abgesehen«) hat schon Ehrismann vermutet, daß »auch auf den Burgen des Adels« ein durchaus rustikaler Ton geherrscht haben wird (S. 319, Anm. 1, zum Salm). Zur Realität adeliger Lebensführung jetzt A. Borst, Rittertum im Hochmittelalter. Idee und Wirklichkeit, Saeculum 10 (1959), S. 213–231.

[318]) Zum Historischen als Stoff s. o. zur jeweiligen Vorgeschichte. Der Titel der Masch.-Diss. von Ingeborg Schwendenwein, Das Historische in der vorhöfisch-spielmännischen Geistlichendichtung, Wien 1955, ist insofern irreführend, als die Verf. zu der Feststellung kommt, »daß diese Dichtungen gar keine historische Grundlage haben, sondern aus älteren deutschen Spielmannsliedern entstanden« und nur geringfügig historisch »verbrämt« sind (S. 1; im übrigen eine kritik- und daher weitgehend wertlose Arbeit). Möglichkeiten zeitgeschichtlicher Bezüge im einzelnen sind nun von E. Klassen erörtert: Geschichts- und Reichsbetrachtung in der Epik des 12. Jahrhunderts, Diss. Bonn, Würzburg 1938 (bes. S. 24ff.). Or, Salm und Osw werden hier zusammen mit 'Servatius' unter »Historisierung legendarischer Darstellung« geführt (S. 2). Der Verfasser dringt kaum jemals bis zur Interpretation der beobachteten Fakten vor (vgl. die Rez. von O. Menzel, DAfGdMA 4 [1941], S. 323f.). E. Nellmann (Die Reichsidee in deutschen Dichtungen der Salier- und frühen Stauferzeit. Annolied–Kaiserchronik–Rolandslied–Eraclius, Berlin 1963) spart Er und Ro weitgehend aus. Für 'Alexanderlied', 'Rolandslied' und 'Kaiserchronik' ist im übrigen

weder als Auseinandersetzung der Fürsten- mit der Reichsgewalt, also Er und Ro als »welfisch« motiviert (Naumann, Heer), oder als auf Konsolidierung des Reiches und der Reichsidee zielend, also Er und Ro als »Reichsdichtung« (zusammengefaßt bei de Boor). Naumanns Welfentheorie[319]) führt, wie auch durch stilistische Verwandtschaft wohl begründet ist, aus dem Bereich der »Spielmannsepik« heraus, in die Nähe von 'Rolandslied' und 'Kaiserchronik' einerseits, des 'Tristrant' andererseits[320]). Soweit es die Betonung des aggressiv Politischen betrifft, hat sie sich manche Korrektur gefallen lassen müssen[321]), was u.a. auch in einer Verlagerung der Betonung auf den geographischen Gesichtspunkt, einen Regensburger Kreis (s. oben S. 11), zum Ausdruck kommt.

Der Einwand, daß hier aus der Not eine Tugend gemacht wird, und unser Mangel an genauen Einsichten zu einer künstlichen Konzentration führt, liegt auf der Hand. Nachdem aber H. Menhardts Zuschreibung frühmittelhochdeutscher Geistlichendichtungen an Regensburg mit guten Gründen bezweifelt wird[322]), sieht man hier doch eine gemeinsame Grundhaltung sich herausheben, die im Bemühen um Erkenntnis der politischen Ordnung und damit auch um das Herrscherbild zu sehen ist. Nach Saran (oben S. 32 u. Anm. 162, 205) sind Ro und Er in ihrem Verhältnis zu »Lehenswesen«, »Staatsverfassung«, »Persönlichkeitsideal« usw. schon Produkte einer Spätzeit. Heer sieht das im Rahmen der Spannung zwischen Reichs- und Fürstengewalt (differenzierter als Naumann): »im Rolandslied und in der Kaiserchronik stehen noch die Belange des Reichs im Vordergrund; bei den folgenden epischen deutschen Dichtern der Zeit setzt sich das Selbstbewußtsein des deutschen Adels restlos durch« (der rebellierende Held abenteuert in fernen Ländern). Über Ro und Er zu 'Graf Rudolf' und Osw verlagert sich der Schwerpunkt »– weg vom Heiligen Reich und seiner religiös-politischen Realität – ins Imaginäre, Eigenwillig-Phantastische, 'Poetische'« (Die Tragödie, S. 114)[323]). Ist hier nicht aber der Sinn eben des »Poetischen« verkannt? Repräsentiert das Gefälle »jener hohen Kunst der 'Reichsdichtung'« (S. 117) nicht auch gedankliche, nur mit anderen, neuen Mitteln zu bewältigende Weitung des Blickwinkels? Wichtig ist die Einbeziehung des Osw in dieses Schema. Damit ist auch eine Brücke zu Salm und Or geschlagen.

die gute Masch.-Diss. von D. Haack zu vergleichen: Geschichtsauffassungen in deutschen Epen des 12. Jahrhunderts, Heidelberg 1953.

[319]) (S.o. S. 31, 40). Kurzer Versuch über welfische und staufische Dichtung, Elsaß-Lothring. Jb. 8 (1929), S. 69–91; Deutsches Dichten und Denken von der germanischen bis zur staufischen Zeit, Berlin 1952², S. 74ff. (Osw, Or und Salm stehen S. 58f. als »vor- und unterhöfische Epik« zusammen); H. Naumann–G. Müller, Höfische Kultur, Halle 1929, S. 57ff. H. Teske pflichtet Naumanns These der anti-staufischen Tendenz in 'Rolandslied', 'Kaiserchronik' und Ro bei: Die andere Seite. Der Reichsgedanke des Mittelalters in welfischer Dichtung, Deutsches Volkstum 1935, S. 813–817, S. 814.

[320]) Hieran hält gegen Naumann (Höfische Kultur, S. 62) L. Wolff fest: Welfisch-Braunschweigische Dichtung der Ritterzeit, NddJb 71/73 (1948/50), S. 68–89.

[321]) Bes. durch K. Langosch, Politische Dichtung um Kaiser Friedrich Barbarossa, Berlin 1943, S. 66ff.; Wolff, a.a.O.; J. Dünninger, Regensburg und die deutsche Dichtung des Mittelalters, in: Wirtschaft und Wissenschaft. 10 Vorträge, Regensburg 1949, S. 95–102, S. 97. Von kunsthistorischer Seite widerspricht K. Simon, Diesseitsstimmung in spätromanischer Zeit und Kunst, DVjschr 12 (1934), S. 49–91, S. 85ff.

[322]) Menhardt zusammenfassend in: Regensburg ein Mittelpunkt der deutschen Epik des 12. Jahrhunderts, ZfdA 81 (1958/59), S. 271–274 (erweitert in: Verhh. d. hist. Ver. f. Oberpf. u. Regensburg 101 [1960/61], S. 193–202; über Menhardt zum Hor s.o. Anm. 222). Vgl. Hella Voss, Studien zur illustrierten Millstätter Genesis, München 1962, bes. S. 80ff.

[323]) Hierzu E. Neumann, Die Dichtung des 12. Jahrhunderts in neuer Mittelalterschau, WW 4 (1953/54), S. 203–209, S. 206f.; W. Mohr, Rez. in Euphorion 51 (1957), S. 78–92, S. 84 (findet Züge welfischen Reichsbewußtseins).

Sowie sie aus dem Bereich 'Kaiserchronik' / 'Rolandslied' heraustritt, ist auch das Herrscherbild dieser Epik nicht einheitlich »gut« oder »böse«; Gerhard Schmidt hat das deutlich hervorgehoben. Der Typ des »unwürdigen« Herrschers (Konstantin im Ro, Gunther im 'Waltharius', Aron im Osw), auf den er besonderes Gewicht legt, ist für ihn weitgehend genetisch erklärbar, und so schreibt er Schwäche und Verächtlichkeit als Charakteristika des Herrschers z. T. spielmännischer Darstellung auf »kurzepischer Vorstufe« zu, die auch dafür verantwortlich sei, daß »die beliebteste Spielmannsfigur«, der listige Helfer, auch einmal in Person des Königs (Rother) auftrete[324]. Hier ist aber daran zu erinnern, daß Werbungs- und Entführungslisten mit dem Schema, nicht mit der Person verbunden sind.

Dieses Schema bringt auch die Rolle der Frau, die nun hier und im frühhöfischen Roman so stark in den Mittelpunkt rückt[325]. Eva-Maria Woelker möchte sie schon im Ro als »eine ebenbürtige Gegenspielerin des listigen Helden« ansehen (S. 161). Man muß in der Reihe der listigen (Salme, Pamige, Ortnits und Rothers Braut) oder aggressiven (Bride, Brünhilde, Gyburc) Bräute oder Gattinnen doch wohl auch wieder feiner nuancieren, freilich nicht im Sinn der Herkunft aus Germanischem oder Antikem, sondern im Hinblick auf die Bedeutung dieser Haltung im jeweiligen Zusammenhang. Für bestimmte Fälle ist wichtig, was Laubscher allgemein anhand von 'Ortnit' und den Wolfdietrichen über die Rolle der Frau ermittelt: »das Christentum des Helden wird oft betont. Weil die Frau außerhalb der religiösen Beziehung steht, kommt ihr die Rolle der Versuchung zu« (S. 242). Taufe, und, als das Heidnische sich doch durchsetzt, Aufgabe (Salm), Taufe und keusche Ehe (Osw), Abbiegen des Themas durch Tod des Mädchens (Er) sind mögliche Antworten. Zu den Heldinnen gesellen sich Nebenfiguren, die Kupplerin Herlint (die der Braut einen großen Teil ihrer Listigkeit abnimmt: s. oben), Affer, die »gute« Schwägerin Salmes, die spöttische und überlegene Brautmutter, die gemeinsam mit der Tochter den Vater lächerlich erscheinen läßt: die Gemahlinnen Konstantins und Arons. Woelker bemerkt von der ersteren richtig, daß sie wesentlich als »die dem Gatten überlegene Frau und die um die Verheiratung der Tochter besorgte Mutter« gesehen ist, nicht als Königin (S. 166). An dieser Stelle berührt sich die neue Selbständigkeit des weiblichen Elements, die

---

[324]) Die Darstellung des Herrschers in deutschen Epen des Mittelalters, Diss. Masch. Leipzig 1951, S. 108 (vorausging: L. Sandrock, Das Herrscherideal in der erzählenden Dichtung des deutschen Mittelalters, Diss. Münster 1931). Schmidt interpretiert so die Figur Rothers einfühlsamer als Eva-Maria Woelker (Menschengestaltung in vorhöfischen Epen des 12. Jahrhunderts, Berlin 1940; neben Vergleich zwischen 'Chanson de Roland' und 'Rolandslied' ein Ro-Kapitel), die von »Doppelseitigkeit der Gestalt« (Rother/Dietrich: S. 159) und »spielmännischem« »Gegensatz zur Idealauffassung« des zweiten Teils (S. 160) spricht. J. Schwieterings scharfe Gegenüberstellung von Rother und seinem »Gegenbild« Konstantin ist demgegenüber ebenfalls zu systematisch (Der Wandel des Heldenideals in der epischen Dichtung des 12. Jahrhunderts, ZfdA 64 [1927], S. 135–144, S. 139).

[325]) Elsbeth Kaisers 'Frauendienst im mittelhochdeutschen Volksepos', Breslau 1921, berührt sich nur am Rande mit unserem Thema, desgleichen die Masch.-Diss. von Annemarie Laubscher (Die Entwicklung des Frauenbildes im mittelhochdeutschen Heldenepos, Würzburg 1954) und Martha Busenkell (Das Schönheitsideal innerhalb der deutschen Literatur von der karolingischen bis zur staufischen Epoche, Bonn 1941). G. F. Lussky, Die Frauen in der mittelhochdeutschen Spielmannsdichtung, in: Studies in German Literature in Honor of Alexander Rudolph Hohlfeld, Madison 1925, S. 118–147, behandelt von dieser nur Ro und kann im übrigen keinen Anspruch auf Wissenschaftlichkeit erheben. Edith L. Kirchberger, The Rôle of Woman as Mother in the German Epic of the Twelfth and Early Thirteenth Centuries, Diss. Masch. Wisconsin 1949, war mir nicht zugänglich.

wesentlich mit dem Element der List verbunden ist, auf der anderen Seite mit dem Komischen[326]).

Der mit der intellektuellen Listkomik verbundenen rationalistischen Kühle ist es wohl z. T. zuzuschreiben, daß in den »Spielmannsepen« so »erstaunlich wenig geweint« wird. Daß man umgekehrt im Salm ungeniert viel lacht, scheint mir nicht unbedingt ein Indiz für späte Abfassung zu sein[327]); es liegt wohl am Stoff, in dem das von jeher als besonders spielmännisch empfundene Grotesk-Komische eine die Listkomik effektvoll unterstreichende Rolle spielt. Es konnte sich jederzeit aus mündlicher Anekdote nähren (s. oben), war aber auch schon Jahrhunderte lang literarisch, als lateinische, »hagiographische Komik« wie auch als in den verschiedenen volkssprachlichen Traditionen zu beobachtender »komischer Einschlag«[328]). Andererseits gehört diese Komik aber natürlich mit der Mimik des Spielmännischen zusammen, mit der Vortragssituation (vgl. unten S. 75). H. Fromm hat vor kurzem gerade hierauf aufmerksam gemacht[329]). Seine Interpretation der Rolle des Komischen in den »Spielmannsepen« grenzt im übrigen an das an, was oben zur Typologie in Stil und Raumvorstellung gesagt ist, und stellt so einen deutlichen Unterschied zur didaktischen Komik des 13. Jahrhunderts (Stricker) heraus.

In Osw und Or spielt das Grotesk-Komische gerade im Bereich der legendarischen Elemente eine Rolle. Je nach Auffassung über die Vorgeschichte hat man für diese beiden Werke entweder Brautwerbung oder Legende[330]) als konstituierende Gattung betrachtet, ohne daß wir v. a. von der letzteren eine klare Gattungsvorstellung hätten[331]). Trotzdem wird von hier aus meist mit dem Stichwort »popularisierte Legende« eine Art gemeinsamer Nenner gefunden[331a]). Zweifellos wären die vielen Aspekte, die in diesem Kapitel nur stichwortartig angedeutet werden

---

[326]) Die Masch.-Diss. von B. Wurzer, Das Komische in der deutschen Heldendichtung von der Frühzeit bis zum hohen Mittelalter, Innsbruck 1951, gibt eine höchst unsystematische Darstellung aus den Forschungsgebieten »Spielmannsepos«, Heldenepos und Heldenlied, darunter ein Forschungsreferat zur Entwicklung des Spielmannstums und eine lockere Aufzählung von Merkmalen des »Spielmännischen« (mhd. Ironie z. B.!). Grundsätzlich fehlt es an einer einheitlichen Konzeption des Komischen, ohne die der schwierige Gegenstand nicht bewältigt werden kann.

[327]) H. G. Weinand, Tränen, Bonn 1958, S. 24, bzw. K. R. Kremer, Das Lachen in der deutschen Sprache und Literatur des Mittelalters, Diss. Bonn 1961, S. 50 f.; S. 69 f. zum Lachen der Tochter Konstantins und der Kudrun. Eine im übrigen sehr verdienstliche Arbeit.

[328]) E. R. Curtius, Europäische Literatur und lateinisches Mittelalter, Bern 1954², S. 425 ff.

[329]) Komik und Humor in der Dichtung des deutschen Mittelalters, DVjschr 36 (1962), S. 321–339, S. 327 f.

[330]) Zum ganzen vgl. o. S. 13, 46. Brautwerbung (Baesecke) auch noch bei Woelker, S. 212; Legende (Keim) noch bei Schneider – Wentzlaff-Eggebert, Kreuzzugsliteratur, S. 889 f.

[331]) »Frömmigkeit naiven Wunderglaubens« (Schwietering, Literaturgesch., S. 113; ähnlich H. Rosenfeld) ist kein geeignetes Kriterium. Die Forschungen der Bollandisten und H. Günters gehen vorwiegend in andere Richtung. S. Sudhof faßt, was wir wissen, klar zusammen, geht aber der Gattungsfrage nicht nach (Die Legende. Ein Versuch zu ihrer Bestimmung, Studium Generale 11 [1958], S. 691–699). Ohne eigenen Wert sind die Bemerkungen Eleonore Hamms (Rheinische Legenden des 12. Jahrhunderts, Diss. Köln, Würzburg 1937) in ihrem Kapitel »Spielmannslegenden« (S. 45–55). Sie gibt v. a. den Inhalt, zu einigen Einzelheiten Kommentare, im übrigen Résumés der älteren Forschung.

[331a]) Naumann, Spielmannsdichtung, S. 266; H. Rosenfeld, Legende, in: Reallexikon 2², S. 13–31, S. 19, und: Legende, Stuttgart 1961 (1964²), S. 46 f. A. Hauck betont in seiner Kirchengeschichte Deutschlands 4, Berlin 1954⁸, S. 539 ff., gerade die weltlichen Züge stark.

konnten und die auch in der Forschung noch weitgehend unverbunden neben-
einanderstehen, am ehesten unter genau gestellten Fragen nach der literarischen
Gattung zusammenzufassen, auch wenn, was nicht anders zu erwarten ist, die Antworten nicht »eindeutig«, im Sinn unserer traditionellen Terminologie ausfallen
sollten. Insbesondere eine Untersuchung der Form der Legende, die sich schon
unter Hrotsviths Händen als ausgezeichnetes Medium literarischer Neukonzeption
erwiesen hatte[332]), würde für die »Spielmannsepik« (und hier nicht nur für Osw
und Or) noch manches ergeben. Das zeigt u. a. ein auf den höfischen Roman be-
zogener Versuch M. Wehrlis[333]). Wehrli sieht, von der 'Crescentia' ausgehend, die
Legende als nicht nur stofflich-motivliches, sondern v. a. auch als typologisches
Zwischenglied zwischen antikem und höfischem Roman (S. 432 ff.), der dann auch
wiederum auf die Legende als Inhalt zurückgreifen kann, im »Versuch einer Über-
höhung« im 'Gregorius' (S. 438).

[332]) W. Stach, Die Gongolf-Legende bei Hrotsvit, HistVjschr 30 (1935), S. 168–174,
361–397.
[333]) Roman und Legende im deutschen Hochmittelalter, in: Worte und Werte. Bruno
Markwardt zum 60. Geburtstag, Berlin 1961, S. 428–443.

IV. Fragen der Einzelinterpretation

In diesen typologischen Überlegungen fehlt, wie so oft, möchte man sagen, wo weiterführende Ansätze gemacht sind, die »Spielmannsepik«. Könnte es nicht gerade dort auch um die Frage gehen, *wie man zer werlte solte leben*? Kl. Fuss' Buch, der einzige Versuch, das ganze Gebiet interpretierend zu überblicken [334]), steht leider weitgehend im Bann des Begriffsschematismus der Stilforschung, deren Ergebnisse (hier mit geistesgeschichtlichen Obertönen) mit zusammengefaßt werden. Die einleitend vorgestellten Begriffe Hochromanik und Frühgotik werden vorwiegend inhaltlich gefaßt und erweisen sich in der Folge als weitgehend identisch mit Gegensatzpaaren wie Jenseitigkeit–Diesseitigkeit und sogar germanisch–christlich (S. 52). Die »Spielmannsepik« findet ihren Platz im Rahmen der allseitigen Bemühungen, die Hochromanik zu überwinden, bzw. »sie der einen Ausgleich zwischen Gott und Welt unter Wahrung der Selbstwertigkeit des Irdischen zustrebenden Periode der Hochgotik zuzuführen« (S. 19). Soweit, so gut [335]), – in keinem Fall hätte nun aber so punktuell interpretiert werden dürfen, wie Fuss es tut, der die Denkmäler nach dem Vorherrschen von »hochromanisch« bzw. »frühgotisch« oder »gotisch« geistesgeschichtlich zuordnet (Osw und Or gehören eher der früheren Zeit an, ein Hineinragen des Romanischen ins Gotische) und dabei die Werke als Individuen weitgehend auflöst. Kein Wunder, daß ihnen meist die »einheitlich leitende Idee« abgesprochen und »geringe ideenmäßige Festigkeit« zugeschrieben werden muß (S. 20) [336]). Selten genug kommt dabei die Form zu Wort [337]), so in der Erklärung der Wiederholung im Ro und Salm aus frühgotischem Erzählerinteresse (S. 22). Da aber auch hier das Inhaltliche überwiegt (man vgl. dagegen Bahrs Behandlung der gleichen Frage), übersieht Fuss die versteckteren Wiederholungen im Osw und Or. Abgesehen von solchen grundsätzlichen Mängeln, hat aber Fuss zum ersten Mal zusammenfassend einige Charakteristika herausgehoben, die über das rein »Spielmännische« hinausweisen und z. T. inzwischen zum festen Inventar der literarhistorischen Beschreibung gehören: den »Drang in die Weite« (S. 26; besonders für Osw) und die damit verbundene Raumvorstellung, die »Neigung zum Sonderbaren«, der »das Motiv des Zaubers« entspricht (S. 29), die Rolle der List (S. 37 ff.) und die des Eros (S. 73 ff.), mit der Frau als »Trägerin der sinnenhaften Urkräfte« (S. 90: Salme). Dazu kommen Einzelbeobachtungen, wie die zur Psychologisierung im Salm (S. 59 ff.) oder zu Orendel, der als gesteigerter Oswald

---

[334]) Der frühgotische Roman, Würzburg 1941.

[335]) Die komplizierte Überlieferungslage einmal ganz außer acht zu lassen, ist sicher gerechtfertigt, bedarf aber methodischer Begründung. Fuss spricht mit keinem Wort davon.

[336]) Dieser Mangel an Bereitschaft, nach u. U. modernem Denken nicht unmittelbar zugänglichen Synthesen zu fragen, hat sich, wie das Beispiel Baeseckes und Steingers (vgl. Orendel, S. XXVII) zeigt, immer wieder auch in der Textkritik ausgewirkt.

[337]) Vgl. E. Fr. Ohly in einer Rez. (AfdA 62 [1944], S. 13–15), die allerdings das Positive an Fuss' Arbeit doch etwas zu sehr unterdrückt. L. Wolffs Einwände (HZ 167 [1943], S. 635) machen das Vorhandensein einer »weltlichen« Komponente schon in »romanischer« Zeit geltend (o. S. 65 und 88).

gesehen ist (S. 53). Dabei wird aber die Frage nach dem »Warum« der in verschiedenem Verhältnis immer wieder auftauchenden Mischung der stilistischen und inhaltlichen Phänomene wieder nicht gestellt, wenn auch Ansätze erkennbar wären: religiöse Konfliktsituation, die ihren Ausdruck in der keuschen Ehe findet (S. 77 f.), in der Heidenbegegnung und allem, was damit zusammenhängt, dargestellt (S. 75) wird und vorläufig nur zu einer »Übergangslösung« führt (S. 78).

a) 'König Rother'

Die Einsicht in die Einheit des Ro-Epos als literarisches Kunstwerk ist vor allem in der Auseinandersetzung um seine historische Aktualität gewachsen und dann aus dem Bestreben, über die soziologische, die Spielmanns-Frage hinweg »von der Form her in den Formungsprozeß der Dichtung zurückzugehen« (Bahr, S. 1), wesentlich gefördert worden. Anneliese Bach[338]) betonte hier noch das Gesetz des Formalen in zu schematischem Sinn: größere Versgruppen fügen sich zu »Strophen« (Tabelle S. 6–16), die zu den Initialen der Handschrift *H* in Beziehung stehen (S. 17; vgl. oben S. 28). Darüber spannen sich Abschnitte von meist 12 Strophen, – bis zu Vers 2934 in einem ersten Teil 12 (S. 108), denen in auffälliger Parallelität in einem zweiten Teil nochmals 12 Abschnitte entsprechen (S. 138 ff.). Inhaltlich heißt das: der erste Teil, »der hauptsächlich um die zu werbende Prinzessin kreist und in dem ihr Eingreifen in die Handlung geschildert wird«, wird von einem zweiten ergänzt, »in dem Person und Handlungsweise des Königs besonders herausgehoben werden. Die Zweiheit Mann–Frau schafft hier schon ein ganz natürliches Gliederungsprinzip« (S. 28). Nach Bahrs auf weiter- und tiefergreifenden Untersuchungen ruhendem Befund stammt die Rückentführung der Gemahlin Rothers (2979–3260) schon von dem Verfasser der Einleitung. Damit ist diese alte Teilung in Ro I und Ro II überwunden, die noch Woelkers Interpretation zu begründen suchte (S. 203 ff.; s. oben Anm. 324), überwunden zumindest in dem Sinn, daß die Fortsetzung der Handlung zu einem von Anfang an bestehenden Gesamtplan gehört. W. J. Schröder hat diesen so verstanden: Grundmotiv und einigendes Element ist »die Sicherung der Macht eines Königs durch Gewinnung eines Thronerben«[339]). »Alles, was geschieht, hat politische Bedeutung«, auch die Brautwerbung (S. 307). In dem von Rother mit List als der »Klugheit des Starken« geführten Machtkampf zwischen West und Ost wird Konstantin schließlich völlig isoliert (S. 311 f.). Dieser Gegensatz bestimmt auch die Zweiteilung: Rother muß im 2. Teil beweisen, daß er nicht nur mächtig, sondern auch demütig ist. In Umkehrung der Motive (S. 315: mit großem Heer, nicht als Recke; versteckt sich, erscheint nicht offen bei Hof usw.) wird so ein germanisch-heldischer Stoff christianisiert (S. oben S. 53 zu Welt und Überwelt). Die dem genre eigene Schematisierungstechnik b i n d e t, was Schröder weitgehend übersieht, andererseits den Verfasser aber auch. Das Heimkehrermotiv, das für Schröder im Dienst der oben angegebenen konstruktiven Parallelität steht, mußte schon deshalb verwendet werden, weil nur dadurch das Schema »Entführung einer ungetreuen Gattin« (Salm) »zu dem Thema 'Treue Gattin' abgedrängt« (Frings–Braun, Brautwerbung, S. 65) werden konnte. Aus diesem Bereich der Brautfahrt stammende Schemata beherrschen gegenüber der anfänglichen Staats- und Dienstmannenhandlung den zweiten Teil so eindeutig, daß man sich doch fragen muß, ob darin nicht eher eine gewisse Neuorientierung und Weiterentwicklung über den ersten Teil hinaus liegt.

---

[338]) Der Aufbau des 'König Rother', Diss. Masch. Jena 1945.
[339]) König Rother. Gehalt und Struktur, DVjschr 29 (1955), S. 301–322, S. 307. Das heißt, daß Begriff und Motiv der *ere* den ersten Teil weitgehend bestimmen (Bach, S. 41).

Während H. Kuhn im »Gebärdenszenenstil« der Wiedererkennungs- und der Schuhszene eine bestimmte durchgehende, im 'Nibelungenlied' noch als archaischer Grundstock vertretene Schicht spielmännischer Szenengestaltungstechnik erkannt hat[340]), hat H. Fromm, ausgehend auch von der Raumgestaltung, gezeigt, wie der Epiker im Kleinen aus vorgebildeten Elementen baut und darin Eigenes sagt[341]). In der von ihm analysierten Partie (1805–2308) wird im Ineinandergreifen von 8 zum Teil parallel gebauten kleinräumigen Szenen, in der psychologischen Linienführung und der Durchzeichnung der Gestalten (Herlint) zum Typischen hin eine »Stufe des Erzählens erreicht, die sich nicht mehr mit der Aggregat-Technik verbinden läßt und auch aus der eigentlich spielmännischen Welt hinausführt, ohne daß sie für den einzelnen Spielmann unerreichbar wird« (S. 373). An keiner anderen Stelle des Ro ist allerdings eine solche Dichte der Darstellung erreicht. Sie wirkt wie ein stilistisches Bewußtwerden der Dualität Mann–Frau, das dem des frühen Minnesangs mit epischem »Wechsel« und mit auf die unbestimmte, nicht in persönlicher Bekanntschaft bezogte *tugent* des Mannes (oben Anm. 302) gerichteter Frauensehnsucht entspricht (auch Fromm geht mehrfach auf das Verhältnis zum frühen Minnesang ein). Die in der Schuhszene enthüllte Identität Dietrichs mit Rother ruft daher keinerlei Interessenkonflikte in der Prinzessin hervor. Mit großem sprachlichen Feingefühl (Fromm, S. 369f.) führt der Ro-Dichter das Ineinander von Fernminne und Minne durch Gerücht zur Konzentration auf die Person. Hier hat inzwischen noch H. Voigt mit Ausführungen zur Vielschichtigkeit des ganzen Vorgangs scharf unterschieden zwischen »Schuhlist«, mit höfischen Obertönen und der Verwendung von zwei Paar Schuhen, »Werbungslist«, die den »Formalakt« herbeiführt, »ohne daß die Umworbene die Absicht vorher merkt«, und der »rechtsförmlichen Verlobungssymbolik«[341a]). Das Schuhreichnis selber gewinnt in diesem Vorgang allmählicher Annäherung und Anagnorisis doppelten Symbolwert, als höfische Dienstleistung und als juristische Verpflichtung (S. 112). Damit löst sich in Symbol und Geste der Zwiespalt, schon bevor er nun auch ausdrücklich zur Sprache kommt, und ich kann daher auch nach Voigts Bemerkungen die Vorbereitung auf diesen Punkt nicht »unbefriedigend« (S. 116) finden[342]). Das Hoffest Konstantins hat mit diesen Dingen noch wenig zu tun; es ist Mittel der Macht (Rother) wie der List (Tochter Konstantins), – darin liegt nach H. Bodensohn der Hauptunterschied zu den späteren höfischen Festen[343]), wenn auch der Ro mit 'Kaiserchronik' und Er A »die ersten zaghaften Anfänge des adligen Ritterbegriffs« bezeugt[344]).

---

[340]) Über nordische und deutsche Szenenregie in der Nibelungendichtung, in: Edda, Skalden, Saga. Festschrift für Felix Genzmer, Heidelberg 1952, S. 279–306; in: Dichtung und Welt im Mittelalter, Stuttgart 1959, S. 196–219, S. 201 und 207f.

[341]) Die Erzählkunst des 'Rother'-Epikers, Euphorion 54 (1960), S. 347–379.

[341a]) Zur Rechtssymbolik der Schuhprobe in þiðriks Saga (Viltina þáttr.), PBB (Tübingen) 87 (1965), S. 93–149, S. 108f. Die entwicklungsgeschichtliche Folgerung, die sich daran knüpft, und auf die der Verf. im Hinblick v. a. auf die 'Thidrekssaga' das Hauptgewicht legt, könnte die Entstehung der Osantrixerzählung aus dem »Großepos« mehr als bisher wahrscheinlich machen, wenn sie – in den Worten des Verf.s – »durch entsprechende Beobachtungen auch an anderen Stellen gestützt werden kann« (S. 109). Das ist zu dem o. S. 30 Bemerkten nachzutragen.

[342]) Die Annahme, das Mädchen müsse von Anfang an den wahren Sachverhalt ahnen (Woelker, S. 162; Frings, Herbort, S. 18), psychologisiert in jedem Fall unnötig. Sachgemäßer ist zur Niedens Feststellung von älterem und neuerem Minneverständnis, die sich hier gegenüberstünden (S. 19, 39f.). Zur Doppelrolle Rothers s. auch o. Anm. 324.

[343]) Die Festschilderungen in der mittelhochdeutschen Dichtung, Münster 1936, S. 5.

[344]) Bumke, S. 96. Zum Übergang im Wortgebrauch s. Kramer, Über *dulden* und *lobesam* (o. Anm. 128), S. 209f., dazu o. Anm. 183.

In der Beurteilung des Politischen im Hinblick gerade auch auf die Brautfahrt schließt Ch. Gellinek an Schwietering (Literaturgesch., S. 108f.) und Schröder an. Er sieht aber das Material straffer organisiert, – im Sinn einer Zentralkomposition, in der zwischen Auftakt und Epilog die Haupthandlung in drei Akten vor sich geht: 1. Brautwerbung, 2. Gewinn und Verlust, 3. Wiedergewinnung[345]). Jeder der drei Hauptteile zerfällt in 10 Handlungsphasen und das Ganze ist von einem Netz von 7 »Höhepunkten« und ihren »Gegengipfeln« (S. 42ff.)[346]) überzogen. Grundlage bildet zwar ein »Doppelschema« (s. oben S. 33), aber der Ro-Dichter (Gellinek nimmt wie Schröder und anders als Bahr nur einen an) überwindet in seinem allgemeinen Formstreben (Bahr) das Schema durch Struktur (S. 180). Ihre Mittelachse liegt nach Gellinek bei 2554. Auch Gellinek scheint mir aber die Spannung zu gering zu achten, die zwischen dem Formstreben des Dichters und der Bindung an traditionelle Schemata und vor allem auch an eine traditionelle Kompositionsweise besteht. Das nochmalige Durchspielen des Grundthemas in einem zweiten Schema, besser: in einer nochmaligen Kombination verschiedener Schemata, hat wohl doch einen eigenen gewichtigen Aussagewert, der auch in der weiteren literarischen Entwicklung eine grundlegende Rolle spielt.

Neben dem »reichshistorischen« Sinn mit der Brautfahrt als Akt mythischer Legitimierung (Gellinek) und der Geburt Pippins gibt es einen allgemeineren Sinn mit Gewinn und Verlust und Wiedergewinn des Partners, und auf beide Handlungsstränge ist die abschließende »Moniage« zu beziehen[347]). Vielleicht ist so die immer deutlicher zutage tretende formale und inhaltliche Ambivalenz des Ro[348]) am besten bezeichnet, von dem aus eine Linie zum Höfischen hin, eine andere zur »Spielmannsepik« führt.

b) 'Herzog Ernst'

Im Fall des Ro hat die Erörterung der Entstehungsgeschichte fast zwangsläufig allmählich in die literarische Interpretation geführt; für den Er läßt sich ein solcher Übergang erst andeutungsweise erkennen. Hier hat C. Heselhaus sich ein Verdienst erworben, wenn auch seine Art, die Fassungen B und F zu vergleichen, deren jeweiliger Eigenart kaum gerecht wird (Ringhandt, S. 14). Ihm geht es eben um die »Urgestalt« (S. 171), womit der Weg dann wieder zur Vorgeschichte zurückführt. In B herrscht nach Heselhaus noch die Konzeption des germanischen Ächters vor. Sie binde den ersten Teil mit den Reiseabenteuern zusammen (S. 180), die – anders als z.B. im 'Brandan' – »nicht symbolhaft zu nehmen« seien (S. 183). Im gleichen Atemzug bemerkt Heselhaus allerdings ausdrücklich: »Grippia ist mehr als ein höfisches Wunsch- und Idealland. Es ist im Ästhetischen ein höfisches Vorbild, wie

---

[345]) Das Schema des Handlungsgerüsts (S. 38) nimmt das stilistische Ergebnis Bahrs auf, mit dem der Verfasser auch in der Frage der »Poetisierung« weitgehend einig ist (vgl. auch: Die Rolle der Heiligen im 'König Rother', JEGP 64 [1965], S. 496–504, S. 501f.).

[346]) Es wird nicht ganz klar, wie Gellinek so plötzlich zur Bestimmung dieser Gipfel kommt, nachdem die vorausgehende Diskussion von Zeit-, Ort- und Handlungsgerüst keine entsprechenden Anhaltspunkte ergibt.

[347]) So würde ich die abschließende Rückgabe des Weltlichen an Gott (Schröder, S. 312; Schwietering, Literaturgesch., S. 110) verstehen.

[348]) Luise Lerner (Studien zur Komposition des höfischen Romans im 13. Jahrhundert, Münster 1936, S. 4 mit Bezug auf das scheinbar tote Zwischenstück der Rückentführung) und H.Hempel (Französischer und deutscher Stil im höfischen Epos, GRM 23 [1935], S. 1–24, S. 16) hatten die Gestaltungsweise noch als eindeutig »additiv« und »romanisch« gesehen. Zum Aufbau vgl. auch o. Anm. 299.

es das fest und wohlgefügte Arimaspi ... im Staatlichen ist« (ebd.)[349]. Dieser Teil ist auf den ersten abgestimmt als Rahmen heldischer Bewährung, die in derartiger Individualität im Rahmen des Reiches nicht möglich war und dort zur Katastrophe führen mußte (S. 174). Gemeinsam ergeben beide Teile dann doch eine »Apotheose des Reiches und seiner Macht« (S. 187) [350]. Der Kreuzzug stellt hierfür nach Heselhaus nur den Rahmen (S. 177); B sei gegenüber F auch in dieser Beziehung lockerer und weniger zielstrebig gefügt (S. 178). Demgegenüber betont E. Ringhandt die Zielstrebigkeit gerade von B (oben S. 36), und G. Bönsel die geographische Genauigkeit (oben S. 41), eine relativ »konkrete« Welterfassung. Ringhandts Methode, im Vergleich der Fassungen A, B, D (»späthöfisches Epos«) und F (»bürgerlicher Roman«) auf das »Welt- und Lebensgefühl« des jeweiligen Publikums zu schließen (S. 15), ist etwa in der Mitte zwischen Heselhaus und Hildebrand (oben Anm. 186) anzusiedeln (Sonneborn bleibt zu knapp und subjektiv). Der notgedrungen sehr beschränkte Vergleich mit A und die Interpretation von B ergeben, daß B gegenüber A das Element der Gefolgschaft stärker betont (S. 48), bzw. in diesem Verhältnis den Herren stärker herausstellt (S. 51). Für B ist das »ausgesprochen männliche Verhältnis der Gefolgschaft« entscheidend (S. 76), hier »ist der Kampf die Lebensäußerung schlechthin« (S. 106). Ausdruck findet all das in dem Wort *ere,* dem *milte* zu- und untergeordnet ist (S. 123 ff.). Es geht um »diese Welt und ihre Anerkennung« (S. 120), und, was den Menschen dabei bestimmt, ist »die Auffassung des Kriegerstandes von Sinn und Wert des Daseins« (S. 122)[351].

Eine festgefügte Hierarchie, die von Schwietering als strukturbildendes Element bezeichnet ist (Literaturgesch., S. 111), hält dabei Ernsts Reckentum in der Mitte zwischen abenteuerlichem Heerzug eines Kriegerfürsten und Dienst am Reich. Im Kreuzfahrtschema stellt sich als Einheit dar, was im ersten Teil als Grundlage des Konflikts erscheint: gerade hier, wo Ernst äußerlich nun ganz als oberster und idealer Dienstherr auftritt, ist seine Beziehung zu Otto nicht mehr als Verwandtschaftsverhältnis, sondern als Vasallenverhältnis gekennzeichnet (Harms, S. 93 f.; s. oben Anm. 205). Diesen Aspekt beachtet Ehrismann nicht hinreichend, der in dem »Grundplan« Ernst als »das Idealbild eines Fürsten« schlechthin sieht (S. 47). Er legt dabei einiges Gewicht auf das Moment der Erziehung des Helden, das seither Nora Schneider in weiterem Zusammenhang verglichen hat[352]: gegenüber dem 'Alexanderlied' verschiebt sich »der Schwerpunkt von dem ritterlichen Bildungsgut ... auf das ritterliche Bildungsideal«, das im »Begriff der *ere*« charakterisiert ist (S. 18). Inwieweit wir mit all dem A nahekommen, bleibt zu untersuchen (vgl. oben S. 36 f.), im übrigen aber heben sich Ansätze zu einer

---

[349] Das, wie Schwietering herausgearbeitet hat, besonders in der Kranichmenschen-Episode sich manifestierende neue Schönheitsempfinden darf aber nicht darüber hinwegtäuschen, daß gerade der höfische Glanz es ist, der die Kreuzfahrer, indem er sie zurücklockt (2481 ff.), in einen mörderischen Kampf und das unhöfische Zwischenspiel um die Königstochter von *India* verwickelt.

[350] »Sicherung der Macht« ist auch für Schröder wieder das Hauptthema (Spielmannsepik, S. 46); und die Zweiteiligkeit ist ebenfalls als einheimisch-sagenhaft/religiös überhöht verstanden: die »verkehrte Welt« lehrt den Empörer Demut.

[351] W. Harms scheint mir in seiner kurzen Studie im Anschluß an Ringhandt dies zu sehr in rein persönliche Bezüge zu stellen, die das Reich ausklammern (Der Kampf mit dem Freund oder Verwandten in der deutschen Literatur bis um 1300, München 1963, S. 89–95); »das Reich hat seine eigene Ehre (497–1138)« (H. Fehr, Das Recht in der Dichtung, Bern o. J., S. 105; S. 104–107 ist die Dichtung rechtsgeschichtlich ausgewertet).

[352] Erziehergestalten im höfischen Epos, Würzburg 1935 (zur Rolle Adelheids S. 11 f., 19). Vgl. o. Anm. 191.

Interpretation heraus, die alle in die gleiche Richtung und vor die höfische Zeit weisen.

Als Ernst sich schließlich unterwirft, bringt er nicht nur den Waisen der Reichskrone (s. oben S. 38), sondern auch die Beispiele seiner Erfahrungen mit den Wesen fremder Kulturen zurück. Wer das erstere ernst nimmt, sollte auch das letztere nicht vergessen. In der geographisch-ethnologischen Auffüllung des Kreuzzugsschemas erhält der typologische Gegensatz Heiden–Christen, wie er aus den Brautwerbungen bekannt ist, einen anderen und stärker gegliederten Sinn. Von den schließlich als unhöfisch entlarvten Kranichköpfen in *Grippia* zu den fast höfischen Babyloniern erfährt Ernst zwischen Anfang und Ausklang des Kreuzzugserlebnisses eine Skala von Lebensformen, deren (vorwiegend negativer) Bezug auf den Grundgedanken gesellschaftlicher Ordnung unverkennbar ist. Hier geht Heselhaus am Wesentlichen vorbei. H. Kuhn deutet den erwähnten Sachverhalt dagegen so: »das Wunderland steht also mit Absicht mitten in der politisch-ritterlichen Geschichte, und diese Reihe naiv zusammengefügter Gestaltsymbole verkörpert nichts Geringeres, als eine Kosmographie der höfischen Kultur« (Die Klassik des Rittertums, S. 107). Reichsgeschichte wird mehr als im Ro im Sinn sich bildender ritterlicher Kultur, wenn auch vorwiegend staatlich-sozial, verstanden. Daher die Betonung des Ständisch-Hierarchischen, daher auch die Form, in der das Thema Brautwerbung erscheint: Staatsakt einerseits (Werbung Ottos um Adelheid, keineswegs, wie Bönsel S. 103 f. meint, aus den »Spielmannsepen« entlehnt), brutaler Raub andererseits, als negatives Beispiel und zugleich direktes Gegenbild der auf beiderseitiges Wollen hin konzipierten Werbungen der »Spielmannsepen«. Hierher gehört auch das Fehlen von Komik und List (de Boor, S. 260 f.) und die zeitweilige Aufgabe der stereotypen Erzähltechnik (nicht erst in B!). Der Er weist direkter, wenn auch verhüllt, in die Zukunft, womit freilich eher eine Feststellung zur Typologie als zur Chronologie getroffen ist.

c) 'Münchener Oswald'

Weniger noch als im Fall des Ro hat man sich bei Osw und Or dazu verstehen können, sie als einheitliche Schöpfungen anzusehen oder gar zu interpretieren. Es bedeutete schon einen Fortschritt, wenn Schwietering den Versuchen Baeseckes (vgl. Keim, Schreiber, Steinger, Ehrismann, S. 331) entgegenhielt, sie verkennten »Wesen und Sinn volkstümlicher Dichtung, die von vornherein mit Widersprüchen der Handlung und Dunkelheiten des Ausdrucks behaftet, seit Anbeginn nur als Variante lebt« (Literaturgesch., S. 113). Weniger soziologisch belastet ist de Boors Kommentar zur Sache, der ihr freilich auch noch wenig positive Aspekte abzugewinnen vermag: »Forderungen einer logischen und psychologischen Einheitlichkeit« in unserem Sinn werden »dem Stil der Kettung von selbständigen Erzählgliedern nicht gerecht ... Wir können nichts tun, als die Gedichte als Ganzes so zu nehmen, wie wir sie besitzen; alles andere wäre historische Verfälschung« (S. 263). De Boors Feststellung zum Stil gehört in das Kapitel Epische Technik. Ich habe in meiner Untersuchung zum Osw zu zeigen versucht, daß der Verfasser dieser Technik nicht nur unwillkürlich verpflichtet ist; er beherrscht sie bewußt und stellt sie in den Dienst einer eigenen Konzeption, die dem gesamten Werk zugrunde liegt. Daß eine Werbungsgeschichte in keuscher Ehe endet, ist für Baesecke (und andere) einer der grundlegenden »Widersprüche« des Gedichts (bes. S. 214 f.). Nähere Betrachtung lehrt aber, daß sich zwischen diesen beiden motivlichen Polen eine Diskussion eben solcher Fragen hinzieht. Der Verfasser baut aus den Teilschemata und Motiven von Brautwerbung und Legende eine Struktur, die auf dem Grundschema der

Brautwerbung aufruht, es zugleich aber interpretiert. Der Ausgangspunkt seiner Fragestellung ist in dem außerhalb des Schemas (Wunsch nach einem Erben – Gewinnung des Erben, wie im Ro, wo die Weltentsagung erst dann folgt) stehenden Wunsch Oswalds zusammengefaßt: *ich næme gerne ein magedîn, | möhte ez nûr âne sunde gesîn* (39 f.).

Unter Verwendung von Ansätzen der kirchlichen Legende (s. oben S. 13 und S. 71 f.), die Oswald u.a. als vorbildlich christlich-ritterlichen Herrscher (oben Anm. 47) legitimierte, koppelt der Verfasser ein Schema »Brautwerbung durch Boten« mit einem Schema »Entführung mit heimlichem Einverständnis der Entführten«, wobei er durch Umstellung, Neubeziehung, Zerdehnung oder Verkürzung hierher gehörender Motive im Grundschritt des Brautwerbungsschemas, Verlangen – Gefährdung – Überwindung der Gefahr, neu akzentuiert. Überschneidungen und modernem Verständnis ungereimt Scheinendes erklären sich dabei häufig nicht nur als unvermeidliche Folgen der Kompositions- oder Überlieferungstechnik (Frings, Schwietering, de Boor), sondern aus bewußter Zusammenordnung. Ein sprödes Material wird einem individuellen Aussage- und Gestaltungswillen unterworfen, der besonders in der gegenüber Ro wie Salm neuen und anderen Aktivität der Braut (Beratung durch sie, Selbstbefreiung) zum Ausdruck kommt, in der ihr Heidentum mit Elementen des Zaubers (Goldhirsch, magische Steine, Zauberring) in nuancierte Spannung zu ihrem Hinneigen zum Christentum und Oswalds Missionsauftrag tritt. Auf ein anderes Beispiel hat indirekt schon Schreiber hingewiesen: wie der Verfasser aus verschiedenen schematischen und motivlichen Zusammenhängen den Personenkreis zusammenholt und kontinuierlich darstellt, der für Oswalds geistige und praktische Führung verantwortlich wird (Schreiber, 1, S. 198f., 217f., 2, S. 212, aber ausschließlich im Sinn verschiedener Quellen gedeutet). Oswald unterstellt sich göttlicher Führung: die Figur des alten Ratgebers und Begleiters (Berhter) erscheint als Pilger-»Weitfahrt«; er stellt den Boten, einen Vogel, also traditionellen Liebesboten, vor, der die Helferrolle mit übernimmt und so die weitere Entwicklung beherrscht, und verschwindet selber abrupt. Ähnlich abrupt verschwindet am Schluß der Boten-Helfer, an seine Stelle tritt – ein legendarisches Motiv – Christus als Gast, aber in der Form des bei Hof auftretenden Bettlers oder Spielmanns (Salm 361 ff.).

Die Schemata haben aber auch ihr Eigenleben, und im Rahmen des Kreuzzugsschemas unterstellt dann Oswald seine weltliche Existenz Gott in einem Maß, das schließlich auch keinen Raum mehr läßt für eine eheliche Bindung. Noch kommt die Diskussion der Minnefrage zu einem negativen Ergebnis.

Häufig wird, ähnlich wie Morolf im Salm, der Rabe als eigentlicher Held der Erzählung und zugleich Selbstporträt des Verfassers angesehen. In seiner auf das greifbar Irdische gerichteten Haltung (vgl. oben S. 14) gewinnt er aktuellen Bezug, andererseits steht er in der bewußten Antithetik (Keim, Oswald, S. 34f.) seiner Meerabenteuer (Meerfrauen/Einsiedler) dem Gesamtthema nahe. Er mag also wohl der Repräsentant des Verfassers in der Handlung sein, aber in einem Sinn, der über »spielmännische Selbstdarstellung« (Wilmanns, Keim, Ehrismann) weit hinausgeht. Ich habe versucht, auf der Basis meiner Analyse der Thematik und des Aufbaus und unter Anwendung der hierbei gewonnenen Kriterien von seinem Werk aus die Verbindungslinien zu Wolfram einerseits (S. 156ff.), zu den anderen »Spielmannsepen« andererseits zu ziehen. Von dem einen soll hier gar nicht, von dem anderen nur insoweit noch die Rede sein, als ich auf bereits anderweits sichtbare Bemühungen verweise.

d) 'Orendel'

Mit der Sezierung des Or hat sich nach den Gelehrten des 19. Jahrhunderts an prominenter Stelle dann erst wieder Steinger in der Einleitung zu seiner Ausgabe beschäftigt. Da hatte vorher schon Ehrismann das Werk viel unbefangener als Einheit betrachtet, und Tonnelat eine daran anknüpfende Interpretation vorgelegt[353]. Die bis dahin öfter teilweise oder ganz gestrichene Einleitung (1–156) bezeichnet er als »le premier'chant'du poème« (S. 358)[354], der das eigentliche Thema und die dazugehörige Vorgeschichte gebe; denn der Or wolle den Beweis für die Echtheit des Heiligen Rocks erbringen, wolle nichts anderes sein als »l'histoire complète de la tunique … depuis le jour de sa fabrication jusqu' à celui où Orendel la dépose dans la cathédrale de Trèves« (ebd., Hervorhebung von mir. Vgl. oben S. 17 und Anm. 265). So wird denn auch der Rock in einer Abenteuerfahrt ähnlich der Ernsts gewonnen (s. oben S. 19 und 41), mit abenteuerlicher, im Gegensatz zu den Brautfahrten ausführlich beschriebener Ausfahrt und zielbewußter, geographisch orientierter Rückkehr. Das reicht aber nur bis 3212. Daß dann der Verfasser weiterarbeitete, begründet Tonnelat damit, daß er sich gezwungen gefühlt habe, nun entsprechend der ursprünglichen Motivation Orendel zur Heidenbekämpfung ins Heilige Land zurückzuführen (S. 362). Gerade in dieser Beziehung aber leistet Orendel doch nun nichts Wesentliches mehr! Man wird den Blick wieder auf die Schemata lenken müssen. Daß der Wunsch, das Vorhandensein des Rocks in Trier zu erklären, mit gewisser Zwangsläufigkeit auf bestimmte Konstellationen führt, die u. a. auch das Verhältnis der Heldin zum Helden betreffen (sie ist Christin, streitbar und Werberin), ist oben S. 18 angedeutet. Die Brautwerbung tritt hier zunächst zurück[355]. »Die spezifisch geistlichen Eigentümlichkeiten … sind … organisch mit dem Grundelement verwachsen«, stellt zur Nieden fest (S. 26; vgl. dagegen Bechmann, oben S. 64). Die daneben bestehende Reckenhaftigkeit Orendels bedeutet ihm dann aber doch (mit Naumann) Konzession an den Publikumsgeschmack (ebd.), und das keusche Ende wertet er in Baeseckescher Tradition als »Sinnlosigkeit« (S. 40). Die Mischung von Demut (und damit weitgehender Identifizierung mit dem Gewand: oben S. 18) und Heldengebaren im 1. Teil entspricht aber doch sehr genau der Rolle Orendels.

Der 'Apollonius' bot mit der Trennung des Paares nach einer ersten Vereinigung Anhaltspunkte für einen zweiten Teil. Dessen Entstehung schreibt man gerne »Erzählerinteresse« zu, aber warum ist dann dieser zweite Teil im Verhältnis zum ersten (1:4) so kurz und dazu so handlungsarm (Benath, 84, S. 346)[356]? Benath vermißt beim Vergleich mit dem Salm auch die Steigerung des Ergebnisses im zweiten Teil (ebd.; s. unten S. 83). Sie geht an sich über die Deutung Ehrismanns und Tonnelats hinaus: »zweifellos wurde der II. Teil nicht erst nach Ab-

---

[353] Die Forderung Springers, den Or »endlich einmal aus sich selbst und den literarischen Bedingungen der Zeit heraus zu verstehen« (S. 568), hat freilich bisher noch wenig Widerhall gefunden.

[354] Steinger, der Tonnelat nicht erwähnt, hätte zumindest hier nicht mehr an der Echtheit zweifeln (S. XVI) dürfen (vgl. o. S. 58 und Anm. 276).

[355] Daß dabei auch gegen die lauen Templer innerhalb der christlichen Partei Stellung genommen wird, gibt dem Kreuzzug hier einen Anflug von Wirklichkeit (Wentzlaff-Eggebert, S. 110f.). Vgl. o. S. 67.

[356] Das Verhältnis ändert sich zu 1:3 (was dem im Salm entspricht), wenn man, wie ich, annimmt (S. 118ff.), daß die Rückfahrt nach Trier (2878–3212) ursprünglich auf 2282 folgte und damit der Belagerung der Burg in *Westvale* (2374–2571) vorausging, und, daß der jetzt zwischen beiden stehende Angriff der Heiden Elin und Durian (2572–2877) eine anderen Teilen des Epos nachgebildete Interpolation darstellt.

schluß des ersten einfach angehängt. Schon im I. Teil hat sich die Blickrichtung geändert.« Dies soll in Richtung auf die Herrschaft in Jerusalem geschehen sein, aber es ist Benath doch auch klar, »daß Br(ide) im Verlauf der Dichtung immer mehr in den Mittelpunkt rückt«, und sie erwägt die Möglichkeit, »daß dem Dichter doch eine Doppelung im Sinne der Wiederholung der Brautentführung vorge-schwebt hat« (S. 347). In diesem Bereich gibt es aber nun eine Steigerung: das Gebot der Keuschheit auf neun Jahre wird in ein endgültiges umgewandelt. Die Brautwerbung ist nur benützt, um schließlich verurteilt zu werden. In einer Trias, die den drei Kämpfen Orendels vor der Gewinnung Jerusalems entspricht, folgt Befreiung Orendels durch Bride (Westvale), Befreiung Brides durch Orendel, ge-meinsame Befreiung Jerusalems. Alle gleichen sich darin, daß jedesmal Brides Keuschheit bedroht ist und bewahrt bleibt. Geht es im Grunde um das Ideal der Keuschheit? Darin läge – gerade im so stark anklingenden Schluß – ein Haupt-unterschied zum Osw, und das wäre der eine typologische Hauptaspekt. Der an-dere steht im Zusammenhang mit der Heldenepik. Schneider und de Boor erwä-gen in verschiedener Weise eine solche Verbindung (Schneider, S. 185; allerdings gilt Orendel als »entheldischt«: S. 248; de Boor, S. 269). Wir halten das mit Teu-bers Ergebnissen zur Datierung und dem Hinweis des Heldenbuchs auf Orendel zusammen und stellen fest, daß im Or das Werk gegeben ist, in dem sich die »Spiel-mannsepik« am deutlichsten zum späteren Heldenepos hinneigt. Diese nahe Be-rührung würde dann auch eine äußerliche Überarbeitung im 13. Jahrhundert er-klären.

e) 'Salman und Morolf'

Die Sonderstellung des Salm als des klassischen Beispiels »der niederen Spiel-mannsdichtung nach alter Auffassung« wird von Frings so umschrieben: »auf dem Hintergrund des Welterzählstoffes von der 'Ungetreuen Frau' erscheinen Intrigen-spiel, ritterliches Getue und spielmännische Pfiffigkeit, Vornehmheit und Niedrig-keit in köstlicher Mischung, in einer absichtslosen Fabelei« (Spielmannsepen, S. 311). Da sich mit dieser oder ähnlichen durchweg vertretenen Auffassungen weitere Interpretationsversuche zu verbieten scheinen, steht auch an den wenigen Stellen, wo sich Bemerkungen zu einer Gesamtthematik und zum Aufbau finden, wie auch bei Frings (s. oben S. 33, 74), die Entstehungsgeschichte im Vordergrund. H. W. J. Kroes glaubt, daß »zwei nebeneinander bestehende Fassungen zusammen-geschweißt« wurden[357]. Eine einfachere Erklärung für die diesem Urteil zu-grunde liegende konstruktive Parallelität der beiden Teile böte allerdings ein von vornherein bestehender Gesamtplan. Kroes zeigt auch selber ein durchgehendes Grundthema auf, das dem Thema »Ungetreue Frau« und den dazugehörigen Schemata besonderen Akzent verleiht, also nicht ohne weiteres selbständige Doppelformen erzeugt haben würde: Verlust und Wiedergewinnung »des alt-berühmten Salomonischen Ringes« (S. 59), und als Gegensatz hierzu die Wirkung des heidnischen Zauberrings. Gerade unter diesem Gesichtspunkt vermutet denn auch Benath, »daß beide Teile von einem Dichter auf Grund alter Sagenüber-lieferung gestaltet oder zumindest überarbeitet und genau aufeinander abgestimmt wurden« (84, S. 326; vgl. 325, 338 ff.). Dahinter stehen ihrer Ansicht nach aber trotzdem nach wie vor zwei getrennte Überlieferungen (ebd. und S. 408). Quanti-tativ verhalten sich I und II wie 3:1, aber der zweite Teil bringt nichtsdestoweni-ger nach Benaths Tabellen ein kaum geringeres Maß an Aktion und Spannung.

---

[357]) Zum mhd. Salman und Morolf, Neophilologus 30 (1946), S. 58–63, S. 63.

Der Ring Salmans und seine heidnischen Gegenstücke sind mehr als nur »Kuriositäten« (Fuss, S. 89, Schwietering, Literaturgesch., S. 116), – ist doch jeweils deutlich gesagt, daß Salme heidnischer Magie verfällt und damit dann auch als Verwahrerin des Salomonischen Ringes nicht taugt (723, 5)[357a]. Diese Problematik wird durch den Vorspann (1–20) der ganzen Handlung vorangestellt: Salme, die von Salman geraubte Braut, ist getaufte Heidin. Entscheidend gegenüber den verwandten Epen ist, daß sie dem Heidnischen wieder verfällt (vgl. oben Anm. 119), sodann »die Entführung einer verheirateten Frau« (Benath, S. 333), und damit, »daß der Erzähler hier vom Aspekt des seines Besitzes Beraubten sieht«, wie es Schröder formuliert (Spielmannsepik, S. 80). Der durch die Umstellung der Schemata gekennzeichnete neue Sinn, den Schröder allerdings vermißt, liegt durchaus in der von Ehrismann herausgestellten, von Schröder negierten allgemeinen Thematik der Untreue der Frau (Ehrismann, S. 323 f.), unter dem besonderen Aspekt des Rückfalls ins Heidentum. Letzteres wird von de Boor als »Handlungsantrieb« ausgeschlossen (S. 265). Daß Salmes Schönheit »von formelhafter Starre zu einer dämonischen Lebendigkeit geweckt« wird, der nur ihr damit zum eigentlichen Gegenspieler erhobener Schwager Morolf widerstehen kann (S. 264), stellt de Boor eher in Zusammenhang mit einer oberflächlich höfischen Ausgestaltung des Ganzen. In ihrer »dämonischen Lebendigkeit« ist aber Salme das gerade Gegenteil der Dame des hohen Minnesangs, wie Grünanger (S. 116) bemerkt. Gut paßt sie dagegen zum frühen Minnesang, aber es sei hier auch Spankes Meinung mitgeteilt, »daß man bei der späten Abfassung an eine Parodierung des höfischen Frauenideals denken könnte« (S. 60).

Hat der Verfasser in der Heidin Affer, die am Schluß dann die Stelle Salmes einnimmt, ein Gegenbild zu dieser schaffen wollen (Schwietering, Literaturgesch., S. 116 f.)? Des gefangenen Salman Werbung um sie im Lauf der Rückgewinnung Salmes steht jedenfalls der Werbung des gefangenen Fore um Salme kontrapunktisch gegenüber (Benath, S. 340). Baesecke, der in einem kurzen Vergleich zwischen Ro, Salm, 'Reinhart Fuchs' und 'Moriz von Craun' die Altertümlichkeit gerade des Salm betont[358]), betrachtet dieses »rührende Frauenbild«, »ein Höchstes archaischer Kunst«, eher als später zugesetzt, als Träger einer Liebeshandlung (S. 19)[359]. Sicher ist, daß die Frage des Verhältnisses der Geschlechter zueinander im Salm in einer Ausschließlichkeit Gegenstand der Handlung ist, wie in keinem anderen »Spielmannsepos«.

Salman ist hierbei ein durchaus teils passiver, teils schwankender Held, womit sich eine Situation ergibt, die oberflächlich der im Osw sehr ähnelt und denn auch allgemein entsprechend beurteilt wird: Morolf ist der eigentliche Held (Ehrismann, S. 320, de Boor, S. 265), und in ihm stellt sich der spielmännische Verfasser dar (hier schränkt de Boor allerdings ein). Frings, der (Spielmannsepen, S. 311) auch so urteilt, sieht dabei selbst, daß Morolfs Schlauheit »geradezu ein Stück der alt-

---

[357a]) Als Gegenzauber ist einheitlich, wenn auch in verschiedenartigen Situationen, die betörende Kraft der Musik eingesetzt. Zusammenfassend behandelt die entsprechenden Stellen kurz H. Riedel, Musik und Musikerlebnis in der erzählenden deutschen Dichtung, Bonn 1959, S. 134ff. Vgl. o. Anm. 125 und u. Anm. 361.

[358]) Heinrich der Glichezare, ZfdPh 52 (1927), S. 1–22, S. 22. S. u. S. 84.

[359]) Vgl. o. Anm. 113. Nach Benath steht der hierher gehörende Isolt-Kampf des ersten Teils in Parallele zum Belian-Kampf des zweiten, der dann aber als einzige größere Episode des zweiten Teils umfänglicher als eine vergleichbare Episode des ersten wäre. Der Belian-Kampf entspricht aber doch genauer dem Fore-Kampf und tritt damit zum Abschnitt »Rückgewinnung Salmes«, der so mit 62 Strophen gegenüber 206 des ersten Teils den Proportionen der anderen Hauptteile (1:3) auch etwas näherkommt.

hergebrachten Auseinandersetzung mit seinem Bruder geworden« ist (Braut-werbung, S. 60).

Dieser enge Zusammenhang mit der Spruchdichtung und der weitere Rahmen des Hybris-Themas ist von größter Wichtigkeit für die Beurteilung der Rolle Morolfs wie der Absicht des ganzen Werkes (oben S. 25), einschließlich der Funktion der grotesken Komik. Wie im Spruchgedicht wird Salman durch Morolf, wenn dieser auch als Helfer auftritt, widerlegt. Der Königsbruder übernimmt nicht etwa sekundär eine Narrenrolle, wie G. Bebermeyer andeutet [360]), sondern die diese Rolle mit umschließende »unwiederholbare Einheit der Figur« (de Boor, ebd.) ist direkter Ausdruck der erfolgreichen Transponierung des Grundthemas der Spruchdichtung in epische Gestalt. Der Demonstration von Morolfs Gegen-position dient mit entsprechend stärkerer Betonung des grotesken Elements be-sonders der zweite Teil mit Verlust von Salmans *heiltuom* und Tötung Salmes.

---

[360]) Narrenliteratur, in: Reallexikon 2², S. 592–598, S. 594. Über die aggressive Volks-tümlichkeit des von Markolf im Spruchgedicht gegen Salomons »höhere« Weisheit ge-stellten Sprichwortgutes vgl. im Zusammenhang W. Lenk, Zur Sprichwort-Antithetik im Salomon-Markolf-Dialog, FuF 39 (1965), S. 151–155.

V. Der Spielmann als Dichter

Mit der Gleichung: Morolf/Spielmann/Verfasser sind wir zum Ausgangspunkt zurückgekehrt. Baesecke stellt sich den Verfasser des Salm wie Morolf »mit der *dutschen harpfe* an der Straße« singend vor (S. 19) und bringt seine wichtigen Bemerkungen zur Typologie folgendermaßen mit diesem Bild in Verbindung: »der Spielmann, der im 'Reinhart Fuchs' noch selbst die Gabe erbittet«, ist im 'Moriz von Craun' dann schon »von außen gesehen, erhält sie von der idealen *milte* des Helden (796 ff.): die Dichtung ist in die Hände eines neuen Standes übergegangen und wechselt vor Inhalt und Stil schon die Gesinnung« (S. 17). Das ist – als Zusammenfassung älterer Gedanken und neuer Aspekte – durchaus profunder als das immer noch zu lesende Argument, spielmännische Verfasserschaft der »Spielmannsepen« werde durch das dort so häufige und prominente Auftreten von Spielleuten bewiesen[361]), ein Argument, dem schon Naumann entgegengehalten hatte, man könne dann ebensogut Riesen für die Verfasser halten (Versuch, S. 792). Die durch Untersuchungen S.Reinickes gestützten Ansichten Naumanns sind hinlänglich bekannt[362]): nichts berechtige uns dazu, den *spilman* als etwas anderes als einen gaukelnden Musikanten[363]) anzusehen; für das 12. wie weitgehend für das 13. Jahrhundert sei er weder als Verfasser noch auch als Vortragender von Dichtung greifbar; die Verfasser der »Spielmannsepen« seien Geistliche (so dann Naumanns Schüler Stein, sowie Schwietering, Kralik, Stammler, de Boor, Maurer), genauer: »Propagandageistliche« gewesen, »ein Institut der inneren Mission sozusagen« (S. 789).

Daß der *spilman* rechtlos war[364]), war seit langem bekannt gewesen; daß er, wie

---

[361]) So Krogmann, Rother, Sp. 849. Margot I.S.Sorensen (Musik und Gesang im mittelhochdeutschen Epos, Diss. Philadelphia 1939) bietet unter diesem, hier mit besonderer Naivität vorgetragenen Gesichtspunkt eine Diskussion des Musikbegriffs (S. 24–36).
[362]) S. o. S. 3 und 55. Außerdem Hinweise von Naumann in: Stand der Nibelungenforschung, ZfDk 41 (1927), S. 1–17, S. 17; Studien über das Puppenspiel, ZfdB 5 (1929), S. 1–14, S. 3; noch nichts von der späteren Auffassung läßt das Althochdeutsche Lesebuch erkennen (Berlin u. Leipzig 1914, S. 12 ff.).
[363]) E. Schröder, Spiel und Spielmann, ZfdA 74 (1937), S. 45 f: Grundbedeutung von *spil* ist »Tanz«. J.Schwietering, Gemeit, ZfdA 56 (1919), S. 125–132: *gemeit* bezeichnet die Eigenschaften des *spilman*, freilich in verzerrter Perspektive geistlicher Glossatoren; vgl. G.Schnürer, Die Spielmannslegende, Vereinsschr. d. Görresges. 1914, 3. H., S. 78–90: Rechtlosigkeit und Verelendung des Standes ist Voraussetzung für die weit verbreitete Legende vom armen Spielmann. Vgl. Klappers Auffassung (u. Anm. 367): demgegenüber bringt das Spätmittelalter dem Spielmann sozialen Aufstieg. Mit dem inzwischen entwikkelten Begriff »zwischenständische Lebensform« (s. u.) erübrigt sich allerdings die Annahme solcher Einsträngigkeit in der Entwicklung des Standes.
[364]) Das änderte nichts daran, daß er gelegentlich Grund und Boden erwerben konnte (H.Bresslau, Volker der Spielmann, AfdA 34 [1910], S. 120–122: ein Beispiel aus dem Jahr 1130 oder 1131), und daß Herren von Rechts wegen gehalten sind, ihn gut zu versorgen (E.v. Künßberg, Swer einen Spilman haben wil, der sol in auch beraten, in: Deutschkundliches. Friedrich Panzer zum 60.Geburtstage überreicht, Heidelberg 1930, S. 61–69, bes. 63). Drei frühe Regensburger Belege für Spielmannsnamen (C.Kerber, Der

Naumann meint, zu keiner Zeit eine dem *skop* auch nur annähernd vergleichbare Rolle gespielt habe, ist mit Recht von Schneider als »noch romantischer« abgelehnt worden (Volksballade, S. 96), denn damit wäre nach dem *skop* »das breite Volk an sich« (Naumann, S. 782) der Träger mündlicher Dichtung.

Im übrigen hat aber für die in diesem Zusammenhang gern zitierten *rustici,* von denen eine vielleicht erst spät interpolierte Notiz der 'Quedlinburger Annalen' berichtet[365]), B. Szabolcsi schon längst ein zusätzliches und zuverlässigeres Beispiel aus einer ungarischen Chronik des frühen 13. Jahrhunderts beigebracht[366]): der Chronist bedauert dort, daß *tam nobilissima gens hungarie primordia sue generationis et fortia queque facta sua ex falsis fabulis rusticorum, vel a garrulo cantu ioculatorum quasi sompniando audiret.*

Was wissen wir über den Spielmann im 12. Jahrhundert? Ein guter Teil der an Naumann anschließenden Diskussion hätte zweifellos eingespart werden können, wenn man nicht einerseits von der völligen Beseitigung des Spielmanns zu sprechen begonnen und sich andererseits um klare begriffliche Ordnung der Gegenbeweise bemüht hätte. Allerdings, daß nun stilistische, soziologische, ethische und musikalische Aspekte so verwirrend miteinander verquickt sind, wie es oben in Kapitel III darzustellen war, entspricht zumindest teilweise auch den historischen Gegebenheiten. In seiner umfassenden Untersuchung, die in Bibliographie und Anmerkungen reiche Literatur zum Gesamtthema (unter Betonung des Musikalischen) bietet, stellt W. Salmen zunächst fest: »die vereinseitigende Entwicklung des musikalischen Spezialisten aus einer musischen Ganzheit heraus erfolgte erst parallel mit der Zunftbildung während des Spätmittelalters« (S. 9). Er glaubt aber, schließlich doch genauer gliedern zu können, nachdem »die potentielle Scheidung von nur Schaffenden und nur Ausführenden sowie solchen, die beides vermochten, ... fast überall im mittelalterlichen Europa feststellbar« sei (S. 99). Als Ergebnis dessen, »was sich mit Sicherheit als Indiz für die Verfasserschaft von Spielleuten ausfindig machen läßt«, gibt er an: »die Gestaltung von kecker Stegreifdichtung und Kleinkunst aller Art, außerdem formal einfache Liebeslyrik, die auch als Grundschicht für die europäische Minnedichtung zu denken ist, derb-schlichte Tanzlieder, zeitgeschichtlich-berichtende Gesänge, Balladen, Instrumentaltänze und Vortragsstücke, ja selbst geistliche Rufe« (S. 103). Gerade im Hochmittelalter finden sich allerdings auch hierfür keine Belege. Salmen stellt sich im übrigen eine Pyramide der Vortragenden vor, an deren Spitze der Preis- und Heldenliedsänger noch des 12. und teilweise des 13. Jahrhunderts stehe (S. 105 f.). Verständlicherweise bricht der Musikhistoriker hier ab, ohne auf die Frage der Verfasserschaft auch in diesem Zusammenhang einzugehen (der S. 107 zitierte Beleg aus dem 'Renner', 10327 ff., spricht, wie fast alle vergleichbaren Belege, nur von Vortrag[366a]):

Anteil Regensburgs an der deutschen Literatur des Mittelalters, Verhh. d. hist. Vereins von Oberpf. u. Regensburg 87 [1937], S. 131–154, S. 140) sagen nichts über die Tätigkeit der Träger.

[365]) Die Annalen selber stammen aus dem 11. Jh. Hierüber zuletzt J. de Vries, Homer und das Nibelungenlied, in: Zur germanisch-deutschen Heldensage (o. Anm. 78), S. 393–415, S. 396 f. Zur Rolle des Adels als Traditionsträger auch H. Fromm, Das Heldenzeitlied des deutschen Hochmittelalters, NeuphMitt 62 (1961), S. 94–118, S. 114 f. (vgl. o. S. 34 und 68). Fromm nimmt hier, wie in dem o. Anm. 341 genannten Aufsatz, kurz, aber präzise zur Spielmannsfrage insgesamt Stellung; s. u. Anm. 395.

[366]) Die ungarischen Spielleute des Mittelalters, in: Gedenkschrift für Hermann Abert, Halle 1928, S. 154–164, S. 156. Der Verf. betont dabei die Unabhängigkeit des ungarischen Spielmannstums vom deutschen (S. 158 f.) gegenüber E. Moór, Die deutschen Spielleute in Ungarn, Ungarische Jhbb 1 (1921), S. 281–297.

[366a]) Daß selbst da, wo ausdrücklich von *tihten* die Rede ist, mit Vorsicht geurteilt werden muß, zeigt Wittenwilers 'Ring' 5922; der »Dichter« trägt lediglich das 'Eckenlied' vor.

hierzu aber unten). Der Literaturhistoriker, v.a. der Romanist, wird seine Feststellungen vielfach nicht akzeptieren. In jedem Fall wird aber noch einmal ganz
deutlich, daß die spätmittelalterlichen Verhältnisse, die sich schon aus Gründen
einer allgemeinen sozialen Umschichtung anders gestalten mußten[367]), nicht wesentlich zur Klärung unserer Frage beitragen.

Zwar hat die von Naumann durchaus anerkannte und später unverdient
wenig beachtete »leidenschaftslose erneute Durchprüfung der Spielmannsfrage« durch H.Steinger[368]) den durch Naumann hervorgerufenen Eindruck
modifiziert, aber – so faßt de Boor das Resultat zusammen – »der wandernde, bürgerliche Literat des 13./14.Jahrhunderts ist eine Figur für sich« (S. 250). Wie
mancher andere, so hat auch J.Meier mit Hinweis auf die »große Bedeutung« des
Spielmanns »für die dichterische Gestaltung und die Verbreitung der liedhaften
Dichtung« den Spielmannsbegriff insgesamt beibehalten wollen[369]), aber schon
B.Boesch hat, Naumanns scharfer Trennung von bürgerlichem Fahrenden und
Gaukler beipflichtend, in einer ausführlichen Diskussion solche Verallgemeine-
rungen abgelehnt[370]). Seine eigene Beschreibung der Verhältnisse des Spätmittelalters ist wichtig für die spätere Neuformulierung des Spielmannsbegriffs: dem
kunstlosen Spielmann stehen andere »Fahrende«, adlige wie bürgerliche »Kunst-
dichter« gegenüber. Hier wird, an der Grenze von Hoch- und Spätmittelalter,
automatisch Walther zu einer Schlüsselfigur, was die Definition von Beruf und
Tätigkeit des Fahrenden betrifft[371]). Charakteristisch, daß Boesch für das 12.Jahr-
hundert, in der Frage der »Spielmannsepik«, eine Naumann entgegengesetzte Position vertritt (s. unten Anm. 388).

Ich komme hierauf zurück, zunächst aber berührt sich diese Frage auch in
Deutschland in geistesgeschichtlicher wie in terminologischer Hinsicht enger mit
der Kontroverse um die Entstehung des nicht-höfischen Epos: entsteht es in einem
Entwicklungsprozeß, der einen eigenen Träger voraussetzt, oder als »Schöpfung«?
Ein Jahr nach Naumanns Aufsatz erschien ja Panzers Ro-Buch, und Schwietering

---

[367]) Hierüber J.Bolte, Fahrende Leute in der Literatur des 15. und 16.Jahrhunderts,
BSB 31 (1928), S. 625 f.; J.Klapper, Die soziale Stellung des Spielmanns im 13. und
14.Jahrhundert, ZfVk N.F. 2 (1930), S. 111–119 (mit Einschränkung auf die *histriones*).
Weiteres in den Bibliographien Salmens und Waremans (o. Anm. 2).

[368]) Fahrende Dichter im deutschen Mittelalter, DVjschr 8 (1930), S. 61–79; Nachwort
von H.Naumann, S. 80f., dort S. 80 das obige Zitat.

[369]) (Ed.) Das deutsche Volkslied. 1. Balladen, Bd. 1, Leipzig 1935, S. 19 (Nachdr.
Darmstadt 1964). Insofern sie vom Er-Lied ausgeht, geht auch die ausführliche Ausein-
andersetzung Hildebrands mit Naumann (s.o. Anm. 186) in ähnlicher Weise am Kern der
Sache vorbei (S. 77ff.).

[370]) Die Kunstanschauung in der mittelhochdeutschen Dichtung, Bern u. Leipzig
1936, S. 205 ff., bes. S. 226f.

[371]) Die Ausdehnung des Begriffs auf die Minnesänger u.ä. hat schon A.Wallner konkret zu rechtfertigen gesucht. Drei seiner Aufsätze stehen in PBB 33 (1908): Drei Spielmannsnamen, S. 540–546 (Wizlaf, Regenbogen, Der Freudenleere); Herren und Spielleute
im Heidelberger Liedercodex, S. 483–540; Zu Walther von der Vogelweide, S. 1–58 (hier
S. 35ff. zu Walthers Lebensform; sofortiger Widerspruch bei Kluckhohn [o. Anm. 303],
S. 158ff.). Die Romanisten haben schon länger eine gewisse Spannung zwischen *troubadours* und *jongleurs* gefühlt, wenn die Benennungen auch austauschbar scheinen. Nach
Naumann und Boesch sieht nun auch F.H.Bäuml im germanistischen Feld ähnliches
(*Guot umb êre nemen* and Minstrel Ethics, JEGP 59 [1960], S. 173–183), was gegen einen
fließenden Übergang von der einen zur anderen Gruppe spricht. Das Spielmannstum
Walthers hat neben Wallner auch W.Wilmanns betont (o. Anm. 258, S. 63ff.). K.H.Hal-
bach, der die neuere Literatur (v.a. K.K.Klein) heranzieht (Walther von der Vogelweide,
Stuttgart 1965, S. 12ff.), meidet die Spielmannsfrage an sich, setzt Walther mehr zu der
oben bezeichneten Dichtergruppe des 13.Jahrhunderts in Beziehung und spricht schließlich allgemein von Walthers »Weg per aspera ad astra« (S. 15).

griff schon in seiner Besprechung der ersten Auflage von Schneiders Literaturgeschichte und dann in seiner eigenen Gesamtdarstellung das Thema in diesem Zusammenhang auf[372]). Für Heuslers evolutionäre 'Nibelungenlied'-Theorie andererseits war die fortlaufende Existenz eines dichtenden Spielmannsstandes bis zum letzten Eposdichter hin Voraussetzung[373]). Frings wandte sich bei seinem Vermittlungsversuch (s. oben S. 51 f.) denn auch gerade im Hinblick darauf gegen »die neue Lehre«. Doch der von ihm beschworene serbische Sänger der Neuzeit kann, wie der russische Skomoroch des 17. Jahrhunderts, auch dem, der dieser Lehre nur bedingt anhängt, »für das Deutschland des 12. Jahrhunderts nicht beweisend« sein (de Boor, S. 250 f.), zumindest soweit es sich um Epik größeren Umfangs handelt, und solange eingehendere stilistische Analysen nicht den »mündlichen« Charakter dieser Epik erweisen. Wichtig ist Frings' Hinweis auf die europäischen Zusammenhänge. Wie sehen hier die Voraussetzungen in der germanischen Vergangenheit im einzelnen aus, wie die in der christlich-römischen, welches Bild bietet die zeitgenössische, d.h. hoch- bis spätmittelalterliche europäische Szenerie?

Über diese Fragen existiert eine ausgedehnte, wenn auch längst nicht in allen Punkten zu klaren Ergebnissen führende Literatur. P. Wareman hat die Positionen der Forschung sorgfältig skizziert und eine im ganzen verläßliche Bibliographie gegeben, ich kann mich daher auf Unterstreichungen und Nachträge sowie auf den Versuch beschränken, eine Beziehung zu den bisher diskutierten Aspekten herzustellen.

Wir kennen den *mimus,* der auf dem Gebiet der niederen Komik die Spätantike mit dem Mittelalter verbindet und von den Vertretern einer »klassischen« Hypothese als alleiniger Vater von *spilman* und *jongleur* angesehen wird, deren schauspielerische Aktivität daher im Bereich dieser These gerne überbetont wird. Grundlegend ist eine Abhandlung von H. Reich[374]), dessen Theorien für die in unserem Zusammenhang nicht weiter interessierende Entstehungsgeschichte des mittelalterlichen Dramas gleichzeitig schon von E. K. Chambers modifiziert wurden, mit der später auch in der Germanistik aktuellen Unterscheidung von *mimus* und *minstrel*[375]). Zwischen dem *mimus* und dem Kleriker steht mit lateinischer Bildung der *clericus vagans*[376]), der vor allem für Naumann in unserem Zusam-

[372]) AfdA 46 (1927), S. 24–41, S. 37 f.; Literaturgesch., S. 107 ff. Vgl. auch Steches Rez. zu I. Schröbler (o. Anm. 16).

[373]) Nibelungensage und Nibelungenlied, Dortmund 1955⁵, S. 36, 39, 50, 63, 81, 89.

[374]) Der Mimus, Berlin 1903. Weiteres bei Wareman, S. 114 ff. Dem epischen genus zugehörend, ist der 'Ruodlieb' im Zusammenhang von einiger Wichtigkeit. Vgl. also H. Reich, Der Mimus als Quelle des Ruodlieb und der humoristischen Dichtung des Mittelalters, in: P. v. Winterfeld – H. Reich, Deutsche Dichter des lateinischen Mittelalters, München 1922³/⁴; S. Singer, Ruodlieb, in: Germanisch-romanisches Mittelalter. Aufsätze und Vorträge von Samuel Singer, Zürich u. Leipzig 1935, S. 206–231 (zuerst 1934), S. 231 mit Wendung gegen die Aufspaltung des Standes in »hoch« und »nieder« (s. u.). Kritisch ist auch E. H. Zeydel, Ruodlieb. The Earliest Courtly Novel (after 1050). Introduction, Text, Translation, Commentary and Textual Notes, Chapel Hill 1959, S. 10 f., 13, 146.

[375]) The Mediaeval Stage, 2 Bde, Oxford 1903. Zu Naumanns Auffassung in Beziehung gesetzt von Eva Mason (o. Anm. 266), S. 52 ff. Im Forschungsbericht von W. F. Michael, Das deutsche Drama und Theater vor der Reformation, DVjschr 31 (1957), S. 106–153, S. 144, kommt diese Frage zu kurz.

[376]) Ausgezeichnete Einführung gibt immer noch das Buch von Helen Waddell, The Wandering Scholars, Garden City (N. Y.) 1961 (Neudr. d. 6. Aufl. von 1932), mit reichhaltiger Bibliographie. Ich hebe zusätzlich hervor: H. Brinkmann, Goliarden, GRM 12 (1924), S. 118–123; ders., Werden und Wesen der Vaganten, Preuß Jhbb 195 (1924), S. 33–44; ders., Anfänge lateinischer Liebesdichtung im Mittelalter II, Neophilologus 9 (1924), S. 203–221, S. 208 ff.; ders., Diesseitsstimmung im Mittelalter, DVjschr 2 (1924), S. 721–752;

menhang wichtig (s. unten), dessen Rolle im übrigen aber besonders im Zusammenhang lyrischer oder satirischer Produktion gesehen wird. Beiden ist die Kirche wenig gut gesinnt gewesen, und wir wissen dadurch relativ viel von ihrer Tätigkeit, zu der nicht nur Singen, Tanzen und Spaßmachen, sondern auch Vortragen von Dichtung gehörte [377]). Der Anstoß zu Erbs reich belegender Darstellung – 'Die Vaganten- und Spielmannsopposition (11. bis 13. Jahrhundert)' (S. 627 ff.) – kommt aus der (politisch bedingten) Vorstellung, daß im Spielmannstum die Stimme des Volkes Gewicht erhält. So erscheint »die Existenz und Gegnerschaft eines Diesseitstypus« in vorwiegend lateinisch-vagantischer Dichtung, die nach Brinkmann (Diesseitsstimmung, S. 749) »dem religiösen Idealisten erst eine volle Beherrschung der Wirklichkeit« gestattete, »wenn er sich irgendwie positiv mit ihr abfand« (vgl. oben S. 33 f. u. Anm. 308), in neuer, in manchen Einzelpunkten klärender Beleuchtung. Erb legt besonderes Gewicht auf die »Wechselwirkung« zwischen »der volkstümlich-musischen Opposition und der unteren bzw. proletarisierten Schicht der Klerisei« (S. 632), die im 12. Jahrhundert allerdings nicht mehr so deutlich zu beobachten sei wie noch im 10. und 11. Sein Satz: »vielleicht hat erst der Zuwachs an Gebildeten im fahrenden Volk den Aufschwung der Spielmannsdichtung« zu »den deutschen spielmännischen Buchepen« bewirkt (S. 643 f.; vgl. S. 758 ff.), fügt den Erwägungen zur Rolle des Geistlichen in diesem genre eine interessante Nuance hinzu.

Eine einseitig germanische Ursprungstheorie hat (in Anlehnung an O. Höfler) R. Stumpfl vertreten, mit ebenso einseitiger Betrachtung der Kontinuität als Kontinuität des magischen Spiels [378]).

In die Gruppe derer, die doppelten Ursprung des Spielmannstums aus *mimus* und *skop* annehmen, gehören v. a. Th. Hampe [379]), Ehrismann (S. 285 ff. u. Bd. I, S. 62 ff.), Heusler und (anders als Wareman glaubt) auch Baesecke. Insofern diese Synthesentheorie am wenigsten von konkreten Zeugnissen ausgehen kann, vielmehr primär auf der Vorstellung ruht, die man sich jeweils vom Charakter der germanischen Heldendichtung macht, bleibt auch sie stets anfechtbar. Heusler zufolge ist der *skop* nach dem römischen *joculator* genannt, »als man für den neu aufkommenden Hofdichter eine Bezeichnung brauchte«; dieser habe sich zwar von jenem deutlich unterschie-

M. Bechthum, Beweggründe und Bedeutung des Vagantentums in der lateinischen Kirche des Mittelalters, Jena 1941; P. Lehmann, Vagantendichtung, Bll. f. d. Gymnasialschulwesen 59 (1923), S. 192–212; Harriet Schaffroth, Die Vagantendichtung als Ausdruck der Verweltlichung im staufischen Zeitalter, ZfdB 12 (1936), S. 345–354; K. Strecker, Vagantenleben, ZfdPh 52 (1927), S. 396; (zum ital. Spielmann) G. Bertoni, Poesie leggende costumanze del medio evo, Modena 1927², S. 1–40. Wareman (S. 108 f.) betont in dem ganzen Komplex besonders die Nähe zum *spilman*.

[377]) Abdruck von Konzilbeschlüssen und Ähnlichem bei Waddell, S. 269–299 (vgl. J. Ilg, Gesänge und mimische Darstellungen nach den deutschen Konzilien des Mittelalters, Programm Urfahrt [Linz] 9, 1906). Viele Belege auch aus den Kirchenvätern bietet A. Mönckeberg, Die Stellung der Spielleute im Mittelalter. 1. Kap.: Spielleute und Kirche im Mittelalter, Diss. Freiburg, Berlin u. Leipzig 1910, wo »die ausübenden, weltlichen Musiker bis zum Ausgang des 15. Jahrhunderts« behandelt sind (S. 3). Der Rest der Arbeit ist entgegen der Ankündigung des Verfassers nie erschienen, vielleicht weil inzwischen die grundlegende Abhandlung E. Farals herausgekommen war: Les jongleurs en France au moyen âge, Paris 1910. Vgl. auch P. Browe, Die kirchliche Stellung der Schauspieler im Mittelalter, AfKultg 18 (1928), S. 246–257.

[378]) S. 13 (s. o. Anm. 246). In die gleiche Richtung geht eine musikwissenschaftliche, unter der Leitung von O. Höfler angefertigte Diss. von Annemarie Lange-Seidel, Der germanische Zaubersänger und -spielmann, München (Masch.) 1944. In jüngster Zeit hat E. Werlich versucht, den Gesang des *skop* auf kultische Tanzreien zurückzuführen: Der westgermanische Skop. Der Aufbau seiner Dichtung und sein Vortrag, Diss. Münster 1964, S. 211 ff.

[379]) Die fahrenden Leute in der deutschen Vergangenheit, Jena 1924², bes. S. 13 f., 28.

den, mit dem Niedergang des Hofamtes aber dann »die alte ernste Kriegerpoesie» an ihn weitergereicht[380]). Ähnlich Baesecke: »der Stand sinkt, indem seine Voraussetzungen sinken« (Vor- und Frühgeschichte, S. 485), und er erhält damit Zustrom aus den Reihen der »eindringenden ioculatores, histriones und mimi« (S. 487). Allmählich bildet sich dann innerhalb dieser neuen Gruppe eine »obere Schicht von Spielleuten« heraus, die das Heldenlied bewahren (S. 489). Auch Naumann erklärt sich die Vermischung von *skop* und *mimus* allein aus dem Wechsel des Publikums (S. 773), der sich nach G. Neckel u. a. eher so auswirkt, daß sich gelegentlich auch in der gehobenen Dichtung ein niedrigerer Geschmack durchsetzt (Gunther im 'Waltharius')[381]).

Für die Beurteilung der Situation des Hochmittelalters ist es von einiger Wichtigkeit, Klarheit darüber zu gewinnen, inwieweit diese diachrone Betrachtungsweise gerechtfertigt ist, der ja auch letztlich die für das Hochmittelalter so weitgehend vertretene Konzeption von hohem und niederem Spielmannstum entspricht. Nach Waremans Ergebnissen beruht nun diese Einteilung, der Brinkmann eine entsprechende Einteilung der Vaganten in Vaganten und Goliarden (abgesunkene Kleriker) an die Seite gestellt hat ('Werden und Wesen'), »auf einer gewaltsamen Konstruktion, welche der komplexen Wirklichkeit des Spielmannstums nicht gerecht wird« (S. 118). Außerdem ist es »nicht notwendig, die Träger dieses Erbes ausschließlich in den Spielleuten niederer Art zu erblicken, vielmehr sind Geistliche, Adlige und Berufsliteraten aller Art an dieser Literatur und ihrer Erhaltung interessiert« (ebd.; s. oben Anm. 365). Die »komplexe Wirklichkeit« hat dann W. Wissmann wortgeschichtlich so gedeutet: *skop* ist (mit Heusler) vor der Auswanderung der Angelsachsen aus *mimus* gebildet (als nomen postverbale), und es besteht auch in der Sache kein Unterschied; vielmehr ist festzustellen, »daß wir beim Skop keine Entwicklung vom adligen Hofsänger zum niedrigen Spaßmacher anzunehmen haben, sondern daß das Wort beides umfaßte«[382]). Fr. v. d. Leyen sieht diese These gerade »beim Heldenlied der Völkerwanderungszeit schönstens bewährt«[383]); Wissmann findet ferner Bestätigung bei Wareman, dessen Ergebnisse er zugleich für die Frühzeit ergänzt. Freilich wissen wir damit im einzelnen noch höchst wenig. »Es erscheint kaum möglich, eine Spielmannstradition als solche zu erkennen oder zu leugnen« (Wareman, S. 119); zwischen der karolingischen Zeit und dem 12. Jahrhundert liegt »die Periode der größten Begriffsunsicherheit« (Salmen, S. 27). Auf der anderen Seite gewinnen wir aber Hinweise zur Interpretation des Wenigen, was wir dann im 12. und 13. Jahrhundert einigermaßen klar sehen.

Hier ist im übrigen eine weitere Interpretationshilfe, die Betrachtung der französischen und spanischen Verhältnisse, noch weitgehend ungenützt. Wareman beklagt mit Grund, daß die Germanistik sich bisher kaum um die Ergebnisse der Romanisten gekümmert hat (S. 62). Vor allem E. Faral hat die Frage, was der *jong-*

---

[380]) Die altgermanische Dichtung, Potsdam o. J.² (Neudr. Darmstadt 1957), S. 114, bzw.: Dichtung, in: Reallexikon 1 (o. Anm. 147), Sp. 439–462, Sp. 461 f.

[381]) Das Gedicht von Waltharius manu fortis, GRM 9 (1921), S. 139–149, 209–221, 277–288, S. 281. Vgl. o. S. 70. Rosenhagen (o. Anm. 250), S. 64 ff.: der Sänger beginnt ein ähnliches Leben wie der Mime zu führen.

[382]) Skop, BSB 1954, Nr. 2, Berlin 1955, S. 14.

[383]) Skop und Spielmann, FuF 32 (1958), S. 149–151, S. 151. Wissmanns Rezensenten lehnen (mit sprachlichen Argumenten) dagegen teilweise ab: L. Wolff, NddJb 79 (1956), S. 164; H. Schwarz, WW 7 (1956/57), S. 185 f.; E. A. Philippson, JEGP 55 (1956), S. 468 f.; zuletzt dann auch Kl. von See, Skop und Skald. Zur Auffassung des Dichters bei den Germanen, GRM 45 (1964), S. 1–14. Vgl. N. A. Eliason zur Identität Unferths mit dem Skop: The þyle and Scop in 'Beowulf', Speculum 38 (1963), S. 267–284.

leur denn eigentlich tue, früher und umfassender gestellt als Naumann. Seine mit ihrer großen Materialsammlung nach wie vor unentbehrliche Abhandlung (oben Anm. 377) ist dann von R. Menéndez Pidal ausgebaut und ergänzt worden, in dem zuerst 1924 erschienenen, mittlerweile umbetitelten Werk 'Poesía juglaresca y origines de las literaturas Romanicas' (Madrid 1957⁶) [384]). Ihre Bemühungen haben 1. dazu geführt, daß sich eine bestimmte Beziehung zwischen Vortragendem und Publikum als Kriterium formaler literarischer Analyse herausschälen konnte (vgl. Wareman, S. 64); besonders Menéndez Pidal hebt diesen Aspekt hervor: »juglares eran todos los que se ganaban la vida actuando ante un público, para recrearle con la música, o con la literatura, o con charlatanería, o con juegos de manos, de acrobatismo, de mímica, etc.« (S. 3). Am Ende dieser Entwicklungslinie steht das Buch Rychners, in dem sie sich mit der von Parry herkommenden schneidet (auf die Forschungen zum spanischen *Romancero* kann hier nicht eingegangen werden). 2. haben beide Forscher, statt wie Naumann mit einer Einschränkung zu beginnen, die zu Schwierigkeiten besonders in der Beurteilung der Frühgeschichte (s. oben) führt, das Spielmannstum zunächst in seiner ganzen Breite vorgestellt und dann erst den literarisch tätigen Spielmann auszusondern versucht. Der Spielmannsbegriff ist dann allerdings auch sehr weit und auf praktisch alle Literaturgattungen zu beziehen.

Was den *jongleur de geste* betrifft, so will Faral die vorher von G. Paris vertretene Ansicht nicht gelten lassen, bis zur Mitte des 12. Jahrhunderts habe man Verfasser und Vortragende in Personalunion zu sehen, von da an den Unterschied zwischen *jongleur* und *trouveur* zu machen: »le nom de trouveur ... c'est un nom nouveau du jongleur. Le trouveur, c'est simplement le jongleur considéré comme auteur« (S. 79) [385]). Faral unterscheidet dafür bis zum Ende des 12. Jahrhunderts, wo die Terminologie ungenau wird, wandernde *jongleurs* und in Hofdiensten stehende *menestrels* (S. 106); beiden Gruppen schreibt er die Abfassung von *chansons de geste* zu (S. 177ff.). Menéndez Pidals Konzeption ist ähnlich: »el juglar fué poeta en lengua romance antes que el trovador« (S. VI) und er war auch weiterhin der Träger der »poesía tradicional« (S. VII). Er bewahrt das Heldenlied und andere mündliche Formen im »estado latente« der Literatur, später dann auch teils mündlich, teils schriftlich in der Zeit der größeren Gesten; der 'Cid' ist 1140 in Nachahmung französischer Vorbilder von einem *juglar* aufgezeichnet (S. 258ff.). Die Spielmannsfrage ist, mit anderen Worten, wie auch schon Faral und dann wieder Frings betont haben, von der Frage Epenentwicklung – Epenschöpfung schwer zu trennen, und Menéndez Pidal hat sie in der letzten Auflage seines Buches, wie schon aus dem neuen Titel hervorgeht, noch stärker in diese Diskussion hineingerückt [386]); das Kapitel 'Invencion y tradicion juglaresca' (S. 333–384) ist gegenüber der ersten Auflage im Umfang vervierfacht.

---

[384]) 1. Aufl. unter dem Titel Poesía juglaresca y juglares. Vgl. auch E. Faral, La vie quotidienne au temps de Saint Louis, Paris 1938, S. 109 f.

[385]) A. Jeanroy hat Farals *jongleur*-Begriff gerade unter Hinweis auch auf die terminologische Verwendung der Bezeichnungen *jongleur* und *troubadour* in den Troubadourbiographien einschränken wollen: La poésie lyrique des Troubadours 1, Toulouse-Paris 1934, S. 135 f.

[386]) Er vertritt hier bekanntlich einen »neoromanticismo«, dem der Frings'sche ähnelt (vgl. Spielmannsepen, S. 307). An die Stelle von »poesía popular« setzt er »poesía tradicional« (neben seinen bekannten größeren Werken ist vor allem auch die kleine Zusammenfassung Dos teorias sobre la epica medieval [La Laguna 1952] hervorzuheben), ohne aber den Unterschied zwischen traditionellem und individuell-schriftlichem Stil so scharf zu kennzeichnen wie Rychner oder Lord. Deren Arbeiten haben natürlich beträchtlichen Einfluß auf die Diskussion der Entstehungsgeschichte gehabt. M. Delbouille schließt den

Auch aus den zahlreichen der Romanistik zur Verfügung stehenden Belegen für den Vortrag von Dichtung aller Art durch den *jongleur* ist aber nicht allzuviel über dessen Rolle als Verfasser dieser Dichtungen zu entnehmen. Faral stellt selbst fest: »une histoire des poètes épiques est impossible, parce que, aux époques où le genre a fleuri, ils n'ont laissé d'autres traces d'eux-mêmes que leur œuvre« (S. 59). Das weist schon auf die bereits erwähnten Ergebnisse Salmens und Waremans hin, aber Faral formuliert in seinem Glauben an die entscheidende Rolle des *jongleur* vielleicht nicht vorsichtig genug; man vergleiche dagegen Wareman (S. 88): »das improvisierende Zustandebringen lyrischer oder lyrisch-epischer Kurzgedichte, weiter auch den Vortrag von Epos und Legende darf man, wie es scheint, für den Spielmann in vereinzelten Fällen annehmen.« Als Warnung hat hier allerdings die v. a. schon von A. Brandl [387]) herausgestellte und auch von Brinkmann (Werden und Wesen, S. 33) berücksichtigte Tatsache zu gelten, daß unsere Quellen zwischen Vortrag und Abfassung nicht zu scheiden pflegen (vgl. oben S. 85). Brandl interpretierte sie eher im Sinn eines dichtenden Spielmanns (s. aber unten), de Vries (Rother, S. CXIII) hatte demgegenüber den Terminus »Spielmannsepos« gerade deshalb als unglücklich empfunden, weil er auf »den Vortragenden, nicht die Dichtart« hinweise. In der Tat geben die deutschen Quellen weit weniger als die romanischen Anlaß, die in ihnen dargestellten oder erwähnten Spielleute als Literaten zu sehen. »Gottfrieds Tristan ist eigentlich das einzige deutsche Literaturdenkmal, wo uns der Spielmann als eine deutliche, den romanischen Spielleuten vergleichbare Künstlergestalt entgegentritt« (Wareman, S. 90). In der Romania ist ein vortragender, gestikulierender, die Länge seiner Vorstellung und seiner Texte auf das Publikum abstimmender Autor zumindest deutlicher zu erkennen als im deutschen Bereich. Das ist auch von Schneider erkannt worden (Deutsche und französische Heldenepik, S. 90), und hier setzt denn auch Rychner an. Schneider hat den zweifellos vorhandenen Unterschied etwas zu leicht genommen mit der Annahme einer noch im 12. Jahrhundert bestehenden Trägergemeinschaft als selbstverständlicher Voraussetzung der europäischen Motivgemeinschaft (S. 93 ff.). Das schien schon Steiger bedenklich (S. 65), und auch aus romanistischer Sicht ergeben sich hierfür kaum Anhaltspunkte.

Auf der anderen Seite ist der Spielmannsbegriff der Romanistik derart weit, daß – vor dem Hintergrund einer älteren germanistischen Diskussion (oben S. 86) – die Frage nach dem Literaturträger von daher noch einmal anders formuliert werden kann. Durch Heusler, Frings, Menéndez Pidal u. a. ist uns der Spielmann als zumindest ein Hauptträger mündlicher Überlieferung sicher. Es scheint nur um die Frage zu gehen, ob er im 12. Jahrhundert auch selber den Sprung in die Schriftlichkeit tut oder ob diese Aufgabe einem anderen, einem der bisherigen oder einem neuen Träger zufällt, während sich die Rolle des *spilman* und *jongleur* auf Vortrag und Verbreitung zu beschränken beginnt. Die Antworten, die die Germanistik bereithält, zeigen allerdings, daß so die Frage vielleicht zu scharf gestellt ist. An der Grenze zwischen den beiden Literaturen stehend, hat, was Wareman entgangen ist, schon Spanke bemerkt: »es ist Illusion und Hypothese, den ʻSeher und Künderʼ innerhalb des Lohnsängertums von dem Träger der Unter-

---

Zirkel mit seiner Bemerkung: »ce qui rapproche la poésie héroïque serbo-croate des chansons de geste ne serait pas imputable à l'effet d'une loi ʻscientifiqueʼ liant le style formulaire à l'improvisation orale, mais bien à un phénomène historique accidentel, l'imitation du genre français par les poètes yougoslaves.« (Chansons de geste et chants héroïque yougoslaves, Cultura neolatina 21 [1961], S. 97–104, S. 100).

[387]) Spielmannsverhältnisse in frühmittelenglischer Zeit, BSB 41 (1910), S. 873–892, vgl. Wareman, S. 92.

haltungskunst zu trennen« (S. 59; vgl. S. 11 u. oben S. 89); »daß man mit neu-
traleren und zugleich lebensnäheren Begriffen wie 'Lohnsängertum' oder 'Vokal-
musik' die Ursprünge von Strömungen und Gattungen richtiger erfassen kann,
glaube ich in meinen Marcabru-Studien gezeigt zu haben« (ebd.). Eine kleine entwicklungsgeschichtliche Skizze wird uns auf diesen Punkt zurückführen.

Nach Naumanns Attacke mußte für den, der sich nicht darauf beschränken
wollte, die althergebrachte Position zu verteidigen[388]), der Hinweis auf die Rolle
des Geistlichen als Literaturträger die nächstliegende Alternative sein (s. oben
S. 84). Fr. Maurer begründet sie gerade mit dem Blick auf die literarische Kontinuität: die Geistlichen beginnen jetzt, »sich mit dem drängenden Problem ihrer Zeit
auseinanderzusetzen, und dieses Problem heißt: was ist der Sinn unseres Daseins
in der Welt, und wie geben wir ihm seinen Sinn?« (Leid, S. 8; zur weiteren stilistischen Begründung dieses Aspekts s. oben S. 55 ff.). Stammler (s. oben Anm. 13
u. 308) mochte sogar für die anzusetzende weltliche Dichtung des 11. und frühen
12. Jahrhunderts nicht Spielleute verantwortlich machen, für einen Literatur-
bezirk also, in den auch, wenn wir sie postulieren wollen, frühe Fassungen des Ro
und des Er, vielleicht auch des Salm gehören würden. Er sieht in den »Ritterbürti-
gen« die Träger, und das Kontinuierliche rückblickend im Aufkommen der ritterlichen Kultur (Die Anfänge weltlicher Dichtung, S. 21 f.). Auf der anderen Seite
ist die These, in der der Spielmann als entscheidender Faktor literarischer Kontinuität herausgestellt wird (Heusler, Schneider, Frings) in einem wichtigen Punkt
stark erschüttert worden: in dem Maß, in dem das 'Nibelungenlied' in den Zusammenhang des Hofes und des höfischen Literaturbetriebs gerückt worden ist,
ist dort die Annahme eines Spielmanns als Autor zumindest der letzten Fassung
nicht nur nicht mehr nötig[389]), sondern geradezu unangebracht, sofern Spielmann
hier im traditionellen Sinn verstanden ist. A. T. Hatto formuliert denn auch in der
jüngsten Zusammenfassung des Forschungsstandes in umschreibendem Kompromiß: »a semi-clerical poet by profession, technically of the order of *vagi* or wayfarers,
though probably sedentary for much of his life«[390]). Bleibt natürlich im Rahmen
dieser Theorie der Rückzug auf die »Ältere Not« und die »Kurzepen«, der Weg, den
Frings beschritt.

Den Gelehrten, die im Festhalten am Spielmann das Ständische betont haben,
war natürlich, wie v. a. Schneider, auch der weitere Aspekt des Stilistischen klar,
und auf der anderen Seite spielt auch, wo der Begriff der Epenschöpfung
propagiert wird, der Spielmann verschiedentlich eine wichtige Rolle. Für Bédier
ist er z. B. als Angestellter des Klerikers tätig, der ihm Aufträge erteilt und entsprechende Stoffe liefert. Naumann hat in kaum zu rechtfertigender Umkehrung

---

[388]) Den Stellungnahmen Schneiders und Heuslers (s. o. S. 3) sind Viele gefolgt. Bis in
die Formulierung hinein anklingend z. B. B. Boesch, Kudrunepos und Ursprung der deutschen Ballade, GRM 28 (1940), S. 259–269, S. 268. Vgl. auch Heselhaus, S. 195.

[389]) Einen letzten gewichtigen Einwand hat O. Höfler beseitigt (ohne daß damit seine
Übernahme der Kralikschen These von der Verfasserschaft Meister Konrads akzeptiert
werden müßte): die Anonymität ist Ausdruck der Funktion des Werkes als Übermittler
von »Vorzeitkunde« und nicht als Reflex spielmännisch-niederer Verfasserschaft zu verstehen (Die Anonymität des Nibelungenliedes, DVjschr 29 [1955], S. 167–213; jetzt ergänzt in: Zur germanisch-deutschen Heldensage [o. Anm. 78], S. 330–392. Ähnlich urteilt
gleichzeitig G. Zink, Pourquoi la 'Chanson des Nibelungen' est-elle anonym?, Études
Germaniques 10 [1955], S. 247–256).

[390]) The Nibelungenlied. A New Translation by A. T. Hatto, Baltimore 1965, S. 357.
G. Kramer, der im übrigen ausführlich auf die Ergebnisse Frings' und Trautmanns zurückgreift, rechnet im Nachwort zu seiner Übers. schon für den Ro mit einem Verfasser,
der »eine feste Bindung zu einem Hof besaß und in adligen Kreisen lebte« (S. 171).

92

des Bildes von »Propagandageistlichen« gesprochen. Hier hakte dann zur Nieden ein, dessen Buch (oben S. 55) Soziologisches und Stilistisches am sichtbarsten zusammenbindet. Ihm zufolge stammt der Ro von einem Spielmann, »der ritterliche Sitten kannte«, Er und Salm repräsentieren »Abwandlungen oder Weiterentwicklungen desselben Stiles« (S. 24), der in Osw und Or von »Propagandaspielleuten« (so ist Bédier gegen Naumann gestellt) gehandhabt wird, die »sich der vorgefundenen spielmännischen Technik« bedienen (S. 26; so dann ja auch Frings: o. S. 52). Eigentlich interessant wird das erst durch die Ausdehnung der Typologie: für 'Nibelungenlied' und 'Kudrun' ist »ein Stand verritterter Spielleute« (S. 107) verantwortlich, die »neben den dichtenden Rittern« als »die künstlerischen Organe der Ritterkultur« fungieren (S. 168). Daß die stilistischen Kategorien, nach denen diese Einteilung vorgenommen wird, im einzelnen keineswegs immer tragfähig sind, ist oben schon bemerkt. Der Hauptfehler des Buches liegt aber in der starren Grundvorstellung, daß Spielmännisches »auf die Geistesverfassung des Spielmanns« (s. oben S. Anm. 303) und dann, je nachdem, in welcher Dichte es auftritt, auf dessen Urheberschaft deutet, »mag es sich nun im Rother finden, oder im Nibelungenlied oder in einem späten Ritterroman« (S. 10). Ein solches Postulat mißachtet die Selbständigkeit literarischer Tradition und v.a. die Rolle des Publikums und seiner Wünsche. Der Verfasser ist sich auch »bewußt, daß diese Beweisführung zum Teil hypothetisch ist« (S. 10, Anm. 3), da mit ihr aber die wichtigsten seiner Schlüsse stehen und fallen, hätte sie das nicht sein dürfen.

Dieses Verharren in einem zu knapp bemessenen Denkschema liegt in der einen oder anderen Weise allen Definitionen zugrunde, die einseitig mit dem Stilbegriff arbeiten. Ein Haupteinwand bleibt da immer: »spielmännisch« »ist eine Form der Stilgebung, die wohl bald stärker, bald schwächer in Erscheinung tritt, im Grunde aber zeitlos ist und deshalb nicht recht verwendbar für historische Feststellungen« (K.Helm gegen I.Schröbler [o. Anm. 16], Sp. 236); ein anderer Einwand ist der, daß so die Verbindungslinien nach rückwärts unzulässig scharf durchgezogen werden. Selbst die so überlegte und überlegene Untersuchung Menéndez Pidals stützt sich, wenn die Beziehung der Literaten und »propagadores de literatura« (S. 100) zu ihrem Publikum beschrieben wird, wiederum vorwiegend auf (den französischen Gesten entnommene) Wendungen und Formeln, deren Vorhandensein in geistlicher Dichtung Naumann so betont hat (s. oben S. 55). Schon Brandl hatte in seiner Erörterung der englischen Spielmannsverhältnisse im Zusammenhang mit den z.B. von Daur so bezeichneten »Spielmannseingängen« (S. 77)[391]) von »Stilmuster« gesprochen. Er ist bei der Zuweisung größerer epischer Werke an den Spielmann vorsichtig und behandelt unter diesem Gesichtspunkt auch das häufig zitierte Poenitentiale des Engländers Thomas de Chabham (um 1220; zuletzt erörtert von Wareman, S. 73ff.), in dem durch eine moralische Einstufung verschiedener Typen von *histriones* so etwas wie eine lockere Aufgliederung des Standes und der von ihm gepflegten Künste bzw. Literaturgattungen überliefert ist. Faral deutet die dort aufgeführten *gesta principum* und die *vitae sanctorum* im Hinblick auf die französische Literaturgeschichte (S. 47ff.), und für beide finden sich genug Beispiele. Brandl sieht dagegen in frühmittelenglischer Literatur kein Beispiel für die letztere Gruppe (S. 892), für die frühere Zeit wäre an Dichtungen wie die Cynewulfs zu denken, deren geistliche Autorschaft feststeht, die zugleich allerdings – und hier ergibt sich durch die neueren Forschungen zur angelsächsischen Dichtung eine zusätzliche Perspektive – fest in der Tradition mündlich tradierter weltlicher Dichtung stehen. Kann das 'Annolied' etwa hiermit verglichen und als

---

[391]) So auch W.Kayser, Geschichte der deutschen Ballade, Berlin 1943[2], S. 38.

Beispiel für die *vitae sanctorum* im Sinne Farals[392]) verstanden werden? G. Zink hat immerhin, ohne diese Frage zu berühren, unter dem Gesichtspunkt der Formelhaftigkeit auffällige Ähnlichkeiten zwischen der Schilderung von Kriegsvorbereitungen hier und in der 'Chanson de Roland' beobachtet[393]). Das paßt – unter dem Gesichtspunkt der deutschen Literaturgeschichte gesehen – genau in Stammlers Konzeption der frühen geistlich-ritterlichen Epik (Die Anfänge, S. 20f. zum 'Annolied'; s. oben S. 65), und unter dem Gesichtspunkt deutsch-französischer Literaturgemeinschaft zeigt sich zumindest eines: daß die Gattungsgrenzen (und damit vielleicht auch die Identitäten der Träger?) nach rückwärts immer mehr verschwimmen.

Die Formulierungen des Thomas de Chabham haben weit gewirkt und sind vielleicht selbst schon kirchlich-formelhaft. Es lohnt sich jedenfalls, unter dem oben angedeuteten Gesichtspunkt die Definition der *Chanson de geste* durch einen (allerdings auch geistlichen) Außenseiter, den Musikologen der 2. Hälfte des 13. Jahrhunderts Johannes de Grocheo in Erinnerung zu bringen: *cantum vero gestualem dicimus in quo gesta heroum et antiquorum patrum opera recitantur, sicuti vita beati Stephani protomartyris et historia regis Karoli.* (Es sei hinzugefügt, was dem *faciunt solatia hominibus* des Thomas entspricht: *cantus autem iste debet antiquis et civibus laborantibus et mediocribus ministrari donec requiescunt ab opere consueto, ut auditis miseriis et calamitatibus aliorum suas facilius sustineant.*)[394]) Wer will da von »geistlich« oder »spielmännisch« im Sinn getrennter Literatursphären sprechen?

Durch seine Definition des »Spielmännischen«, in der allerdings das spielmännische Ethos immer noch eine etwas zwielichtige Rolle spielt (S. 123), bietet Wareman eine Lösung, mit der man sich zumindest vorläufig wird bescheiden müssen: eine »Lebensform von Angehörigen jeder soziologischen Gruppierung« (S. 128), der eine neben der geistlichen und höfischen bestehende Stiltradition entspricht, »welche sich in einer Abstandnahme von geistlichen und höfischen Werten manifestiert« (S. 143), aber »mit dem Schlagwort 'spielmännisch' nur sehr bedingt und teilweise belegt ist« (S. 142). »Spielmännisch« wäre demnach Ingredienz, nicht Gattungsbegriff. Für »Spielmanns«- und Heldenepik bedeutet das: »die vereinzelt auftretenden spielmännischen Bezüge erinnern nur an soziologische Aspekte der Verfasserschaft, berechtigen aber nicht zu der Zusammenfassung der in anderer Beziehung reich differenzierten Epen nach diesem einzigen Gesichtspunkt« (S. 150). Im Hinblick auf den Stil schränkt Wareman dieses Ergebnis allerdings, wie ich meine, zu Unrecht (s. oben S. 55 ff.), etwas ein, wenn er »spezifisch spielmännische Elemente« herausstellt, »die durch die Person des Verfassers und die Art seines Vortrags bedingt sind« (S. 146).

Wie C. Minis in seiner Rezension bemerkt, hat Wareman dabei weniger eine eigene Begriffsbestimmung als eine kritische Prüfung bisheriger Bestimmungen gegeben. Aber gerade weil seine Definition so »wenig konturscharf« ist, scheint sie uns augenblicklich so akzeptabel[395]). Ich möchte darin durchaus nicht nur ein

---

[392]) Über diesen Terminus auch Ph. A. Becker, Vom Kurzlied zum Epos, ZffrzSpr 63 (1940), S. 299–341, 385–444, S. 426 ff.

[393]) Chansons de geste et épopées Allemandes, Études Germaniques 17 (1962), S. 125–136, S. 132 ff.

[394]) (ed.) J. Wolf, Die Musiklehre des Johannes de Grocheo, Sammelbände d. intern. Musikges. 1 (1899), S. 15–130, S. 90 (jetzt zitiert bei R. Louis, Le refrain dans les plus anciennes chansons de geste et le sigle AOI dans le Roland d' Oxford, in: Mélanges ... à la mémoire d' István Frank, Universität des Saarlandes 1957, S. 330–360, S. 344, Anm. 1).

[395]) Fromm, Das Heldenzeitlied, S. 113, Anm. 1. Ebd.: »Wissmann scheint mir mit der Anerkennung Waremans im Recht zu sein.« Fromm weist auch auf Fr. Neumann hin, der schon lange vorher eine »zwischenständische Gruppe der Berufssänger und Berufssprecher« angesetzt hat, »die nicht einen Stand ausmacht«, und der »Menschen verschiedener Schulung und Leistungshöhe zugeordnet werden können« (Kudrun, Sp. 982). »Die

Positivum sehen. Es wird bei der Diskussion der Spielmannsfrage doch immer wieder deutlich – und dadurch rechtfertigt sich u.a. ihre relativ ausführliche Behandlung hier –, daß sie für unsere Beurteilung der Poetik des 12. und 13. Jahrhunderts von kaum zu überschätzender Bedeutung ist. Angesichts dessen sollte man doch versuchen, mehr zu tun, als den Begriff »Spielmann« für die »Spielmannsepik« zu streichen oder mit Gänsefüßchen zu versehen. Freilich genügt es nicht, an seine Stelle einfach »Geistlicher« oder »Ritter« zu setzen (vgl. oben S. 68, 84, 88, 92 f. und Anm. 269). »Viele bürgerliche Germanisten«, um mit E. Erb zu sprechen, machen es sich da in einer komplexen Situation nach wie vor zu einfach (Erb, S. 1007, Anm. 1); es ist schon richtig, daß man sich gerade um der größeren Genauigkeit willen mit einer Umschreibung des Standes wird begnügen müssen [396]. Der Gewinn dieses Verfahrens liegt in der Einsicht, die wir in die Entwicklung der Funktion epischer Dichtung im 12. Jahrhundert gewinnen: es öffnet sich in den »Spielmannsepen« für die die Literatur tragende und konsumierende Gesellschaftsschicht eine neue Dimension, – nicht mit abrupt neuer literarischer Tendenz oder mit plötzlicher Respektabilität des bisher Unterliterarischen, sondern in natürlicher Verlängerung der Linie, die von der Mönchs- und Klosterliteratur zur für die Herrenschicht bestimmten Literatur der Weltgeistlichen führt. Dergestalt erbaulich unterhalten und zu weltlichen Fragestellungen geführt, bereitet sich so dieses Publikum auf die Aufnahme der größeren höfischen Systeme des Fragens und der Darstellung vor (eine vergleichbare Rolle spielt im Minnesang die »Donauschule«). Entsprechend ist die Funktion der Verfasser als Fortsetzung der Erzieherrolle des Weltgeistlichen und zugleich Vorstufe des berufsmäßigen Literatentums im Stil Hartmanns und Walthers zu sehen (darin liegt die oberflächliche Verwandtschaft mit den bürgerlichen Fahrenden des 13. Jahrhunderts begründet). Der Übergang von Lied zum Kurzepos und dann zum Großepos wäre theoretisch ein formales Äquivalent dieser Entwicklung, aber nur das Großepos wird uns greifbar, bzw. das Kurzepos nur in einer Form, die nicht auf »Spielmännisches« im traditionellen Sinn zurückführt, sondern auf Werke wie 'Judith', 'Crescentia' etc. Was wir vor uns sehen, berührt sich im einzelnen immer wieder eng mit der Geistlichendichtung allgemein, dem frühen Minnesang, der Lehrdichtung, der frühhöfischen wie der höfischen Epik, der Ballade, der Heldenepik. Insofern wären neben »spielmännisch« auch »geistlich« und »ritterlich« oder »vorhöfisch« richtig beschreibende Adjektive.

Im Übergangscharakter der »Spielmannsepik« aber ist bei aller Auflockerung der Grenzen zu den anderen epischen Formen der Zeit hin, zu der wir uns immer mehr gedrängt sehen, durchaus so etwas wie eine Gruppenidentität erkennbar, die v.a. in gleichgerichtetem Bemühen sich offenbart. Sie zu diskutieren und die Grenzen der Gruppe zu umschreiben, ist Aufgabe künftiger Forschung, und erst wenn diese Aufgabe erfüllt ist, wird man auch die Terminolo-

---

passende Bezeichnung für die Angehörigen dieser Gruppe ist doch wohl 'Spielleute'«, fügt jetzt W. Mohr hinzu (Schneider-Mohr, Heldendichtung, S. 640).

[396] Während der Korrektur sehe ich, daß P. Wareman diese letzte Konsequenz seiner eigenen Untersuchungen jetzt offenbar nicht mehr ziehen will, wenn er in seiner Rez. meines Buches mit Bedauern feststellt: »Also bleibt eine bedeutende Frage noch immer ungelöst: wer dichtete, außer Geistlichen und Adligen, frühmittelalterliche Epik?« Eine Arbeit aus der vergleichenden Epenforschung, in der die »Spielmannsepik« offenbar mehrfach zur Sprache kommt, war mir nicht mehr zugänglich: V. Karbusický, Über die Beziehungen zwischen der älteren tschechischen und der germanischen Epik, in: Beiträge zur Sprachwissenschaft, Volkskunde und Literaturforschung. Wolfgang Steinitz zum 60. Geburtstag ..., Berlin 1965, S. 197-213.

giemisere beenden können. Dabei wird man im Auge behalten müssen, daß die »Spielmannsepen« so, wie sie überliefert sind und interpretiert werden müssen, in zwei grundlegend verschiedenen Beziehungen stehen: vielfältig verknüpft mit der vorwiegend buchhaften Literatur und den literarischen Bestrebungen, von denen oben die Rede war, sind sie zugleich den Stoffquellen der unterliterarischen Schicht mündlicher Tradition und der damit zusammenhängenden traditionellen Erzähltechnik aufs stärkste verpflichtet. Dazu hat die Forschung trotz vielen Pauschalurteilen und zu großem Vertrauen in die noch im 19. Jahrhundert gelegten Grundlagen für jedes der besprochenen Werke doch jeweils andere und zumindest andeutungsweise individualisierende Aspekte besonders beachtet und betont. Diese drei Punkte habe ich mich entsprechend herauszuarbeiten bemüht, weil auf dieser Basis durchgeführt werden muß, was uns noch v.a. fehlt: intensive Einzelanalyse, die wiederum die literarhistorischen Zusammenhänge erst wirklich deutlich machen kann und auf dieses Ziel hin angelegt sein sollte.

Ich stelle auch hier noch einen schematischen Entwurf an den Schluß, eine Skala der Typen, um zu sehen, was aus den oben S. 46 vorgestellten Stoffen geworden ist. Da stehen Er und Salm mit ihren jeweiligen Helden an entgegengesetzten Enden: im Er Betonung der *ere* und des Staates im Sinn einer hierarchischen feudalen Einheit, die ihre Entsprechung in höfischer Kultur findet: ritterlicher Empörer. Im Salm weitgehende, burleske Isolierung der Liebesbeziehung: ein traditionell ambivalenter Minneheld. Dazwischen steht einmal der Brautwerber aus Staatsraison Rother/Roger/Authari, mit einer nicht ganz gleichteiligen Mischung dieser beiden Elemente im Ro, und zum anderen die bereits christlich legitimierte Herrschergestalt Oswalds mit dem Übergewicht der Brautfahrt über das Thema *ere*. Der Or schließt hier an, aber in gewisser Weise entgegengesetzt und auch ausweichend, christlich wie heldisch überspannt. Soweit sie im höfischen Bereich akzeptabel bleiben, werden diese Werke sofort weitertradiert (Er, Ro), wo die Matière de Bretagne und Chrestien Besseres, d.h. geeignetere Erzählhüllen an die Hand geben ('Parzival', 'Tristan'), verfallen sie in Dornröschenschlaf (Osw, Salm). Über die epigonenhafte Variante Or müssen wir Urteile in diesem Zusammenhang noch zurückstellen. Spätere Heldenepen wie auch die frühhöfischen Romane (besonders 'Tristrant' und 'Graf Rudolf') zeigen ein den »Spielmannsepen« vergleichbares Verhältnis zur spielmännisch-mündlichen Tradition, das sich aber sehr viel weniger unmittelbar ausnimmt. Mir scheinen all diese Kriterien in dem Sammelbegriff »vorhöfisch–einheimisch« für die »Spielmannsepen« zusammenzufallen. »Einheimisch« ist dabei unbeschadet der Herkunft der Motive und Schemata im einzelnen und ihrer internationalen Geltung als Beschreibung der literarischen Tendenz zu verstehen. Damit wäre auch gesagt, daß bei aller Beschäftigung mit in die Zukunft weisenden Fragen und trotz der oben umschriebenen Mittlerrolle in der literarischen Entwicklung die Gruppe im Ergebnis, d.h. im Rückblick doch auch n e b e n dieser Entwicklung steht, die im höfischen Roman gipfelt. Das hat aber keinen s o z i o l o g i s c h e n Grund, und wer unter diesem Gesichtspunkt die Beziehungen zum 13. Jahrhundert neu untersucht, müßte das beachten. Es bleibt zu hoffen, daß die »Kunstlosigkeit« des »Spielmannsepos« (de Vries, Fr. Neumann u.a.) hierbei nicht a priori verwechselt wird mit Unbedachtheit – dazu wissen wir auch zu wenig vom Literaturverständnis des Mittelalters –, und daß die eigentümliche Kompositionstechnik für jeden Fall gesondert und genau in Betracht gezogen wird.

VI. Anhang: Ergänzungen und Nachträge bis 1967

In einem neuen, von Fr. Neumann verfaßten Abriß der altdeutschen Literaturgeschichte[397]) ist der »Spielmannsepik« ein Platz ganz am Rande bzw. im Unter-
grund der allgemeinen Entwicklung zugewiesen: sollte es ein frühes Lied von
Salman gegeben haben, dann ist es »im 'unterliterarischen' oder 'halbliterarischen'
Bereich umgelaufen« (S. 88). Ähnlich verhält es sich mit Osw und Or, »obwohl
auch diesmal das so Entstandene erst in Verswerken niederster Stufe unter den
literarischen Bedingungen des 15. Jahrhunderts auftaucht«. (S. 89) Der Gesichtspunkt ästhetischer Wertung wird konsequent auch auf den Ro angewandt: »bei roh
gezimmertem Aufbau« ist der »Gesamtstil unausgeglichen«, weil das Werk »der
Grenze des 'Unterliterarischen' nahe bleibt« (S. 85). Die »literarische Höhenwelt«,
die Osw und Or »wegen ihres zwitterhaften Charakters« nicht haben erreichen
können, erklimmt der Ro-Dichter nur mit Hilfe eines »etwas gewaltsamen« An-
schlusses »an die Karls-Historie« (S. 89. Vgl. oben S. 46 und 96). Der an anderer
Stelle (S. 106 ff.) behandelte Er ist nicht so sehr zeitpolitisch motiviert, als »mit
überzeitlichen Vorstellungen vom Leben verbunden« (S. 107). Diese von bewußter Pragmatik diktierten Äußerungen stellen noch einmal einige Grundpro-
bleme so klar vor Augen, daß es sich lohnt, in den folgenden Ergänzungen und
Nachträgen drei entsprechende Themenkreise nochmals gesondert hervorzuheben:
spätmittelalterliche Überlieferung und Lebensform, mündlich-unterliterarische
Erzähltradition und – in Bezug auf diese beiden – das Verhältnis der »Spielmannsepen« zur »literarischen« Epik des 12. und 13. Jahrhunderts.

a) Spätmittelalterliche Lebensbedingungen (Oswald-Dichtungen und 'Salman und Morolf')

Daß uns die Überlieferung nicht die Originale des Salm, Or oder Osw an die
Hand gibt, geht wohl auch aus den bisherigen Ausführungen hervor. Fraglich
mußte lediglich bleiben, ob der Versuch, Altes und Neues im einzelnen genau zu
unterscheiden, über Vermutungen weit hinausführen und das Gesamtbild dieser
Dichtungen grundlegend zu ändern vermöchte. Inzwischen hat eine Arbeit R.
Bräuers zum Osw[398]), dem weitaus geeignetsten Untersuchungsobjekt, in gewisser
Weise eine Antwort erteilt: zur genauen Beschreibung eines wesentlich anders
aussehenden Originals und zur Identifizierung des einem einzigen spätmittelalter-

---

[397]) Geschichte der altdeutschen Literatur 800–1600. Berlin 1966.
[398]) Die drei Fassungen des Legendenromans vom heiligen Oswald und das Problem
der sogenannten Spielmannsdichtung. Diss. Masch. Humboldt-Universität Berlin 1965.
Der Aktualität des Themas wegen und weil die Arbeit nicht ohne weiteres greifbar sein
wird, gehe ich etwas eingehender auf ihre Thesen und Ergebnisse ein. Eine knappe Zusammenfassung der Ergebnisse ist unter dem gleichen Titel erschienen in: Wissenschaftl.
Zs. d. Ernst-Moritz-Arndt-Universität Greifswald 15 (1966), Gesellschafts- und sprachwissenschaftl. Reihe 5/6, S. 551–555.

lichen Bearbeiter zukommenden Anteils kommt offenbar nur, wer von vornherein die eigentümlichen Kompositionsgesetze solcher aus dem Mündlich-Unterliterarischen emporgestiegenen Dichtungen negiert und zugleich eine in der Epik des 12. und 13. Jahrhunderts allenthalben reflektierte stilistische und literarische Synchronik als historisches Nacheinander und qualitatives Gefälle versteht.

Bräuer, der die Fassungen Osw, W. Osw und zn des Oswald-Stoffes Abschnitt für Abschnitt und eingehender als seinerzeit G. Baesecke vergleicht, ohne allerdings Umfang und Relevanz der jeweils verglichenen Einheiten zu rechtfertigen, kommt zu folgendem Ergebnis: am Anfang steht eine kurze, durch Einführung des Brautwerbungsschemas publikumswirksam angereicherte Verslegende (S. 258, 279) des späten 12. Jahrhunderts (S. 327ff.). Sie hat am getreuesten der immerhin auch schon erweiternde W. Osw bewahrt (S. 326). Dagegen ist der Osw durch starke Aufschwellung um 1300 entstandenes Produkt einer in bürgerlichen Kreisen herrschenden (S. 78) »nachhöfisch-epigonalen Bearbeitungsmode« (S. 321), die in ähnlicher Weise und um die gleiche Zeit auch die Ur-Fassungen von Or und Salm erfaßt hat (S. 159f., 330f.). Sie manifestiert sich in grotesker Komik, grober »Verweltlichung des Religiösen«, Erweiterung des Personenkreises um Figuren niederer sozialer Schichten, Betonung äußerlichen Prunks und zugleich der einfachen Genüsse des Lebens[399]) sowie in Hinzufügung neuer Episoden mit Hilfe formelhafter Wiederholungen (S. 318ff.). zn ist eine sowohl von dieser Bearbeitung als auch von einer Vorstufe des W. Osw abhängige Fassung (S. 14f.).

Sachlich ergeben sich also gewichtige Differenzen[400]), methodisch stützt sich Bräuer aber ganz auf G. Baesecke. Was zu dieser Methode allgemein zu sagen ist, braucht nicht wiederholt zu werden. Bräuer handhabt sie weniger kritisch, äußerst punktuell und ohne jede Rücksicht auf die Typik der Sprache und der Darstellung. Wer je versucht hat, eine widerspenstige Überlieferung in ein festes Handschriftenstemma zu zwingen, kennt das Verfahren: es müssen immer kompliziertere Hilfskonstruktionen errichtet werden[401]), kaum scheinen zwei, drei »Lesarten« eine

---

[399]) Für die Gier des Raben gibt H. Messelken weitere Belege: Die Signifikanz von Rabe und Taube in der mittelalterlichen deutschen Literatur, Diss. Köln 1965, S. 48. Positive Darstellung des Raben ist seinen Beobachtungen zufolge im übrigen selten und nur durch eine Verschmelzung biblischer, heidnisch-antiker und germanisch-mythischer Traditionen zu erklären, soweit sie im konkreten Fall auf den gemeinsamen Nenner der Sprachbegabung zu reduzieren waren (S. 53–56).

[400]) Der Charakter des als ursprünglich angesetzten Gedichts entspricht ungefähr der o. S. 13 zitierten Vermutung de Boors und läuft damit den Vorstellungen Baeseckes genau zuwider. Die sechs Interpolatoren fallen in einem Bearbeiter zusammen. Freilich zeigt er, der dem Goldschmiede-Interpolator gleichzusetzen und als städtischer Handwerker zu betrachten ist, genauso wenig Verständnis für die alten Zusammenhänge, ohne auf der anderen Seite die Absicht zu haben, etwas eigenes Neues zu schaffen.

[401]) Dabei spielt gelegentlich der Or eine Rolle. Die weitgehende Entsprechung im Handlungsablauf zwischen den Vorbereitungen zur Heidenfahrt hier (236ff.) und im Osw (1425–1626) belegt nach Bräuer eine direkte Beziehung. Sie verläuft nicht von Osw zum Or (Baesecke), das Motiv der goldenen Sporen bzw. Kreuze liefert vielmehr den Beweis für den umgekehrten Weg: die Sporen (Or 309ff.) verfälschen nicht sinnlos, sondern verleihen einem den Kreuzfahrern gemachten Lohnversprechen sinnvollen Ausdruck. Demgegenüber ist das Gold der Kreuze im Osw sekundär, obwohl seine Bedeutung »als Werbemittel« nach Bräuer auch dort erkennbar wird (S. 224), also zunächst einmal eine einfache Motivparallelität zu konstatieren wäre. Nun ist Bräuer zufolge die Erwähnung goldener Sporen nicht vor dem 11. Juli 1302 möglich. An diesem Tag besiegten in der sogenannten »Sporenschlacht« bei Kortrijk (Courtrai) die »Handwerker und Bauern Flanderns« ein französisches Ritterheer und stellten danach die goldenen Sporen der gefallenen Gegner als Trophäen zur Schau. An dieses historische Ereignis wird sich ein bürgerlicher Bearbeiter am ehesten erinnert haben (S. 234), – näher wird der Zusammenhang nicht begründet, aber eine spätmittelalterliche Bearbeitung des Or ist damit zeitlich

bestimmte Anordnung zu bestätigen, setzt die nächste ganz andere Verhältnisse voraus usw. Das ist mehr als nur Analogie. Äußerst prekär sind derart um Details der Formulierung und der gedanklichen Fügung bemühte Vergleiche schon in Anbetracht der zerrütteten Überlieferung[402]). In den Versen Osw 2452–2458/W. Osw 1062 ff. (Bräuer, S. 16 ff.) nimmt Bräuer nach dem W. Osw *engel* statt des offensichtlich unsinnigen *hofeschalc* (Osw 2456) für die Urfassung in Anspruch und gewinnt damit eine Hauptstütze seiner Auffassung von deren vorwiegend geistlicher Orientierung und den geradezu krampfhaften Bemühungen des Osw-Bearbeiters um Verweltlichung. Nun bietet aber die Handschrift *W* an dieser, für Baesecke nur durch *S* belegten Stelle die Lesart *sleht*, und die Verse Osw 2453 ff. lauten daher (in der Form der Ausgabe) mit anderem Subjekt:

> *er [der hirz] lief über den berc hin dan*
> *vor manigem heidnischen man*
> *rehte in aller der gebaere,*
> *niwan alse er [der berc] sleht waere*[403]).

Pamige (Osw 235) ist sicher nicht richtig. Aber es muß *Pauge* heißen, nicht *Pange* (Bräuer, S. 40 ff.). *W* belegt eindeutig diese Form auch für den Osw, und *Spange* in der Wiener Handschrift des W. Osw ist demnach doch, wie schon F. Pfeiffer vermutete, eine modernisierende Übersetzung[404]). Der Name *Warmunt* soll aus dem Or (3043 f.) geschöpfter Zusatz des Osw-Bearbeiters (Osw 194 f. u. ö.) sein, da dieser mit dem Attribut *edel* den Pilger als Herzog begreife (S. 33 ff.). *M*, die beste Handschrift, schreibt aber *ellender pilgrein*, was zu *bruder* bzw. *man* im W. Osw

---

fixiert, und der Passus im Osw muß ebenfalls dem Bearbeiter zugeschrieben werden. Zu dieser Entlehnung gehört auch der Hinweis auf das Heilige Grab (Osw 1375 f.) in der Antwort Pamiges an Oswald, der nach Ausklammerung der dazwischen liegenden Verse als sekundärer Erweiterung an die Fahrtvorbereitungen heranrückt. Nachdem alle Erweiterungen aber auf e i n e r Stufe erfolgt sein sollen, bleibt hier ein ungelöster Widerspruch. Um die Beseitigung anderer Widersprüche bemüht sich Bräuer auf dem Weg über die Ur-Fassungen (S. 226 f.) und die Annahme der größeren Altertümlichkeit des W. Osw, die damit zugleich bewiesen werden soll: den Hinweis auf die Or-Bearbeitung verdankt der Osw-Bearbeiter der allerdings nur im W. Osw (676) belegten Erwähnung Orendels (S. 333). Im übrigen hat aber bereits im 12. Jahrhundert der Ur-'Oswald' aus dem W. 'Orendel' entlehnt, den wiederum nur im W. Osw belegten Fischer Ise (W. Osw 669 ff.) (S. 194 ff.; vgl. o. S. 10), und später ist im W. Osw die Orendeldichtung nochmals gesondert benutzt worden; da in dieser Fassung die goldenen Sporen etc. fehlen, muß es sich bei der Vorlage ebenfalls um den Ur-'Orendel' gehandelt haben. Dieses »erstaunliche Ergebnis« (S. 227) gewinnt man durch Interpretation der formelhaften Verse W. Osw 805–809 bzw. 811 f. als Entlehnungen aus Or 339–344 bzw. 363 f.

[402]) Bräuer stützt sich öfter bewußt und mit Recht auf die Handschriften, es stand ihm aber nur Baeseckes Apparat und *W* überhaupt nicht zur Verfügung.

[403]) *S: Recht yn aller der geper| Nun alß ob er ain hoffschalck wer; W: Jn aller der gepär| Nuer als er slecht wär.* Die in *S* wohl aus Mißverstehen der Subjektbeziehung heraus vorgenommene Änderung führt über die zum modernen Sprachgebrauch überleitende Bedeutung *schlechter knecht* = *hofschalk* (vgl. J. A. Schmeller, Bayrisches Wörterbuch 2, 1837, Sp. 501 f. bzw. 410 [*hofschelk* mit den *puoben* und *schintfessel* zusammengestellt]). Zum Hirschmotiv an sich s. auch P. W. Tax, Wort, Sinnbild, Zahl im Tristanroman, Berlin 1961, S. 129 ff. (vgl. o. S. 14).

[404]) *Paug* erklärt auch das Fehlen des Namens in *M* als durch den Gleichklang *fraw|paug* verschuldet, der in *W* umgekehrt zum Ausfall von *fraw* geführt hat. In *S* ist, was Baesecke nicht bemerkte (Oswald, S. 379) eindeutig i-Punkt gesetzt, also *pamig* oder *paimg* zu lesen. Zu 475 (Bräuer, S. 85 ff.): *Salunders* braucht nicht konjiziert zu werden, da Baeseckes *Salmiders* auf falscher Lesung beruht. Ich sehe auch keine bessere Möglichkeit, als das durch *M* und *S* belegte *Salunders* mit 'Ortnit' I, 1 *(Suders, Lunders, Sunders)* als entstelltes *Surs* (= Tyrus) zu deuten.

stimmt, und *weyssag* (daneben *alter man*) in zn erklärt sich ohne weiteres als Übersetzung von *Warmunt* (vgl. auch oben S. 14).

So geht manche auch für den Text des Osw interessante Überlegung auf dem Umweg über die Frage des Verwandtschaftsverhältnisses der Fassungen eher in die Irre als auf ein klärendes Ergebnis zu. In anderer Hinsicht schränkt der Verfasser seinen Gesichtskreis hingegen unnötig ein[405]). Besonders bedauert man das, wenn er das Problem der Umarbeitung zu konkret belegbaren literatursoziologischen Phänomenen in Beziehung zu setzen sucht und auf die städtischen *meister,* genauer: Goldschmiede, zu sprechen kommt (S. 73 ff., 81 ff., 87 ff.). Soweit sie über die Straßburger Wisse und Colin hinausgehen, deren Bearbeitertätigkeit aber auch nicht näher untersucht wird, führen diese Hinweise nämlich nicht auf potentielle oder tatsächliche Neu-Bearbeiter, sondern geradewegs in die spätmittelalterliche Schreibwerkstatt. Diebold Lauber ist der Prototyp eines solchen professionellen Abschreibers und Schreibstubenleiters, nicht einfach ein »städtischer Handwerker, ein Goldschmied aus Hannover [sic]« (S. 80)[406]), der besonderes Interesse an der Erhaltung und Bearbeitung einer bestimmten Literaturgattung gehabt hätte. Genausowenig gilt das für den Augsburger Weber Simprecht Kröll (S. 83 f.), dessen cpg 109 zwar auch den 'Wolfdietrich' B enthält, eine Bräuers Meinung nach unter dem Gesichtspunkt der Verbreitung durch bestimmte soziale Gruppen dem Osw vergleichbare Dichtung, im übrigen aber als typische bürgerliche Mischhandschrift der Zeit v. a. Lieder aller Art, Privatbriefe, Sprüche, Legenden und Ähnliches.

Nähere Kenntnis dieser Verhältnisse und entsprechende weitere Sondierungen im Bereich der literarischen Lebensbedingungen des Spätmittelalters würden sich zweifellos als sehr nützlich erweisen (vgl. auch oben S. 15). Zusätzlich müßten eindeutig spätmittelalterliche, aber ähnlichen Überlieferungsbedingungen unterliegende literarische Denkmäler genau betrachtet werden. Bräuers Umarbeitungshypothese würde sich auch dabei kaum bestätigen, gewiß aber würde sich der eine oder andere Fall von erweiternder Ausmalung[407]) und v. a. die möglicherweise recht weitgehende sprachliche Neugestaltung aus dem Formelgebrauch des Spätmittelalters heraus[408]) konkret belegen lassen, und somit wäre die historische

---

[405]) Der Hinweis auf die Sporenschlacht (o. Anm. 401) – er kann zumindest den realen Hintergrund eines solchen Motivs erhellen – ist beinahe der einzige Fall, in dem sich Bräuer nicht restlos auf die z. T. natürlich veralteten Sachangaben Baeseckes und der Vorworte zu den Bänden des Heldenbuchs und auf die notwendig allgemein gehaltenen Ausführungen in de Boors Literaturgeschichte stützt.

[406]) Diese Angabe nach der Notiz des Straßburger Heldenbuchs. Auch Hans Dirmstein hätte erwähnt werden können. Bräuer diskutiert, allerdings ohne Berücksichtigung der Forschung, auch den Terminus *rustici*. Zu seinen Vorstellungen paßt gut die Nachricht über ein 'Sigenot'-Bruchstück im Gültbüchlein des Marienaltars zu Schopflohe (Kr. Nördlingen; 1482), das dem Finder, H. Rosenfeld, zufolge die lebendige Tradition der Heldenepik in den Landgemeinden, unter den *rusticis*, bezeugt (Ein neues handschriftliches Sigenot-Fragment, ZfdA 96 [1967], S. 78–80). Auf die 'Quedlinburger Annalen' (s. o. S. 85) darf man sich dabei doch wohl nur mit größter Zurückhaltung berufen, denn nichts, auch nicht die Hinweise auf das Singen der *puren* (vgl. E. Wießner, Kommentar zu Heinrich Wittenwilers Ring, Leipzig 1936, S. 212, zu V. 5922 f., und o. Anm. 366a) weist darauf hin, daß die dort angedeuteten Verhältnisse den spätmittelalterlichen entsprechen.

[407]) Die Vorliebe für handwerklich-meisterliche Details scheint mir ohnehin überzeugend dargetan.

[408]) Die von A. v. Keller edierten Fastnachtspiele bieten z. B. für eine große Anzahl der im Osw vorkommenden formelhaften Wendungen Belege und einige davon wären sicher als ausschließlich oder primär spätmittelalterlich zu identifizieren. Die neue Märenedition von H. Fischer (o. Anm. 285) erschließt ein weiteres Beobachtungsfeld.

Perspektive wieder hergestellt. Das betrifft sowohl die handschriftliche Überlieferung als auch den, freilich durch häufige Verwirrung des Wortlauts und oft weitgehende Zersetzung des metrischen Gewands hindurch bereits schwer greifbaren Archetypus.

Daß die Verhältnisse beim Salm genauso liegen wie beim Osw, bezeugt eine weitere, bisher von der Forschung nicht beachtete Handschrift dieses Werkes, auf die mich inzwischen freundlicherweise Dr. A. Karnein hingewiesen hat[409]). Er hat vor, demnächst ausführlicher über diese Wiederentdeckung zu berichten, und ich beschränke mich deshalb auf wenige, in unserem Zusammenhang wichtige Angaben.

Der Text beginnt mit Strophe 10, 5 und steht offenbar in Wortlaut und Sprachform der Handschrift *S* relativ nahe: das Zeilenarrangement in 16/17 und 783 ist dasselbe und auch der Wortlaut stimmt zusammen (*wunnesam, manchem ritter; 17, 2* müßte im kritischen Text wohl *sintemal* stehen). In einzelnen Lesarten ist diese Handschrift *P* besser (20, 2), andererseits war man hier mehr um Modernisierung und Beseitigung von »Unklarheiten« bemüht: 782, 3: *uf den thüm Sd; mit dem zoum P*). Nachdem jetzt auch *E* wieder zur Verfügung steht und *D* noch nicht eingearbeitet ist, würde sich eine ausführliche Überprüfung des Vogtschen Texts wohl lohnen. Die Handschriften, das dokumentiert auch *P,* können genausowenig wie beim Osw genau nach Güte und Abstammung klassifiziert werden; es müßte deshalb in engem Anschluß an eine Leithandschrift gearbeitet und dementsprechend manch glättender Texteingriff rückgängig gemacht werden.

Am Schluß der Handschrift eingetragene Namen sollten es ermöglichen, die Herkunft von *P* relativ genau zu bestimmen[410]). Mehrfach ist Platz für Illustrationen freigelassen, auch diese Handschrift war also als *morolf gemolt* geplant, vielleicht in derselben Werkstatt wie *S*. Über diese Handschrift ist im übrigen oben S. 20 vorschnell geurteilt. Autopsie der Bilder zeigt, daß sie zwar von Laubers Werkstatt beeinflußt, aber nicht ihr selbst zuzuweisen sind. Auch die Schrift neigt mehr zur Buchschrift als dort üblich[411]).

Ich sehe nach wie vor keinen Grund, von meiner eigenen Auffassung über Kompositionsweise und literarhistorische Einordnung des Osw wie des Salm[412])

---

[409]) *P:* Paris, Bibliothèque de l'Arsenal 8021; 15 Jh. Der Catalogue général des manuscrits des bibliothèques publiques de France. Paris: Bibliothèque de l'Arsenal 4, Paris 1892, S. 428, führt sie fälschlich als »dialogue de Salomon et de Marculf«. W. Dolch hat sie am 14. Mai 1909 für das Berliner Hss.-Archiv aufgenommen. Eine Abschrift seiner Beschreibung stand mir durch die Freundlichkeit Dr. F. Pensels vom Hss.-Archiv des Instituts für deutsche Sprache und Literatur in Berlin zur Verfügung. Weitere Angaben und Abschriften größerer Teile von Anfang und Schluß der Hs. verdanke ich Dr. Karnein.

[410]) Unmittelbare Vorbesitzer waren laut Katalog die Pêres du convent de Nazareth, côte X 8. Literatur zu einem im Vorderdeckel eingeklebten Holzschnitt verzeichnet ebenfalls der Katalog.

[411]) Die beiden Teile der Hs., 'Wilhelm von Orlens' (geschrieben 1419) und Salm, gehörten ursprünglich nicht zusammen. Wenn, wie Vogt und Löffler (o. Anm. 95) annehmen, der Salm schon vor 1419 geschrieben ist, wäre dies für Laubers Werkstatt zu früh. Andererseits hat R. Kautzsch mit viel späterer Datierung den Salm-Teil der Hs. auch nicht in den Kreis der Vorläufer Laubers aufnehmen wollen: »der Charakter der Bilder gestattet nicht, den Salman-Morolf über 1460 hinaufzurücken.« (Notiz über einige elsässische Bilderhandschriften aus dem ersten Viertel des 15. Jahrhunderts, in: Philologische Studien. Festgabe für Eduard Sievers, Halle 1896, S. 287–293, S. 291, Anm. 1). Nachtrag zu Anm. 100: Fechters Abhandlung ist inzwischen nachgedruckt worden: Darmstadt, 1966.

[412]) Vgl. o. Anm. 30 (weitere Rezz.: J. Carles, Etudes Germaniques 21 [1966], S. 286f.;

abzugehen. Wegen ihrer mancherlei technischen und sachlichen Mängel kann die Dissertation R. Bräuers zwar kaum als vollgültige Demonstration einer Alternative gelten, aber sie erhellt zur Genüge die übergroßen methodischen Schwierigkeiten, die sich einer umfassenden chronologischen Aufgliederung der Texte entgegenstellen. Revidieren möchte ich hingegen meine Ansicht über das Verhältnis von W. Osw und Osw. Es ist doch wohl komplizierter als noch oben S. 10 angenommen. Hier wäre besonders hervorzuheben, was von Bräuer leider überhaupt nicht in Erwägung gezogen worden ist: die Möglichkeit fortgesetzter freier Reproduktion ohne bestimmte Vorlage (oben S. 61). Daß sie ohne weiteres mit vorwiegend mündlicher Existenzform der Dichtungen in deren ganzem Umfang in Verbindung zu bringen ist, bezweifle ich allerdings. Da diese Frage (vgl. oben S. 59ff.) inzwischen auch in der Germanistik akut geworden ist, sei ihr nochmals ein kurzer Abschnitt gewidmet.

b) Mündlichkeit und Schriftlichkeit ('Dukus Horant', 'Nibelungenlied' und die »theory of oral-formulaic composition«)

»Es wäre reizvoll, nun doch einmal die Eigenständigkeit dieses Gedichtes zu untersuchen« (Ursula Rauh[413])). Ganz ist diese Phase in der Literatur zum Hor noch nicht erreicht, aber Ansatzpunkte werden in der gegenwärtigen Diskussion um die neue Ausgabe schon sichtbar. St. J. Kaplowitt scheint sich der Entwicklungstheorie Normans anschließen, wenn auch nicht bis ins 12. Jahrhundert zurückgreifen zu wollen[414]). H. Rosenfeld faßt seine z. T. schon früher geäußerten Ansichten in der Meinung zusammen, »daß der Dichter ein Jude war und den Hildeteil der Kudrun von 1233 für jüdische Kreise umdichtete«, und zwar in Regensburg zwischen 1338 und 1382[415]). Ingeborg Schröbler neigt mehr der Vorstellung eines eventuell im 14. Jahrhundert entstandenen »mixtum compositum« aus älteren Erzählstoffen zu[416]). Diese Ansicht wird u. a. durch einige Feststellungen S. Colditz' zur Quellenfrage gestützt, wenn der Verfasser die Belege auch noch zu punktuell interpretiert[417]). W. Röll und Ch. Gerhardt führen hier weiter[418]), nicht nur durch Einzelnachweise, sondern auch durch ein paar methodische

K. C. King, JEGP 66 [1967], S. 87f.) und dazu S. 47, 78f., 81ff. Meine Beschreibung von *s* ist erschienen in: ZfdPh 86 (1967), S. 22–58. Einige Nachträge zum Salm: für eine frühe franz. Fassung des Epos (vgl. o. S. 24) plädiert J. de Vries (Dat dyalogus of twisprake tusschen den wisen coninck Salomon ende Marcolphus, ed. W. de Vreese – J. de Vries, Leiden 1941, S. 69), v. a. auf Grund des Literaturverzeichnisses in Lamberts von Ardres kurz vor 1200 abgeschlossener 'Historia Comitum Ghisnensium' (ed. J. Heller, MGH, Scriptores 24, S. 550–642, S. 607). Dort ist neben Merlin auch *Merchulfus* erwähnt; gerade dieser Zusammenhang spricht aber eher für eine Form des Spruch- und Schwankgedichts. Dessen Schwankteil betrachtet auch de Vries als allmählich den Sprüchen hinzugefügte Sammlung von Anekdoten verschiedener Herkunft (ebd., S. 54ff. mit zahlreichen Parallelen; vgl. o. S. 22). Zur Charakteristik Markolfs in Spruchgedicht, Volksbuch und Fastnachtspiel (vgl. o. Anm. 360) trägt Hilde Hügli einiges bei: Der deutsche Bauer im Mittelalter, Bern 1929, S. 112ff.
[413]) Rez., Euphorion 60 (1966), S. 154–164, mit Besserungen zu Bibliographie und Anmerkungen (vgl. o. S. 44).
[414]) Rez., JEGP 65 (1966), S. 537–542.
[415]) Rez., DLZ 87 (1966), Sp. 126–129. Vgl. o. Anm. 125, 224.
[416]) Rez., Germanistik 7 (1966), S. 72–74, S. 74.
[417]) Das hebräisch-mittelhochdeutsche Fragment vom 'Dukus Horant', FuF 40 (1966), S. 302–306. An der jüdischen Autorschaft hält auch Colditz nachdrücklich fest (S. 306).
[418]) Zur literarhistorischen Einordnung des sogenannten 'Dukus Horant', DVjschr 41 (1967), S. 517–527 (Korrekturfahnen standen mir durch die Freundlichkeit der Herausgeber zur Verfügung). Röll und Gerhardt arbeiten mit einem verbesserten Text (s. o. Anm. 227a), zu dem auch die Rez. von U. Rauh einige Vorschläge enthält (S. 155f.).

Überlegungen: es bleibt offen, ob der Verfasser nun seine »Quellen«, Salm, 'Iwein', 'Lanzelet' u. a., jeweils wirklich gekannt hat, oder ob er nicht einfach über eine Anzahl »klassischer Zitate« verfügte. Solche Zitate kommen in derartiger Dichte vor, daß eine den spätesten Belegen (ca. 1290) vorausgehende Fassung kaum mehr glaubhaft scheint.

Daß die Art, wie hier gebaut wird, sich von der Kompositionsweise der »Spielmannsepen« und deren Verbundenheit mit älteren Erzähltraditionen durch ihren literarischen Eklektizismus und durch weitgehenden Mangel an innerer Organisation wesentlich unterscheidet, sollte sich in Zukunft noch klarer zeigen.

Ganz anders hat W. Schwarz das Thema angegriffen[419]). Sein Versuch schafft zugleich einen ersten germanistischen Testfall für die von M. Parry und A. B. Lord entwickelte Methode der Unterscheidung zwischen »mündlicher« und »literarischer«, d. h. schriftlicher Dichtung: der Text der Cambridger Handschrift hat überhaupt keine schriftliche Vorgeschichte (vgl. oben S. 44). Er gibt den einmaligen Vortrag eines bis dahin nur »mündlich überlieferten Werkes« wieder, »ohne daß die mündliche Überlieferung vom Schreiber in die Buchform eines literarischen Werkes umgewandelt worden ist« (S. 81). Garant für den Charakter unverfälschter Mündlichkeit ist die weitgehende Formelhaftigkeit des Texts. Den statistischen Beweis für die generelle Formelhaftigkeit – immer die Grundlage aller weiteren Überlegungen – bleibt Schwarz vorläufig allerdings noch schuldig, auch über Umfang und Art des seiner privaten Analyse zugrundeliegenden Vergleichsmaterials erfährt man wenig. Ferner: ein »diktierter« Text dieser Art wäre kein im strengen Sinn mündlicher Text, und mündlichem Stil widersprechen auch von vornherein die oben erwähnten literarischen Zitate bzw. die Tatsache, daß sie fast unverändert übernommen, nicht formelhaft umgebildet sind. Aus diesen Gründen würde auch ein kritikloser Anhänger der Lordschen Lehre den ausschließlich mündlichen Charakter des Hor kaum für erwiesen halten (vgl. oben S. 87), – ganz zu schweigen von den Kritikern.

Schwarz' Versuch als solcher darf trotzdem großes Interesse auch über den Einzelfall hinaus beanspruchen. Wer die Methode und das Ergebnis akzeptiert, wird ohne weiteres einen Großteil unserer spielmännischen und heldenepischen Dichtung als »mündlich« bezeichnen dürfen. Er hätte automatisch die Möglichkeit, den Weg von den »Originalen« aller solchermaßen definierten Dichtungen zu den Archetypen der Überlieferung in neuer Weise zu deuten und damit auch die literarische Kritik in diesen Fällen auf eine neue Grundlage zu stellen.

Zu solchen und weiteren Erwägungen veranlaßt auch eine in Zusammenarbeit mit D. J. Ward verfaßte Studie F. H. Bäumls zur mündlichen Überlieferung des 'Nibelungenliedes'[420]). Bäuml gibt zunächst eine dem Germanisten sicher willkommene Einführung in das Schrifttum Parrys und Lords[421]); es folgen Analysen von 50, verschiedenen Teilen des Epos entnommenen Strophen nach deren Rezept sowie Bemerkungen zu Motivik und Schematik. Die große Dichte des Formelgebrauchs wird wohl selbst den 'Nibelungenlied'-Kenner überraschen; zur Schematik ließe sich noch sehr viel mehr sagen.

---

[419]) Die weltliche Volksliteratur der Juden im Mittelalter, in: Judentum im Mittelalter, ed. P. Wilpert (= Miscellanea mediaevalia 4), Berlin 1966, S. 72–91 (1963 gehaltener Vortrag; die Vortragsform erklärt einige der im folgenden beanstandeten Mängel).

[420]) F. H. Bäuml – D. J. Ward, Zur mündlichen Überlieferung des Nibelungenliedes, DVjschr 41 (1967), S. 351–390.

[421]) A. B. Lords Hauptwerk steht jetzt auch in deutscher Übersetzung zur Verfügung: Der Sänger erzählt. München 1965.

Behutsam möchte Bäuml das 'Nibelungenlied' keinesfalls als direkt aus mündlicher Überlieferung heraus »diktierten Text« verstehen, obwohl dies, rein statistisch gesehen, durchaus naheläge. Man kann aber auch ihm den Vorwurf nicht ganz ersparen, bei der Anwendung einer aus lebender mündlicher Tradition abstrahierten Methode auf ein schriftlich fixiertes Dichtwerk des Mittelalters unkritisch verfahren zu sein. Die »theory of oral-formulaic composition« findet schließlich in einem Augenblick nun auch von germanistischer Seite Beachtung, in dem man andererorts einzusehen beginnt, daß sie nur in stark modifizierter Form zur Erklärung literarischer Formen des Mittelalters herangezogen werden kann. Diese Erfahrung allein zwingt m. E. dazu, jeden weiteren Versuch mit einer Kritik der Methode selbst zu beginnen und dabei auch im voraus zu klären, inwieweit der zu behandelnde Gegenstand nicht Voraussetzungen in sich trägt, die diese Methode, ihrer Entstehungsgeschichte entsprechend, zunächst garnicht berücksichtigen konnte. Ich ergreife deshalb die Gelegenheit, meine eigenen früheren Kommentare zur Sache [422]) am germanistischen Beispiel zu ergänzen und etwas näher zu erläutern. Nicht nur Fragen der Entstehung, sondern auch durch die späte Überlieferung einiger »Spielmannsepen« aufgeworfene Probleme erscheinen dabei in nochmals anderer Beleuchtung.

Der kritische Text des 'Nibelungenliedes' stellt eine »philologische Hypothese« dar, »die bei einer mündlichen Dichtung schlechthin unmöglich mit den wirklichen Verhältnissen übereinstimmen kann« (Bäuml, S. 362): das zielt offensichtlich sowohl auf die handschriftliche Überlieferung und deren Divergenzen als auch auf die Vorgeschichte des Überlieferten. Bäuml widmet sich dann (in Auseinandersetzung mit Heusler) weiterhin ausschließlich der Vorgeschichte. Zunächst aber wäre ausdrücklicher zu fragen: verhalten sich denn die Hauptüberlieferungen etwa zueinander wie verschiedene »Aufführungen« eines Textes, der in ständiger mündlicher Reproduktion überhaupt nie eine definitive Form erhalten hatte? Eine derartige Überlieferungssituation war für J. Rychner und andere ja ein entscheidendes Kriterium mündlicher Existenzform. Inzwischen hat Rychner seine Ansicht in auch für diesen Fall aufschlußreicher Form modifiziert [423]): an Hand zweier Überlieferungen des 'Couronnement de Louis' nimmt er für mündliche Weiterbildung des Texts v. a. die Zeit n a c h der ersten Niederschrift in Anspruch. Die Unzulänglichkeiten der Handschrift B. N., fr. 1448 gehen auf Verderbnis bei schnellem Diktat zurück; konstruktive Änderungen entspringen spontaner Bearbeitung beim mündlichen Vortrag (S. 648 f.). Der schriftlichen Erstfassung geht zwar auch eine mündliche Tradition voraus, sie ist dort aber bereits Grundlage einer literarischen Komposition geworden.

Was das 'Nibelungenlied' betrifft, haben H. Brackerts Handschriftenvergleiche (oben S. 61) bereits die Diskussion dieser Frage eingeleitet. Es scheint sich dabei die Meinung durchzusetzen, daß das Verhältnis der Fassungen zueinander doch als recht eng zu deuten ist und im Hintergrund eine einheitliche literarische Grundkonzeption erkennbar bleibt. Selbst wenn jetzt der weitere Gesichtspunkt der Mündlichkeit an der Beurteilung der Überlieferung insgesamt nichts Wesentliches ändern sollte, so wird doch seine Beachtung im einzelnen manches beitragen können, und sei es auch nur in der Form, daß sie die literarische Bedeutsamkeit der Divergenzen auf ein Normalmaß reduziert.

---

[422]) O. S. 61 und Speculum 42 (1967), S. 36–52 (s. o. Anm. 281).
[423]) Observations sur le 'Couronnement de Louis' du manuscrit B. N., fr. 1448, in: Mélanges de linguistique Romane et de philologie Médiévale, offerts à M. Maurice Delbouille 2, Gembloux 1964, S. 635–652.

Wie die Grundfassung entstanden ist, diese Frage bleibt damit immer noch aufgeschoben. Für die »Spielmannsepik« und den Hor empfiehlt sich die gleiche Verfahrensweise[424]). Der Hor ist zwar ein Unikum, aber, insofern jetzt lediglich das Kriterium der Formelhaftigkeit zur Debatte steht, fordert die Überlieferung der »Spielmannsepen«, besonders die relativ breite des Osw, zum Vergleich geradezu heraus. Dort zeigt sich folgendes: man läßt aus, stellt um oder fügt hinzu, weil man unter den vielen stereotypen Reimen einmal den falschen erwischt, (bei Umsetzung in einen anderen Dialekt) die alten Reime nicht mehr als Reime empfunden, ein veraltetes Wort nicht mehr verstanden oder Zeilen übersprungen hat. In diesen Punkten vermag die Annahme mündlicher Tradition zweifellos einiges zu erklären[425]). Die häufigen Verdeutlichungen inhaltlicher oder grammatikalischer Beziehungen, die Fehlinterpretationen dem Dialekt des Schreibers fremder Schriftbilder, die schüchternen, aber dann doch konsequenten, nicht spontanen Versuche einer Uminterpretation des ganzen[426]) sind dagegen ausgesprochenes Schreiberwerk. Den Änderungen, die sich die Formelhaftigkeit der Diktion zunutze machen – das wäre die mündliche Praxis –, steht eine große Anzahl von Abweichungen gegenüber, die der Formelhaftigkeit zuwiderlaufen oder doch alte formelhafte Zusammenhänge zerreißen. Hörfehler lassen sich kaum nachweisen. Der nachlässigen Behandlung des Verses (vgl. oben Anm. 424) auf der einen wirken auf der anderen Seite ebenso starke Bemühungen um Restitution des durch den Nebensilbenverfall verunklarten Versmaßes durch Füllwörter etc. entgegen. Man vermag sich auch nicht recht vorzustellen, daß sich die Schreibstuben auf die Bestellung eines Salm-Textes hin einen Berufssänger zum Diktieren kommen ließen, oder daß der Abt von Tegernsee ein ausgesprochenes »Spielmannsexemplar« des Büchleins von Herzog Ernst besessen haben sollte (vgl. oben S. 37). In anderen Fällen spricht schon der restliche, keineswegs mündliche, wenn auch den untersten Sphären religiöser Erbauungsliteratur entstammende Inhalt der Handschriften gegen eine »Direktaufnahme« dieser Art (Osw *S* und *I*). Dieses Argument gilt besonders auch für die Hor-Handschrift.

Jetzt erst stellt sich die zweite Frage: handelt es sich bei den so erschlossenen schriftlichen Originalen bzw. Archetypen selbst um diktierte Texte? Bäuml betrachtet das 'Nibelungenlied' »in seiner überlieferten Form« auch weiterhin »nicht als Werk eines mündlichen, sondern als das eines gebildeten höfischen Dichters« (S. 362). Vom Standpunkt der Theorie mündlich-formelhafter Komposition aus fällt es damit aber überhaupt nicht mehr unter den Oberbegriff der Mündlichkeit, den Bäuml so betont. Man arbeitet automatisch wieder mit dem Begriff des »Originals« und d. h. auch, daß eine einzelne Handschrift keineswegs dem kritischen Text vorzuziehen ist, sofern man »bemüht ist, die mündliche Tradition h i n t e r dem schriftlich überlieferten Werk zu beleuchten« (Bäuml, S. 362; Sperrung von

---

[424]) Zu komplex ist deshalb auch ein Kommentar von E. Jammers zum musikalischen Vortrag, der sich im übrigen nur durch den Begriff der »Auswendigkeit« von den Gedanken der anglo-romanischen Schule unterscheidet: »Das Spielmannsepos wird dabei auswendig vorgetragen: stilistisch ergibt sich dies aus der Formelhaftigkeit der Sprache und der Wiederholungstechnik des Erzählens; was die überliefernden Handschriften angeht, aus der Vernachlässigung der Verse bei ihrer Niederschrift.« (Ausgewählte Melodien des Minnesangs, Tübingen 1963, S. 9).

[425]) Am ehesten in der stark umarbeitenden Tradition *I* des Osw, die auch die gröbsten Nachlässigkeiten und Flüchtigkeitsfehler aufweist. So groß wie in Rychners Beispiel sind die Abweichungen allerdings nur hier.

[426]) In Osw *W* tritt z. B. Pauge mehrfach stärker in den Vordergrund, und die Hs. schließt entsprechend und ohne Rücksicht auf den Vers: *Hye hat sant oswolcz vnd seiner hausfrawen/ leben ain end got vns sein genad send.*

mir). Solche Überlegungen führen im Zusammenhang nur zu Verwirrung. Eine ausführliche Klärung der eben skizzierten Vorfrage hätte dagegen genauer und ohne Umwege auf den entscheidenden Punkt hingeführt, einen neuralgischen Punkt der orthodoxen Lehre von der Mündlichkeit: es gibt offenbar rein statistisch von mündlichen kaum zu unterscheidende Dichtungen, in denen der mündliche Stil nicht mehr ausschließliche und artbestimmende Existenzgrundlage und -form ist, vielmehr eine literarischen Intentionen untergeordnete Funktion hat. Solche »transitional texts« haben freilich in Parrys und Lords System keinen Platz (vgl. oben S. 59).

Eine weitere Vorfrage betrifft den Formelbegriff selbst. Lords sehr weite Definition täuscht darüber hinweg, daß längst nicht alle Formeln und Formelsysteme ohne weiteres als mündlich im Sinne einer althergebrachten, zwar höchst variablen, aber doch an ein bestimmtes dichterisches genre gebundenen Formelgrammatik anzusehen sind. Entweder gehören sie mündlichen Traditionen teils allgemeinerer, teils speziellerer Art an, oder sie sind von formalen Bedingungen abhängig, die der serbische Sänger nicht zu berücksichtigen hat. Sie finden sich v. a. auch in nicht mündlicher Dichtung. Solange nicht geklärt ist, inwieweit der mündliche Stil sich auch solche Formeln automatisch anverwandelt, sollten bestimmte Typen nur unter großen Vorbehalten in einer Statistik Aufnahme finden, die mit der Formelhaftigkeit auch eine bestimmte Stillage beweisen will. Es wären etwa zu nennen: 1) Formulierungen der Sprache sozialer Normengebung, z. B. alliterierende Zwillingsformeln der Rechtssprache. 2) Formeln der gelehrten Rhetorik, die, einmal in die Volkssprache übertragen, als solche oft nur schwer erkennbar sind. 3) Kurzlebige Formeln, die, aus einer bestimmten literarischen Sphäre stammend, nicht eigentlich »volkstümlich« werden. Hierher gehören viele Kernsätze des Minnesangs, aber auch allgemeiner die »Formeln und formulaische(n) Wendungen mit höfischem lexikalischem Gehalt«, die Bäuml (S. 383 f.) in sein Konzept mündlicher Diktion mit einbezieht [427]. 4) Auf der anderen Seite Formeln der täglichen Rede, die sich aus automatischer Ökonomie des Sprechens ergeben und die wir alle in Wort und Schrift ständig gebrauchen (Satzeinleitungen etc.). 5) Bereits durch die Wahl des Reims mehr oder minder festgelegte Formulierungen. Für in Reimpaarversen oder Strophen abgefaßte Dichtungen sind in diesem Punkt Gesetze gegeben, die für die assonierenden Systeme der serbokratischen oder altfranzösischen Heldenepik nicht gelten. 6) »Eigenformeln«, die ein einzelner Autor für seinen bestimmten Zweck, u. U. auch in Anlehnung an anderweit bezeugte Formelsysteme, erfindet und dann immer wieder verwendet, indem er – man sagt es unwillkürlich – sich ständig selbst ausschreibt (hier sind besonders die »Spielmannsepen« instruktiv).

Durch ihre zumindest in Umrissen einem Gesamtplan folgende Komposition sind auch die »Spielmannsepen« als »transitional texts« ausgewiesen. Daran ändert auch die Tatsache nichts, daß die Formelhaftigkeit auffälliger, primitiver ist und weit weniger »erfolgreich« dem metrischen System unterworfen. Der Fall aus dem Hor, den Schwarz (S. 88 zu F. 45, 2) behandelt, ist sogar typisch. Vielfach bildet nicht das Metrum die Grundeinheit der Zeile, sondern die formelhafte Wendung – und insofern führt die Vorstellung von der nachlässigen Niederschrift (oben Anm. 424) auch vielfach in die Irre. Diese Eigenheit besagt, wenn man alle anderen

---

[427]) Vgl. u. S. 110. *liep als der lip* ist eine in dieser Hinsicht neutrale Formel, aber W. Schwarz sieht sicher richtig, daß mündliche und schriftliche Tradition sich hier ständig gegenseitig ergänzen (Notes on Formulaic Expressions in Middle High German Poetry, in: Mediaeval German Studies, Presented to Frederick Norman, London 1965, S. 60–70). Die Frage ist nur: kann dann rein mündliche Verwendung überhaupt noch sicher bestimmt werden?

Argumente mit berücksichtigt, zunächst nur, daß die Verfasser bewußter als andere mit dem mündlichen Vortrag[428]) rechnen, bei dem sich durch Elision und Verschleifungen aller Art, also durch die Regie des Sprechers, die gröbsten Unebenheiten der schriftlichen Vorlage automatisch wieder ausgleichen. Daß sich dieser Vortrag gelegentlich auch verselbständigt und dann zu Handschriften führt, die bereits Bearbeitungscharakter tragen (Osw *I*), oder über weitere Stufen der Auflösung und Neumischung zu Ablegern wie dem W. Osw und dem Hor, das ist damit nicht bestritten. Genausowenig ist bestritten, »que les principaux traits de la technique épique française (und nicht nur dieser) ne se sont pas développés sous la plume d'écrivains *pour* l'oral, mais sont nés *dans* et *de* l'oral« (Rychner, a.a.O., S. 649). Die Verfasser arbeiten aus noch natürlicher Verbundenheit mit der Sprache und Kompositionsweise mündlicher Dichtung heraus schriftlich, nicht ohne dabei auch an ein Publikum zu denken, das bei bestimmten Themen und Stoffen gerade diese stilistische Haltung erwartete. Die Art, wie ein Unbekannter Alfreds Prosaübersetzung des Boethius in die formelhafte Sprache der 'Metres of Boethius' umgegossen hat, ist ein schönes Beispiel dafür, wie weit diese Erwartung darüberhinaus noch ging und mit welcher Selbstverständlichkeit sie von einem Literaten befriedigt werden konnte[429]).

Daß es schwerfällt, ja fast unmöglich ist, aus Motivähnlichkeiten selbst der auffälligsten Art genetische Schlüsse zu ziehen[430]), ist selbstverständlich auch ein Grundsatz der Theorie von der formelhaft-mündlichen Komposition geworden. Daß man dort auch bei Überlegungen zur Mnemotechnik von der Sprachformel,

---

[428]) Insbesondere die Erzählerbemerkungen sind auf mündlichen Vortrag berechnet und haben auch in unbestreitbar schriftlicher Literatur eine bewußt gliedernde Funktion. Das wird reichlich dokumentiert durch H. Koch, Studien zur epischen Struktur des Lancelot-Prosaromans. Diss. Köln 1965. Interessante Belege für lesen und vorlesen bei W. Ziesemer – K. Helm, Die Literatur des deutschen Ritterordens, Gießen 1951, S. 29.

[429]) L. D. Benson, The Literary Character of Anglo-Saxon Formulaic Poetry, PMLA 81 (1966), S. 334–341.

[430]) Sehr locker hat schon frühzeitig L. Radermacher das Verhältnis des Or zur 'Odyssee' beurteilt (Die Erzählungen des Odysseus, SBW 178, 1. Wien 1915): die Motive der »Heimkehrernovelle« im ersten Teil des Or sind aus verschiedenen Überlieferungen frei aufgenommen und nicht als zusammenhängende Grundlage des ganzen zu sehen, womit auch eine gemeinsame Vorgeschichte 'Odyssee'/Or entfällt (S. 55 bzw. 58). Besonders problematisch werden Ableitungs- und auf ihnen basierende Rekonstruktionsversuche im Bereich spätmittelalterlicher Balladendichtung. Vgl. z. B. Deutsche Volkslieder mit ihren Melodien (ed. Deutsches Volksliedarchiv) V, 1, Freiburg 1965, S. 27ff. (E. Seemann) zu Nr. 91 ('Der Pilger'): auf Grund der Pilgerverkleidung wird die ursprüngliche Fassung als Rückentführung gedeutet, unter Berufung auf Salm, Ro und 'Wolfdietrich' B (s. auch o. Anm. 230). V. Karbusický (o. Anm. 396) führt die Berichte über den Ursprung des Přemyslidengeschlechts und den Krieg zwischen Lutschanern und Tschechen in der lat. Böhmenchronik des Kosmas von Prag (1125) zuerst auf hypothetische frühe epische Dichtungen der Tschechen (S. 197f.) und über den Lutschanerkrieg auf eine noch frühere, ins 10. Jh. zu setzende Vorstufe des Liedes 'Von Koninc Ermenrikes dot' (ed. J. Meier, Deutsche Volkslieder mit ihren Melodien I, Berlin/Leipzig 1935, S. 21f.). Für die Übertragung einzelner Motive ins spätmittelalterliche Drama (im 'Großen Neidhartspiel' schert Neidhart den Bauern Tonsuren und legt ihnen Kutten an) ist nach W. Michael der Spielmann verantwortlich (Frühformen der deutschen Bühne, Berlin 1963, S. 57). Eine kontinuierliche mittelalterliche Tradition dramatischer Produktion und Darstellung auf dieser Ebene glaubt auf Grund der Nachrichten aus der Zeit vor 1100 erneut J. D. A. Ogilvy zu erkennen: Mimi, Scurrae, Histriones: Entertainers of the Early Middle Ages, Speculum 38 (1963), S. 603–619. Zur musikalischen Seite des Spielmannstums vgl. jetzt noch H. Hüschen, Berufsbewußtsein und Selbstverständnis von Musicus und Cantor im Mittelalter, in: Beiträge zum Berufsbewußtsein des mittelalterlichen Menschen (= Miscellanea mediaevalia 3), Berlin 1964, S. 224–238.

also von kleineren Einheiten, ausgeht, führt allerdings allgemein zur Vernachlässigung der Handlungsschematik und zu Akzentverschiebungen im einzelnen [431]).

W. Mohr hat beobachtet, daß der Einbruch Ernsts in die Kemnate in Speyer (Er A II, 41 – 63 + Er B 1290 – 1292) und der Beginn der Kämpfe in der Halle Etzels ('Nibelungenlied' 1951 + 1959 – 1962) in Wortlaut und »Inszenierung« auffällig übereinstimmen, und aus dieser Übereinstimmung auf Spuren einer Variante der »Älteren Not« geschlossen [432]). Entscheidend ist dabei für ihn, der in solchen Fällen ja sehr vorsichtig urteilt (oben S. 49), die ungewöhnliche Vorstellung und Formulierung des Minneschenkens bzw. -trinkens, welche der Parallele den Charakter der Einmaligkeit zu verleihen scheint. Vom Standpunkt der amerikanischen Schule aus wäre gerade wegen dieses Details wohl eher die allgemein mündliche Tradition der ganzen Handlungsschablone zu betonen. Sie gibt ihr den mit einer bestimmten Idee verbundenen festen formulaischen Kern, aus dem heraus sie sich immer wieder regenerieren kann, der also erst ihre äußere Stabilität über längere Zeit hinweg garantiert. Auch Eigennamen – das sei ergänzt – kämen wohl als Kristallisationskerne kleinerer Szenen in Frage [433]).

Die »theory of oral-formulaic composition« hat sich in anderen Wissenschaften als so fruchtbares Ferment erwiesen, daß ihre weitere Anwendung auch auf die »Spielmannsepen« nur eine Frage der Zeit sein kann. In den USA sind erste Versuche im Gang. Ich hoffe, einige Warnzeichen gesetzt zu haben, ohne deren Beachtung das, was die Theorie positiv zu leisten vermag, sich in schematischer Abstraktion verflüchtigen könnte.

Bei weiteren Arbeiten auf dem Gebiet der »Spielmannsepik« wird man im übrigen gut daran tun, die alten und neuen Fragen gleichermaßen gewidmeten Ausführungen A. C. Baughs über die mittelenglischen Romanzen nicht zu übersehen [434]): Formelhaftigkeit der Sprache, Publikumsanreden, das Auftreten von Spielleuten etc. deuten nicht auf spielmännische Autorschaft hin (S. 3 f.). Meistens ist »a semi-learned, generally clerical, origin« das Wahrscheinlichste (S. 4). Auch mündliche Komposition ist aus den genannten Erscheinungen nicht abzuleiten (S. 5 ff.): »the romances began as written compositions, however altered they may have been in the course of minstrel recitation« (S. 9) [435]). Ein Passus aus einem Brief Petrarcas gibt Aufschluß über die Praxis von Fahrenden, literarische Kompositionen sozial Höhergestellter durch Bettelei oder Kauf zu erwerben und gegen Entgelt vorzutragen (S. 4).

c) Die »Spielmannsepik« im Kreis der epischen Dichtung des 12. und 13. Jahrhunderts

Die in den vorausgehenden Abschnitten angedeuteten Modifikationen und Korrekturen bisheriger Ansichten [436]) tragen teilweise Wichtiges zur Klärung der

[431]) Vgl. meinen genannten Aufsatz, S. 42 ff., und Bäuml, S. 385 ff., jeweils mit Literatur.

[432]) Spiegelung von Heldendichtung in mittelalterlichen Epen, PBB (Tübingen) 88 (1966/67), S. 241–248. I. Eine Nibelungenvariante im Herzog Ernst, S. 241–245.

[433]) Vgl. oben S. 29 und 45 zu Witold. Die Ortsbezeichung Salme in der 'Kudrun' ist kaum auf den Personennamen im Salm zu beziehen (anders D. Blamires, The Geography of 'Kudrun', MLR 61 [1966], S. 436–445, S. 440). Vergleiche dieser Art erleichtert jetzt die Zusammenstellungen W. J. Paffs, The Geographical and Ethnic Names in the þiđriks Saga, 's-Gravenhage 1959 (s. z. B. Babilonia, S. 27 ff., Tira, S. 192 ff.).

[434]) The Middle English Romance. Some Questions of Creation, Presentation, and Preservation, Speculum 42 (1967), S. 1–31.

[435]) (Vgl. o. S. 104 zu Rychner). Die Publikumsanreden sind im Hinblick auf den mündlichen Vortrag geschrieben (S. 9 f.).

[436]) Es wäre ferner zu erwähnen, daß das Vorkommen »spielmännischen« Formelguts in hochmittelalterlichen Dichtungen zunächst weniger auf direkten Einfluß der »Spiel-

Kernprobleme bei, ändern aber nichts daran, daß diese sich im Wesentlichen in der alten Form stellen. Ob und inwiefern die am stärksten dem Mündlichen verhafteten – oder angenäherten – mittelhochdeutschen epischen Dichtungen, die »Spielmannsepen«, schon im 12. Jahrhundert »literarisch« gemeint sein und empfunden werden konnten, – das muß sich an ihrem Aufbau zeigen und daran, wie sich das durch ihn Ausgesagte zu den zeitbeherrschenden Themen und Vorstellungen verhält. Lautet doch auch die Antwort eines so bewußt textnahen Interpreten wie Fr. Neumann auf die jüngste Entwicklung in der Handschriftenkritik zum 'Nibelungenlied': »Soweit ich sehe, können Handschriftenverhältnisse nur dann mit zureichender Sicherheit aufgelichtet werden, wenn zuvor aus einer allgemeinen Kenntnis des Werkes seine literarische Stellung bestimmt worden ist«[437]).

Die Gefahr, die hier wie dort droht, ist nicht der gefürchtete »Strukturalismus« an sich, sondern eine Methode immanenter Interpretation, welche den Verzicht auf genetische Ausdeutung verwechselt mit Verzicht auf Berücksichtigung der Erzähltradition, in der das Werk steht. H. Rupp hat einen im Vergleich zu älteren Arbeiten (oben S. 48, 50, 93) vielleicht zu wenig differenzierenden Versuch einer Typologie des Heldenepos geschrieben[438]) und W. Hoffmann eine Interpretation der 'Kudrun'[439]). Wenn Rupp dabei unter dem Stichwort »Unterhaltungsliteratur« einheitlich die ganze Heldenepik des 13. Jahrhunderts, mit Einschränkungen also auch 'Nibelungenlied' und 'Kudrun', mit der »Spielmannsepik« zusammenstellt (S. 23) und ihm darauf Hoffmann die Problembewußtheit der 'Kudrun' und des 'Nibelungenliedes' entgegenhält (S. 1 ff.), dann hat eigentlich jeder recht und doch keiner ganz. Von der fatalen Vorstellung, »unterhaltende« Literatur müsse eo ipso »problemlose« Literatur sein und umgekehrt, werden wir uns wohl nie ganz befreien. Aber ganz abgesehen davon, man wird in all solchen Fragen solange aneinander vorbeireden, solange man sich nicht klar macht, daß das Vergleichbare wesentlich nicht ein bestimmtes Ethos, eine bestimmte Weltsicht oder ein Mangel an beidem ist, sondern etwas Formales.

H. Siefken hat der 'Kudrun'-Forschung einen großen Dienst erwiesen, indem er gerade dies herausgearbeitet hat[440]). Seine Interpretation besteht in einer sorgfältigen Nachzeichnung der Vorgänge unter dem Aspekt der bis ins einzelne belegbaren Schematik von Handlung und Motivation. Dabei sind Zwang und Automatik des Schematischen durchweg mehr betont als die Absicht des Verfassers, über den Bereich des rein Erzählerischen hinaus zu individualisieren. Bezüglich

mannsepen« als auf andauernde Vorliebe für den mündlichen Stil deutet, der die Dichter lediglich in verschiedenem Maß nachkommen. Damit werden unter einem anderen Gesichtspunkt auch die o. S. 57 angestellten Überlegungen bestätigt. (Zu der dort zitierten Literatur ist nachzutragen: F. Urbanek, Der sprachliche und literarische Standort Bertholds von Holle und sein Verhältnis zur ritterlichen Standessprache am Braunschweiger Welfenhof, Diss. Masch. Bonn 1952, bes. S. 140ff. »Spielmännische« Ausdrucksweise und Formelhaftigkeit Bertholds ist dort reichlich nachgewiesen. Die Verwandtschaft mit Er, d. h. der Fassung B, wird auf Grund einiger sonst seltener Wörter und wegen der weitgehenden Kongruenz im Reimgebrauch als »intensiver« angesehen (S. 154). Auch sie resultiert nach Urbanek aber eher aus allgemeiner »Belesenheit« als aus systematischer Bindung). Auch die Vorstellung einer spezifisch spielmännischen Geistigkeit sagt uns jetzt noch weniger als früher (vgl. o. S. 63 f., 73 f. und als weiteres Beispiel G. Weber, Wolfram von Eschenbach 1, Frankfurt 1928, S. 193 ff.).

[437]) Das Nibelungenlied in seiner Zeit, Göttingen 1967, S. 54.

[438]) »Heldendichtung« als Gattung der deutschen Literatur des 13. Jahrhunderts, in: Volk, Sprache, Dichtung. Festgabe für Kurt Wagner, Gießen 1960, S. 9–25.

[439]) Kudrun. Ein Beitrag zur Deutung der nachnibelungischen Heldendichtung. Stuttgart 1967.

[440]) Überindividuelle Formen und der Aufbau des Kudrunepos. München 1967.

des Leitthemas ergibt sich: »der Kontrast der ethischen Schichten wird nicht glaubhaft versöhnt, weil die fordernde Künstlichkeit des Schemas immer deutlich bleibt« (S. 168). In der insgesamt negativeren Beurteilung des »Literarischen« liegt der, vorwiegend graduell zu verstehende Hauptunterschied zu meinen Ergebnissen zum Osw (oben S. 78 f.) und den »Spielmannsepen«. Er folgt indirekt aus einer methodischen Akzentverschiebung [441]): die Vorausklärung der Typik geht nicht von dem in der 'Kudrun' belegten Einzelmotiv oder -schema aus, sondern von einer Schematisierung typischer Handlungsabläufe der Brautwerbung (S. 21 ff.). Das führt zur bisher genauesten Aufgliederung nach Typen unter strukturellem Gesichtspunkt (S. 22), verleitet aber auch zu der nicht hinreichend differenzierenden Feststellung, der Verfasser der 'Kudrun' erzähle »nach dem Handlungsgerüst der Spielmannsepik« (S. 8). Damit sollen zwar keineswegs »Vorlagen« postuliert werden, aber die Erzähltradition als solche ist – was jetzt unter den oben behandelten Aspekten noch gewagter scheint – übermäßig normiert. In noch anderer Beziehung ist nach Siefkens Darlegungen (Schemata S. 13 ff.) der Verfasser der 'Kudrun' von vornherein stark gebunden: durch die »idealtypische Form«, die inzwischen auch die »Abläufe ritterlichen Lebens« (S. 8) gewonnen hatten.

Diese bewußt von allen Nebenfragen und über den 'Kudrun'-Text hinausgehenden Schlußfolgerungen absehende Untersuchung hat indirekt auch viel zur Typologie von Heldenepos und »Spielmannsepik« zu sagen, v. a. was deren formale Grundlagen angeht. Die 'Kudrun' schwellt auch im einzelnen stärker und gliedert komplizierter als die »Spielmannsepen«. Die Rolle der Frau wandelt sich, obwohl ganz im Rahmen des Schemas bleibend, zu der einer Versöhnerin (vgl. oben S. 70 f. und öfter). Der überkommene Erzählstil hat sich Höfisches anverwandelt (ob das auch unter dem Gesichtspunkt der Mündlichkeit verstanden werden kann, wäre zu prüfen: vgl. oben S. 106). Auch in dieser Beziehung stehen die »Spielmannsepen« auf einer früheren Stufe. Es fehlt, soweit überhaupt Feste geschildert (vgl. oben S. 75) oder angedeutet (Oswalds Hochzeit) werden, völlig der Charakter des Zeremoniellen. Auch Botensendung und -empfang sind ausschließlich zweckbezogen.

Von der in den »Spielmannsepen« am deutlichsten wirksamen Erzähltradition zehrt nach den Heldenepen am offensichtlichsten der Tristanroman, wobei dieser äußeren Verwandtschaft unbestreitbar auch eine innere entspricht. Für die Klärung dieses Zusammenhangs ist doch schon etwas mehr geschehen als oben S. 49 angenommen. Wichtige Bemerkungen zum Zusammenspiel der alten Schemata mit der neuen Artusmotivik und -thematik hat H. Kuhn gemacht [442]), und W. Mohr hat mit Strukturproblemen allgemeinerer Art zugleich auch den Dichtertyp ins Auge gefaßt [443]): die »Spielmannsepen« gehören einem Typus »Künstlerroman« zu, der auch durch den 'Ruodlieb' und einzelne Sagas vertreten ist und im Tristanroman seine Vollendung findet (S. 159 ff.). Ein fast noch mythisches »Leitbild«, das »Charakterbild des 'listigen mannes'« (S. 161), dazu die Figur des Sängers und

---

[441]) Zur Methode S. 7 ff. Nach 1962/63 erschienene Literatur ist nicht mehr verarbeitet worden.

[442]) Parzival. Ein Versuch über Mythos, Glaube und Dichtung im Mittelalter, in: Dichtung und Welt im Mittelalter, Stuttgart 1959, S. 150–180, S. 164. Dort S. 170 ff. auch zur Frage der gedoppelten Handlung.

[443]) 'Tristan und Isold' als Künstlerroman, Euphorion 53 (1959), S. 153–174. Von soziologischen Einzelheiten (vgl. o. S. 79, 82, 84) kann Mohr weitgehend absehen, und insofern erweckt Fr. Tschirch einen falschen Eindruck, wenn er Mohrs Versuch in einem Atem mit älteren nennt (Das Selbstverständnis des mittelalterlichen deutschen Dichters, in: Beiträge zum Berufsbewußtsein [o. Anm. 430], S. 239–285, S. 249).

Spielmanns selbst – dies wohl nur in den Doppelrollen Rothers und Morolfs beweiskräftig ausgeprägt – lassen im Hintergrund den »Hofkünstler« ahnen, der »den Wunschtraum eines Künstlerdaseins« erzählt und ein »Wesensbild« darstellt, »in welchem sich der Künstler selbst zu begreifen sucht« (S. 162). Ist es ein Zufall, daß sich dieses Bedürfnis nach Selbstverständnis gerade in einer Übergangszeit so stark geltend macht (vgl. oben S. 95)?

Die List als in fortwährender »Konfrontation von Person und Situation« durch den Erfolg immer wieder gerechtfertigtes Mittel zur Wahrung des gesellschaftlichen Scheins artikuliert weitgehend den Ablauf von Gottfrieds 'Tristan' [444]) (vgl. oben S. 65). Selbst in dieser Vertiefung und Erweiterung bleibt die Listmotivik der »Spielmannsepen« erkennbar, auch insofern, als »List« eng mit »Bildung« zusammenhängt, – man denke an Rothers Sangeskunst, die Welterfahrenheit Morolfs, die Erziehung Ernsts, die wunderbare Begabung des Oswaldraben. Wenn gerade Isolde vorwiegend in der listigen Überspielung der Konvention und der gesellschaftlichen Umstände Gestalt gewinnt (Hollandt, S. 79 ff.), dann ist sie den Frauen der »Spielmannsepen« zunächst verwandt (vgl. oben S. 71). Als intellektuelle Grundlage auch der Komik (oben S. 71) spielt die List eher bei Eilhart eine Rolle [445]).

Allgemein »Gesellschaftlich-Politisches« und »Politisch-Aktuelles«, beides aus dem Ideengut der Zeit geschöpft, behandeln auch die »Spielmannsepen«, obwohl manches vorläufig mehr zu ahnen als konkret zu belegen ist [446]). Selbst das a-historische Minneepos Salm trägt seinen Teil zur allgemeinen gesellschaftlichen Neuorientierung bei (vgl. oben S. 82). Daß die Anknüpfung Rothers an das Geschlecht Pippins mehr ist als ein literarischer Trick (vgl. oben S. 97), läßt sich sogar an der Figur Konstantins ablesen. Wie H. Wolfram zeigt [447]), hat deren Doppelgesichtigkeit – feiger Tyrann und Großvater Pippins – ihre Wurzeln nicht nur in sekundärer spielmännischer Umformung [448]), sondern auch in spätantiker und mittel-

[444]) Gisela Hollandt, Die Hauptgestalten in Gottfrieds Tristan. Wesenszüge, Handlungsfunktion, Motiv der List, Berlin 1966, S. 154, 157.

[445]) Hartwig Mayer unterschätzt die intellektuelle Komponente dieser Komik, wenn er in einer an sich heuristisch sinnvollen Gliederung im 'Nibelungenlied' »höfischen«, »heroischen« und »spielmännischen« Humor unterscheidet und dem letzteren ausschließlich die burlesken und grotesken Elemente zuordnet (Humor im Nibelungenlied. Diss. Tübingen 1966). Fr. Neumann, der zuerst von »Schichten der Ethik im Nibelungenliede« gesprochen hat (in: Festschrift Eugen Mogk zum 70. Geburtstag, Halle 1924, S. 119–145; jetzt in: Das Nibelungenlied in seiner Zeit, Göttingen 1967, S. 9–34), würde heute überhaupt nicht mehr derart scharf unterscheiden (Das Nibelungenlied, S. 30).

[446]) Vgl. W. Mohr, Politische Dichtung, in: Reallexikon 3², 2. Lieferung (1966), S. 157–192 (noch nicht abgeschlossen), S. 171 ff., und o. S. 69. Gute Gedanken zum Verhältnis von Zeitgeschichte und Dichtung sowie zur Kreuzzugsthematik enthält, ohne Bezug auf die »Spielmannsepen«, D. Kartschoke, Die Datierung des deutschen Rolandsliedes, Stuttgart 1965 (S. 26 f. auch zur Opferung von *lip und sele* auf dem Kreuzzug im Or). Belanglos sind die »Spielmannsepik« betreffenden Bemerkungen W. Spiewoks (Die Bedeutung des Kreuzzugserlebnisses für die Entwicklung der feudalhöfischen Ideologie und die Ausformung der mittelalterlichen deutschen Literatur, Weimarer Beiträge 1963, S. 669–683, S. 676).

[447]) Constantin als Vorbild für den Herrscher des hochmittelalterlichen Reiches, MIÖG 68 (1960), S. 226–243.

[448]) Vgl. o. S. 70. Die Hauptpunkte der Diss. G. Schmidts (o. Anm. 324) sind zusammengefaßt in dessen Aufsatz: Die Darstellung des Herrschers im Nibelungenlied, Wissenschaftl. Zs. d. Karl-Marx-Universität Leipzig 4 (1954/55), Gesellschafts- und sprachwissenschaftl. Reihe, S. 485–499 (s. bes. S. 497 f.). Zur Lokalisierung von *H* (o. S. 27) ist die Ansicht H. Bachs nachzutragen, die Sprache dieser Hs. sei »im wesentlichen die des Südens des Kölner Kulturkreises« (Die Werke des Verfassers der Schlacht bei Göllheim, Bonn 1930, S. 174). Zwei neue kleine Beiträge zum Ro von Ch. Gellinek: Berchter

alterlicher Historiographie. Zugleich läßt sich so die genealogische Anknüpfung des Schlusses und damit das ganze Werk von der Eröffnung mit dem Motiv der Erbengewinnung an als Markstein auf dem Weg zur späteren imperialen Konstantinidee verstehen (Wolfram, S. 235 ff.; vgl. oben S. 33).

Daß es in W. J. Schröders Einführung auch an Hinweisen auf den historischen Hintergrund bzw. das Verhältnis zu lateinischen Quellen mangelt, ist inzwischen von seiten der Mittellateiner kritisiert worden [449]. Insbesondere zur literarischen Tradition des Or-Stoffes (oben S. 18) darf man sich vielleicht aus dieser Richtung noch einige Aufklärung erhoffen. Zu weiteren Fragen regt jedenfalls eine nochmalige Untersuchung der in ihrer Glaubwürdigkeit seit langem erschütterten Lokaltradition der Helenalegende durch E. Ewig an [450]). Könnte nicht z. B. mit der Einnahme der *burc in Westvale* im Or die Episode aus der Doppelvita Helenas und des Bischofs Agricius (1053 – 1072) [451]) aufgegriffen und dem Ausgangspunkt der Dichtung entsprechend umgebogen sein, in der Agricius auf Helenas Bitten hin vom Papst nach Trier entsandt wird, um die erneut dem Heidentum verfallene Stadt zu christianisieren?

Dem Er, der durchaus das unmittelbare politische Anliegen zugleich auch transzendiert (oben S. 78 – zur Schuldfrage vgl. oben Anm. 449), spricht nicht nur Fr. Neumann die zeitgeschichtliche Relevanz weitgehend ab (oben S. 97). Nach Hulda H. Braches' Meinung handelt es sich geradezu »um ein einziges, großes, mythisches Abenteuer, dessen Kernpunkt die Episode der Kranichschnäbler bildet« [452]). Gemeint ist damit allerdings der »Bänkelgesang« (G) [453], den das Fehlen

von Meran, ZfdPh 86 (1967), S. 388–390; Marriage by Consent in Literary Sources of Medieval Germany, Studia Gratiana 12 (1967), S. 555–580, S. 570ff.

[449]) R. Düchting, Mittellat. Jhb. 3 (1966), S. 266f. Verhältnismäßig ausführliche Kritik auch von G. Bauer, Euphorion 59 (1965), S. 318–324 (insbes. z. Behandlung von Er). Daß die allgemeine Orientierung von Schröders Darstellung zu konservativ und der Rahmen viel zu knapp bemessen ist, muß als grundsätzlicher Einwand auch gegenüber der gerade erschienenen 2. Aufl. (1967) bestehen bleiben. Der Gegenstand tritt einerseits übermäßig und unhistorisch isoliert und andererseits doch weitgehend unscharf vor Augen. Diese Mängel hätten nur durch eine völlige Neukonzeption beseitigt werden können. Im übrigen aber hat das Buch durchaus an Substanz wie an Informationswert gewonnen. Der Verf. hat seine sachlichen und seine bibliographischen Angaben einer durchgreifenden Revision unterzogen, zugleich Nachträge bis 1967 gemacht und frühere Lücken aufgefüllt. Auch in sofern hat die u. a. noch im vorliegenden Arbeit vorgebrachte Kritik (o. S. 2 u. ö.) Berücksichtigung gefunden, als nicht nur die neueste, sondern gelegentlich auch ältere, in der 1.Aufl. nur bibliographisch oder gar nicht erfaßte Literatur in der Darstellung verarbeitet worden ist. Die Inhaltsangaben sind gekürzt, das Kapitel »Zur Thematik und Struktur« des Er (S. 47ff.) ist – in Auseinandersetzung mit G. Bauer – weitgehend neu gefaßt. Beginnend mit den Ausführungen zu »Überlieferung und Ausgaben« (S. 9f.) hat der Verf. durch Ergänzungen, Berichtigungen und Differenzierungen allzu pauschaler Urteile viel getan, um dem Anfänger eine verläßlichere erste Einführung zu geben. Hoffentlich wird dieser, ebenso wie der anonyme Examenskandidat und Glossator eines Münchener Exemplars der 1. Aufl., merken, daß nicht Lukian (S. 40), allenfalls Lukan der stilistische Lehrmeister Odos v. Magdeburg gewesen sein kann.

[450]) Kaiserliche und apostolische Tradition im mittelalterlichen Trier, Trierer Zs. f. Geschichte u. Kunst d. Trierer Landes u. seiner Nachbargebiete 24/26 (1956/58), S. 147 bis 186.

[451]) Abgedruckt bei H. V. Sauerland, Trierer Geschichtsquellen des 11. Jahrhunderts, Trier 1889, S. 175–212.

[452]) Jenseitsmotive und ihre Verritterlichung in der deutschen Dichtung des Hochmittelalters, Assen 1961, S. 57. S. 52–92 unter »Ritterroman der Frühzeit« über Er, 'Tristrant', 'Straßburger Alexander', 'Eneit'.

[453]) Zu G (o. Anm. 207) ist nachzutragen: die nur in geistlicher Kontrafaktur erhaltene, im Spätmittelalter überaus erfolgreiche Melodie hat J. Meier herausgegeben: Deutsche Volkslieder I, 1 (o. Anm. 430), S. 85 ff. Eine neue Ausgabe des Volksbuchs bereitet K. C. King vor.

von Kreuzzug und Meerfahrt nach Braches als altertümlich kennzeichnet und der somit eine »ursprünglichere Fassung der Erzählung« (S. 54) wiedergebe (vgl. dagegen oben Anm. 207).

Zu solchen Urteilen, die ohne Rücksicht auf die internen Zusammenhänge aus dem Fundus der »Spielmannsepik« schöpfen, was gerade in die jeweilige Grundkonzeption paßt oder zu passen scheint, kommt es v. a. auch deshalb immer wieder, weil sich auf diesem Gebiet selbst keine feste und profilierte Forschungstradition herausgebildet hat. Dem sollte zunächst abgeholfen werden. Andererseits darf dieser Bericht nicht mit einem Ruf nach dem »Spielmannsepik«-»Spezialisten« schließen. Der besondere Reiz des hier behandelten Forschungsfeldes liegt vielmehr gerade darin, daß es nach allen Seiten offen ist und deshalb nach größter sachlicher und methodischer Vielseitigkeit verlangt. Wie kaum ein anderes stellt es zugleich die Sicherheit unserer Methodik und die Tragfähigkeit unserer Kriterien auf die Probe.

REGISTER

Das Register besteht aus drei Teilen: (1) *Quellen*, (2) *Sachen und Eigennamen*, (3) *Literatur*. Für die hauptsächlich behandelten Quellschriften ist zur besseren Orientierung eine Untergliederung nach Sachgebieten gegeben. Anmerkungen sind nur eigens zitiert, wenn der Haupttext nicht unmittelbar auf sie hinführt. Titel der wissenschaftlichen Literatur sind nur in Ausnahmefällen exzerpiert worden; Herausgeber von Handbüchern und Sammelwerken werden nicht aufgeführt.

QUELLEN

SACHEN UND EIGENNAMEN

LITERATUR

Albrecht, H.F.G. 3 A. 9
Arntzen, Johanna 12 A. 52

Bach, Adolf 111 A. 448
Bach, Anneliese 74 u. A. 339
Bach, H. 4 A. 15
Baecker, Linde 14 A. 64; 18 A. 85; 30 A. 149
Baesecke, G. 1 A. 1; 5 A. 20; 7–10 u. 7 A. 31f., 9 A. 39f., 10 A. 42f., 45f.; 11 A. 51; 12–14 u. 12 A. 53, 55f., 14 A. 66; 16; 18; 19 A. 90, 94; 25; 26 A. 129, 132; 29; 36; 47–49; 51 u. A. 246; 58 A. 279; 61; 71 A. 330; 73 A. 336; 78; 80; 82; 84; 88f.; 98 u. A. 401; 99f. A. 404f.
Bahr, J. 1 A. 2; 3f. u. 3 A. 9, 4 A. 16; 33; 53; 57f.; 62f. u. 63 A. 293; 65; 73f.; 76 u. A. 345
Baker, E.P. 11
Bartsch, K. 2; 7 A. 32; 34 A. 172; 40 A. 203; 45 A. 227a
Batereau, O. 13 A. 62
Batts, M. 7 A. 30
Bäuml, F.H. 29 A. 142; 86 A. 371; 103–106; 108 u. A. 431
Bauer, G. 112 A. 449
Baugh, A.C. 108
Bayer, H.J. 36; 57
Bayerschmidt, C.F. 34 A. 174
Bebermeyer, G. 83
Bechmann, Annemarie 64; 80

Bechthum, M. 88 A. 376
Becker, Ph. A. 94 A. 392
Bédier, J. 51; 92f.
Beer, L. 18 A. 82
Behaghel, O. 15 A. 68; 21 A. 106; 22
Benary, W. 21 u. A. 104
Benath, Ingeborg 54 u. A. 256; 80–82 u. 82 A. 359
Benson, L.D. 107 A. 429
Beranek, F. 42 A. 209; 44
Berendsohn, W.A. 50 A. 241
Berger, A.E. 12 A. 55; 14–16 u. 15 A. 68, 16 A. 74; 17 A. 78
Bernatzky, F. 47 A. 230
Berndt, G. 29 A. 144
Bertau, K.H. 1 A. 2; 58
Bertoni, G. 88 A. 376
Beyschlag, S. 65 A. 308
Bezzola, R. 53 A. 253
Biagioni, G.L. 19 A. 96; 21 A. 105
Binswanger, L. 62
Birnbaum, S.A. 41 A. 208; 43 u. A. 212, 216
Blamires, D. 108 A. 433
Blauärmel, Charlotte 12 A. 51; 14 A. 66
Blumenröder, A. 39 A. 201; 55f.
Bode, Fr. 54 A. 256
Bodensohn, H. 75
Böckmann, P. 65
Bönsel, G. 2 A. 5; 19 A. 91; 39–41 u. 40 A. 204; 77f.

A. 156; 33; 45; 50 A. 240; 51f. u. 52
A. 249; 86
Paris, G. 24 A. 120; 90
Parry, M. 52 A. 251; 59 u. A. 283; 90;
103; 106
Peeters, L. 13 A. 59
Perjus, Edith 14 A. 66
Petsch, R. 62
Pez, B. 37
Pfeiffer, F. 99
Philippson, E. A. 31 A. 154; 89 A. 383
Piper, P. 3 u. A. 9; 6
Plocher, Marianne 67
Ploß, E. 7 A. 30; 39 A. 201
Plummer, Ch. 10 A. 47
Pogatscher, F. 26 A. 132; 28; 58 A. 279
Polívka, G. 13 A. 59; 50 A. 241
Pretzel, U. 15 A. 69; 22 A. 114
Priebsch, R. 26 A. 129
Pschmadt, C. 14 A. 63
Pukánszky, B. v. 7 A. 32

Quint, J. 6 A. 26

Radermacher, L. 107 A. 430
Rauh, Ursula 102 u. A. 418
Reich, H. 87
Reich, K. 31f.
Reinecke, H. 64 A. 301
Reinicke, Sabine 3; 55; 84
Reitzenstein, R. 34 A. 173
Reuschel, Helga 50f.; 53
Riedel, H. 82 A. 357a
Riemen, A. 27 A. 134; 36 A. 183
Ringhandt, Esther 2; 34 A. 171; 36;
76f. u. 77 A. 351
Ristow, B. 5 A. 22
Ritter, R. 58 A. 276
Röll, W. 7 A. 30; 19 A. 92; 45 A. 227a;
102f.
Roelly, S. 45 A. 227a
Rosenau, P. U. 67 A. 312
Rosenfeld, Hans-Friedrich 2 u. A. 5;
19 A. 97; 20–23 u. 20 A. 103, 21
A. 105f., 22 A. 113; 31 A. 154; 34–41
u. 34 A. 172, 35 A. 176–178, 36
A. 181, 183, 38 A. 191, 39 A. 197
Rosenfeld, Helmut 25 A. 125; 34 A.
171; 44 A. 224; 45; 71 A. 33f.;
100 A. 406; 102
Rosenhagen, G. 52; 89 A. 381
Rosenqvist, A. 36 A. 183
Rückert, H. 26 A. 131
Ruelle, P. 40 A. 202
Ruf, P. 35 A. 179
Rupp, H. 5 A. 22; 33 A. 167; 64 A. 302;
109
Rychner, J. 59 A. 281; 60f.; 90f. u. 90
A. 386; 104; 105 A. 425; 107; 108
A. 435

Salmen, W. 1 A. 2; 2 A. 5; 5 A. 24; 85;
86 A. 367; 89; 91

Sandrock, L. 70 A. 324
Saran, F. 32; 40 A. 205; 68f.
Sarifow, Ch. T. 53 A. 254
Sauerland, H. V. 112 A. 451
Schaffroth, Harriet 88 A. 376
Schaflitzel, A. 57
Scheidweiler, F. 65
Scheludko, D. 24 A. 120; 40 A. 202;
47 A. 230
Scherer, W. 56 A. 269
Scheunemann, E. 32 A. 160
Schieb, Gabriele 27 A. 134
Schiel, H. 20 A. 97f., 101; 21
Schier, K. 50 A. 241
Schildt, J. 47 A. 229
Schirmunski, V. 53
Schirokauer, A. 27 A. 137; 28 A. 142;
36
Schlosser, J. 12 A. 52
Schmeing, K. 13
Schmid, Gertrud 63f.
Schmidt, E. 20 u. A. 101
Schmidt, G. 70; 111 A. 448
Schmitz, W. 66
Schneider, H. 3f. u. 3 A. 11, 4 A. 16;
6; 12 A. 57; 17 A. 78; 19; 22; 25
A. 125; 29 A. 146; 30 u. A. 149; 31
A. 153; 33; 40; 46; 48–50; 52f.; 65
A. 308; 66 A. 311; 68; 71 A. 330;
81; 85; 87; 91f. u. 92 A. 388; 95 A.
395
Schneider, Nora 77
Schnürer, G. 84 A. 363
Schönbach, A. E. 7 A. 29; 8 A. 36
Schönbrunn-Kölb, Erika 23
Scholte, J. H. 21 A. 106; 39 A. 197
Schramm, G. 41 A. 208
Schramm, P. E. 38
Schreiber, E. 2; 12f.; 52 A. 252; 78f.
Schreiber, H. 56 A. 265; 58
Schröbler, Ingeborg 4; 25; 29; 41
A. 208; 42; 45 u. A. 227; 49 A. 234,
238; 93; 102
Schröder, E. 4 A. 14; 6 A. 26; 8 A. 34;
9 A. 39; 15 A. 72; 17; 20 A. 98 u.
102; 21 A. 106; 22 A. 109, 112; 26–29
u. 26 A. 129, 28 A. 140; 30 A. 148; 32
A. 161; 35 A. 178; 36 A. 181, 183;
39; 84 A. 363
Schröder, F. R. 24 A. 120; 51 A. 246
Schröder, Marianne 27 A. 136
Schröder, W. J. 1f. u. 1 A. 2; 4; 7 A. 30;
28; 29 A. 142f., 145; 31 A. 154; 32
A. 163; 34; 53; 74; 76 u. A. 347; 77
A. 350; 82; 112
Schünemann, K. 32 A. 161
Schütte, M. 41 A. 207
Schultz, P. 47 A. 230
Schulze, E. 31f. A. 160
Schumann, O. 11 A. 51
Schuster, Anna E. 26 A. 131
Schwab, Ute 66 A. 311
Schwander, Annemarie 18 A. 87

Schwartzkopff, W. 58 A. 275
Schwarz, H. 89 A. 383
Schwarz, W. 41f. A. 208; 42–45 u. 43
  A. 215; 103; 106 A. 427
Schwendenwein, Ingeborg 52 A. 252;
  68 A. 318
Schwietering, J. 5f.; 32 A. 162; 46; 53;
  58; 65; 70 A. 324; 71 A. 331; 76–79
  u. 76 A. 347, 77 A. 349; 82; 84 u.
  A. 363; 86f.
See, K. v. 89 A. 383
Seemann, E. 47 A. 230; 50 A. 243; 107
  A. 430
Senn, A. 21 A. 106
Siefken, H. 109f.
Siegmund, K. 31f. u. 32 A. 162
Sievers, E. 26 A. 132
Simon, A. 63 u. A. 295
Simon, K. 69 A. 321
Singer, S. 2; 18; 21 A. 104; 23 A. 117;
  35 A. 178; 39; 87 A. 374
Sitte, E. 32 A. 160; 56 A. 269
Soeteman, C. 2 A. 7
Sonneborn, K. 34 A. 171; 37f.; 77
Sorensen, Margot I. S. 84 A. 361
Spanke, H. 4 A. 17; 82; 91f.
Spanuth, G. 12 A. 52
Sparnaay, H. 4 A. 16; 15 A. 68
Spiewok, W. 111 A. 446
Spittler, B. 2f.
Springer, O. 15 u. A. 68, 70; 80 A. 353
Stach, W. 72 A. 332
Stackmann, K. 45 A. 227a; 49; 57
  A. 270
Ständer, K. 57 A. 274
Stammler, W. 3; 10 A. 42; 20 A. 97;
  35 A. 176; 41 A. 207; 65 A. 308; 84;
  92; 94
Steche, Th. 4 A. 16; 87 A. 372
Stein, S. 67; 84
Steinger, H. 2; 14–16 u. 16 A. 74; 17
  A. 78; 19 A. 89; 73 A. 336; 78; 80 u.
  A. 354; 86; 91
Stephan, R. 58
Stimming, A. 38 A. 195
Stockum, Th. C. v. 5 A. 24
Stolte, H. 53 A. 253
Strecker, K. 88 A. 376
Strümpell, Regine 55 A. 261
Stumpfl, R. 51 A. 246; 88
Sudhof, S. 71 A. 331
Suolahti, H. 21 A. 106; 22 u. A. 109;
  26 A. 129; 28 A. 142; 29 A. 143
Swinburne, Hilda 30 A. 149
Szabolcsi, B. 85

Tax, P. W. 99 A. 403
Tegethoff, E. 26 A. 131
Teske, H. 69 A. 319
Teuber, E. 15f. u. 15 A. 69; 22 A. 112;
  36 A. 185; 47; 58 u. A. 279; 80
Thiel, E. J. 42 A. 209
Thiele, G. 29 A. 143

Thomas, H. 22
Thompson, St. 45 A. 227; 50 A. 241
Thoss, W. 2 A. 5; 55; 57 A. 272; 58
Toenniges, F. 10 A. 45
Tonnelat, E. 2; 15 A. 68; 17f.; 80 u.
  A. 354
Trautmann, H. 47 A. 229
Trautmann, R. 24 A. 123; 52 A. 251;
  92 A. 390
Trier, J. 65
Trost, P. 42 A. 213
Tschirch, Fr. 110 A. 443
Tubach, Fr. C. 31 A. 154; 42 A. 213

Uhland, L. 2
Unwerth, W. v. 9 A. 39; 47 A. 230; 52
  A. 248
Urbanek, F. 109 A. 436
Usadel, G. 47 A. 229

Vizkelety, A. 7; 9; 11 u. A. 48
Vogt, Fr. 4; 5 A. 20, 22; 15 A. 68;
  19–22 u. 19 A. 96, 20 A. 101f.; 24;
  39 A. 201; 48; 54; 68 A. 317; 101
  u. A. 411
Vogt, Hilde 2 A. 5
Voigt, H. 30; 75
Voss, Hella 69 A. 322
Vries, J. de 4 A. 14; 25–30 u. 25 A. 125,
  26 A. 131f., 28 A. 140, 29 A. 146, 30
  A. 149, 151; 31 A. 154, 160; 34 A.
  171; 48 u. A. 232; 51; 55; 85 A. 365;
  91; 96

Wachinger, B. 56 A. 267
Wackernagel, Ph. 44 A. 223
Waddell, Helen 87 A. 376; 88 A. 377
Wahnschaffe, Fr. 60 A. 286
Walker, Th. 47 A. 230
Wallner, A. 8 A. 34; 11 A. 51; 86 A. 371
Walshe, M. O'C. 5f. A. 25; 30 A. 149
Wapnewski, P. 5 A. 22; 53 A. 253; 57
  A. 274
Ward, D. J. 103
Wareman, P. 1 A. 2; 2 A. 5; 5 u. A. 24;
  7 A. 30; 86 A. 367; 87–91 u. 87
  A. 374, 88 A. 376, 91 A. 387; 93f.
  u. 94 A. 395; 95 A. 396
Weber, G. 109 A. 436
Wehrhan, K. 13; 35 A. 176
Wehrli, M. 61 A. 288; 72
Weigand, H. J. 57 A. 270
Weinand, H. G. 71 A. 327
Weinreich, M. 43 A. 220; 44
Weisleder, O. 27
Weissberg, J. 43
Wentzlaff-Eggebert, Fr.-W. 66–68; 71
  A. 330; 80 A. 355
Werlich, E. 88 A. 378
Wesle, K. 15 A. 69; 16 A. 74; 29 A. 144
Wesselofsky, A. 24 u. A. 124
Wesselski, A. 21 A. 107; 24 A. 120